Vous avez dit France?

**POUR COMPRENDRE
LA SOCIÉTÉ FRANÇAISE
ACTUELLE**

ALAIN KIMMEL

HACHETTE F.L.E.
*58, rue Jean-Bleuzen
92170 Vanves*

Secrétariat d'édition : Elisabeth Maupu.
Conception graphique, maquette : Françoise Crozat.
Recherche iconographique : Christine de Bissy.
Couverture : maquette : Gilles Vuillemard.

Composition : C.G.P. Saint-Martin-Boulogne.

ISBN 2-01-018890 X

Avant-propos

Francis Debyser observait récemment [1] que, depuis une vingtaine d'années, on avait « négligé l'importance » pour l'enseignement de la civilisation française à l'étranger de ce qu'il appelle des « usuels de référence », c'est-à-dire des ouvrages qui doivent donner les réponses aux questions que peuvent se poser tous ceux qui s'intéressent à la France et aux Français d'aujourd'hui.

En 1983, à l'occasion de la première biennale de l'Alliance française qui s'est tenue à Buenos Aires sur le thème « Civilisation et Communication », Ross Steele, professeur au département d'études françaises de l'université de Sydney et auteur de plusieurs livres de civilisation, avait distingué, à côté des manuels historiques de civilisation, trois sortes d'ouvrages :
– « l'ouvrage inventaire » du type *Le Nouveau Guide France* [2],
– des « ouvrages dans lesquels les auteurs présentent leur analyse personnelle de la France »,
– des « manuels constitués de documents pour la plupart authentiques qu'un commentaire des auteurs permet de relier ».

R. Steele devait ensuite définir le « manuel idéal » comme « une sorte de source documentaire, à la fois pour le professeur et pour les apprenants », tenant compte de la « triple perspective sociologique, anthropologique, sémiologique dont parle F. Debyser » [3].

Le présent livre ne correspond à aucun des trois types d'ouvrages évoqués par R. Steele. Il n'a pas pour autant – est-il besoin de le dire ? – la prétention de représenter le manuel idéal : d'une part, il ne couvre pas tout le champ de ce qu'il est convenu d'appeler la civilisation française contemporaine ; d'autre part, s'il tient compte des trois approches sociologique, anthropologique, sémiologique, il privilégie – ne serait-ce qu'en raison de l'espace éditorial qui lui est imparti – la première d'entre elles. Son propos est avant tout de donner les informations de référence indispensables à la connaissance de la société française actuelle, les repères permettant de s'orienter dans le dédale de cette société, et les éléments de réflexion propres à en faciliter la compréhension.

Description et analyse des réalités françaises contemporaines, selon une ligne thématique, avec regroupement des domaines abordés selon quelques grands axes, telle est la démarche suivie tout au long de ce livre.

C'est donc à ceux qui « sont amenés à parler de civilisation – qu'ils l'enseignent ou qu'ils l'étudient – à dire ce qu'est la France [4] » ou seulement à s'y intéresser, que ce livre s'adresse.

Conçu à partir de dossiers et d'articles publiés dans les revues *Échos* et *Le Français dans le monde*, augmenté de nombreux textes inédits, il propose un ensemble d'informations et d'analyses sur les divers aspects de la France d'aujourd'hui. À travers des enquêtes, des sondages, des documents, il présente des données et synthèses sur les réalités quotidiennes, le contexte politique, la situation économique, les questions sociales, les faits de société, la vie culturelle, etc. Il s'efforce ainsi d'éclairer les principaux phénomènes et les grands débats contemporains, et de donner au lecteur des clés pour mieux connaître et mieux comprendre la société française actuelle.

---

(1) Dans *Le Français dans le monde*, n° 198, janvier 1986.
(2) Hachette, *Nouvelle édition*, par Guy Michaud et Alain Kimmel, 1990.
(3) Dans *Topiques* 6, Alliance française de Buenos Aires.
(4) Philippe Greffet, dans *Topiques* 6, *op. cit.*

Introduction

Bon nombre d'observateurs de notre pays, tant nationaux qu'étrangers, s'accordent pour souligner le caractère de plus en plus hétérogène, voire éclaté, de la société française actuelle. Jamais, selon eux, celle-ci n'a présenté un visage aussi divers, contrairement à ce qu'avaient prévu naguère Tocqueville, Comte et Durkheim qui annonçaient en quelque sorte un resserrement des Français autour d'un modèle socioculturel uniformisé. Les attitudes, les comportements, les mentalités se sont multipliés au point de faire apparaître cette société comme une mosaïque, sinon un miroir brisé.

Hier, les différences étaient quantitatives (on était plus ou moins jeune, plus ou moins riche...) ; aujourd'hui, elles sont qualitatives, c'est-à-dire culturelles. Ce qui veut dire qu'on ne peut plus considérer la population française globalement. Il faut tenir compte de l'existence de familles culturelles très diverses, en sachant que cette diversité est en évolution constante. Les Français sont de plus en plus différents les uns des autres, y compris à l'intérieur des mêmes catégories sociodémographiques. Ils appartiennent à des groupes autonomes, plus ou moins fermés sur eux-mêmes, développant leur propre système de valeurs, possédant leur langage, leur code, leur mode de vie. Chaque groupe consomme ses produits culturels spécifiques (journaux, magazines, émissions de télévision ou de radio, films, livres...), et chacun vit dans une sphère de micro-cultures, de tribus [1], voisinant, coexistant avec les autres, mais s'en éloignant, jusqu'à leur devenir étranger. Les contacts se raréfient, les échanges s'amenuisent et même les conflits disparaissent progressivement.

Le miroir de cette société individualisée, émiettée, nous renvoie l'image d'un kaléidoscope culturel. D'où ce constat : nous sommes devant un immense vide [2] de valeurs collectives qu'elles soient sociales, religieuses, idéologiques...

Ce vide est la conséquence de l'absence de grands mythes historiques comme de grands rêves collectifs. Aucune institution, aucun parti politique n'est désormais à même de proposer un grand projet aux Français. Ceux-ci se défient d'ailleurs de plus en plus de leur classe politique qu'ils jugent incapable de résoudre les problèmes qui les préoccupent (chômage, immigration, enseignement...), coupée des réalités, sinon « malhonnête ». Dans un livre paru il y a quelques années, Jean-Yves Potel notait : « le visage de la France est multiple, complexe, contradictoire » [3].

Si l'économie du pays a retrouvé un certain dynamisme – mais que va-t-il en être après la guerre du Golfe ? – créant à nouveau des emplois, si la croissance et le pouvoir d'achat des Français sont de nouveau positifs, plusieurs enquêtes récentes ont fait apparaître un indéniable « retour des inégalités ». Au cours de la dernière décennie, les revenus du capital (mobilier et immobilier) ont davantage progressé que les revenus du travail (notamment les salaires).

De plus, malgré les créations d'emploi, le chômage après avoir diminué a repris sa marche en avant, au cours des derniers mois, et de nouveau le seuil des 2,5 millions de chômeurs est dépassé.

Situation préoccupante qui se répercute dans de nombreux domaines, touchant en particulier les jeunes, comme l'enseignement et les conditions de vie dans les banlieues des grandes villes.

À l'image du Japon, la France est une nation à la fois traditionaliste et moderniste. Pays de la bonne cuisine, de la haute couture et des incessantes querelles franco-françaises (la dernière en date sur l'orthographe !), la France est aussi le pays qui possède les trains les plus rapides du monde, le plus grand nombre de micro-ordinateurs domestiques et celui dont l'électricité sera bientôt entièrement d'origine nucléaire.

Vous avez dit contradiction ? Les héros des jeunes Français s'appellent l'abbé Pierre, défenseur des pauvres et des exclus, le commandant Cousteau, explorateur des fonds marins et écologiste averti, mais aussi Bernard Tapie, un industriel « faiseur d'argent ». Ces jeunes ne militent plus, mais se mobilisent pour des causes humanitaires, en France et dans le monde. Parfois solitaires, ils sont aussi solidaires au sein d'une société où l'individu est roi. Société médiatisée qui « ne se transforme que par ruptures, qui portent en elles à la fois des mutations accélérées et de nouveaux blocages »[4].

Le troisième millénaire qui commence demain sera-t-il pour la France une période de « mutations accélérées » ou de « nouveaux blocages » ? Si l'avenir n'est écrit nulle part, les pages qui suivent s'efforcent de faire comprendre comment la société française actuelle « s'organise en profondeur, s'abandonne à ses courants et aux courants du monde »[5].

(1) Cf. *Le Temps des tribus*, de Michel Maffesoli, Méridiens Klincksieck, 1988.
(2) Cf. *L'Ère du vide* de Gilles Lipovetsky, Gallimard, 1983.
(3) *L'État de la France et de ses habitants*, éditions La Découverte, 1985.
(4) Alain Touraine, dans *Le Monde* (30 décembre 1986).
(5) Fernand Braudel, *L'Identité de la France. Espace et Histoire*, Arthaud-Flammarion, 1986.

Sommaire

6 FAITS DE SOCIÉTÉ

7 ACTUALITÉ DES MÉDIAS

8 SYSTÈME ÉDUCATIF

9 CULTURE, CROYANCES, IDÉES

1

POPULATION

Les transformations de la famille.

Mariage ou concubinage ?

La France aime-t-elle les bébés ?

Les transformations de la famille

Depuis quelques années de nouveaux comportements sont apparus qui ont modifié l'image traditionnelle de la famille.
Divers modes de vie familiale coexistent désormais et si la famille demeure une institution solide, les changements qu'elle a connus rendent son avenir incertain.

Dans un livre récent, *La Famille incertaine* [1] Louis Roussel, professeur de démographie à l'université Paris V et conseiller scientifique à l'Institut national d'études démographiques (INED) constate que «dans le domaine de la vie familiale, les changements ont été plus importants en deux décennies qu'autrefois en un siècle».

Depuis le début des années soixante-dix, en effet, on a assisté à une forte baisse de la natalité, à un déclin important des mariages, à une augmentation considérable des divorces et au développement spectaculaire du concubinage.

■ Couples modernes recherchent bonheur...

Comment expliquer ces phénomènes? Essentiellement, selon L. Roussel, par une double désinstitutionnalisation du couple, dans les comportements et dans la législation. D'une part, les jeunes couples se définissent avant tout comme des individus (et non des êtres sociaux), dont la raison d'être est le sentiment amoureux. D'autre part, le droit matrimonial est devenu plus «souple» et n'intervient plus dans le domaine de l'intimité et de la vie familiale.

La famille moderne ainsi constituée s'oppose radicalement à la famille traditionnelle. Celle-ci avait pour but d'assurer la survie de l'espèce et de transmettre un patrimoine. Ce cadre familial, indiscuté, avait des fondements religieux, il protégeait ses membres de l'angoisse de la mort. La recherche du bonheur n'était pas l'objectif du mariage, il n'en était que le «pourboire éventuel».

Seul le destin était responsable du bonheur – ou du malheur – des êtres. Aujourd'hui, il y a une recherche presque exclusive du bonheur, que l'on trouvera en dehors de la société, ou, du moins, sans que celle-ci contribue à l'assurer.

La famille désormais n'est plus considérée comme une institution, un cadre indispensable, elle est le fruit d'un contrat privé entre un homme et une femme.

Cependant, ces nouveaux couples sont fragiles, à la fois parce que le sentiment amoureux est éphémère et qu'aucune norme, religieuse ou autre, ne leur impose plus de durer; d'où la difficulté pour les couples à s'inscrire dans le temps et les phénomènes observés depuis une vingtaine d'années tendent à le démontrer.

Au cours de ces deux décennies, en effet, la tendance générale d'affaiblissement de l'institution familiale s'est trouvée favorisée par l'évolution de la condition des femmes (élévation du niveau d'instruction, participation massive à la vie active et, bien sûr, maîtrise de la fécondité).

■ Coexistence de divers modes de vie familiale

Une nouvelle configuration familiale se dessine ainsi, caractérisée par une série de comportements correspondant à plusieurs groupes familiaux.

■ Un premier groupe familial désormais minoritaire, représenté principalement dans les milieux catholiques et conservateurs, demeure «assez proche du modèle traditionnel». Il admet comme norme que la vie sexuelle ne commence qu'avec le mariage, tient celui-ci pour une union en principe indissoluble ». Il considère l'avortement comme un interdit, et son taux de fécondité atteint, parfois encore, trois enfants et plus. Enfin, « la différenciation des rôles, suivant le sexe, demeure très marquée ».

■ Le second groupe, actuellement dominant en France, admet que la vie commune commence avant le mariage, mais exclut la fécondité. Le mariage se produit généralement après un ou deux ans de « cohabitation » et la fécondité est le plus souvent programmée. L'organisation de la vie commune est fondée sur le principe de l'égalité des conjoints et d'une certaine indifférenciation de leur rôle. Le divorce est considéré comme l'issue normale d'une union qui a échoué. Il est généralement souhaité que la rupture s'effectue par « consentement mutuel »[2].

■ Un autre groupe, de plus en plus important, est constitué de couples qui paraissent « renoncer plus durablement au mariage ». Ce sont des hommes et des femmes qui ont choisi de vivre ensemble, qui envisagent que cette « cohabitation » puisse durer longtemps, mais qui savent qu'un jour ou l'autre ils pourront mettre fin à cette « union ». Le groupe familial est lié par la convergence des objectifs de chaque membre du groupe. L'évolution du pourcentage des enfants nés hors mariage rend bien compte de la progression de ce type de couples.

■ Depuis quelques années est apparu un quatrième groupe : celui des familles « monoparentales ». Il s'agit d'un parent qui vit seul avec un ou plusieurs enfants. Ces familles représentent un peu plus de 6% de l'ensemble des familles, soit 900 000 adultes et 1 200 000 enfants mineurs. On les trouve surtout dans les grandes villes et plus de la moitié d'entre elles ne comptent qu'un seul enfant. Dans 80% des cas, le « chef de famille » est une femme, le plus souvent divorcée, mais aussi « mère célibataire » ou veuve. Parmi les pères seuls, également en majorité divorcés, 20% vivent avec leurs propres parents (contre une femme sur quinze).

■ Enfin, à ces quatre groupes, on peut ajouter plusieurs types « statistiquement rares » : couples homosexuels, individus ayant choisi de vivre seuls ou en communauté, etc.
Tous ces nouveaux « comportements » ont bien entendu des répercussions sur la distribution des ménages. Ceux composés d'un adulte seul,

célibataire ou divorcé le plus souvent, sont les plus nombreux : ils représentent environ 10% de la population du pays, dont deux sur trois sont des femmes.
« Au modèle dominant de la famille nucléaire avec enfants s'est substituée une pluralité de modèles où les petites unités de une ou deux personnes deviennent de plus en plus fréquentes »[3]. Pour reprendre la formulation de L. Roussel, à « la ferme familiale de jadis » s'oppose dorénavant « la pension de famille ».

■ L'individu contre la famille

Si les différents types de familles définis par L. Roussel s'inscrivent dans la continuité du modèle initial autrefois dominant, le mariage-institution, celui-ci s'est progressivement dévalorisé pour n'être plus − lorsqu'il n'est pas refusé − qu'une simple formalité sociale.
Cette « rupture culturelle » en matière de comportement matrimonial peut s'expliquer par le fait que les jeunes femmes des années 1965/1970 « ont eu le sentiment d'être écrasées par le poids des maternités et par l'idéal de la femme-objet au foyer »[4]. Il faut également faire une large part à la réaction de nombreux jeunes mariés contre le modèle familial traditionnel de leurs parents.
Ce qui semble prioritaire aujourd'hui, c'est l'intérêt propre des individus à l'intérieur même du groupe familial. Cette conception nouvelle de la famille a trouvé son fondement dans la maîtrise scientifique de la fécondité et dans l'autonomie matérielle de chaque époux. Elle est d'ailleurs liée au renouveau de l'individualisme observé ces dernières années[5].

■ Une « démographie turbulente » ?

La famille ne constitue pas une réalité autonome au sein de la société ; elle en est partie intégrante, agit sur elle, mais « en reçoit aussi des impulsions et des contraintes »[6]. En conséquence, la famille de demain dépendra en grande partie de ce que sera la société à l'aube du troisième millénaire.
Faut-il craindre, avec certains, son éclatement ? Et que faire alors pour éviter qu'il se produise ? L. Roussel ne voit pas d'autre solution que le

retour aux valeurs traditionnelles. Il est rejoint par la sociologue Évelyne Sullerot pour qui « l'éclatement complet de la famille ne serait pas vivable : il conduirait au collectivisme, l'État se chargeant d'assurer toutes les responsabilités abandonnées par des parents totalement désolidarisés »[7]. L'auteur du *Fait féminin*[8] demeure toutefois sceptique quant à la réalité de ce retour à la tradition.

L'avenir n'étant qu'une série d'interrogations, on se contentera d'observer, à partir de diverses enquêtes récentes, qu'au palmarès des « institutions » françaises, la famille occupe toujours la première place.

Cette apparente contradiction entre les observations des sociologues et des démographes, et l'opinion des Français paraît donner raison à un autre démographe, Hervé Le Bras, qui notait dans un de ses derniers livres : « Depuis très longtemps, des conceptions très différentes de la vie familiale et sociale coexistent en France »[9].

Observation faite dans un chapitre intitulé « la démographie turbulente ».

(1) Éd. Odile Jacob, 1989.
(2) Depuis 1975, la législation permet aux époux de divorcer par consentement mutuel.
(3) Jean Stœtzel, *Les Valeurs du temps présent, une enquête européenne*, PUF, coll. « Sociologies », 1983.
(4) Philippe Ariès, historien.
(5) Cf. les essais de : L. Dumont, *Essais sur l'individualisme*, Le Seuil, 1983 ; G. Lipovetsky, *L'Ère du vide, essai sur l'individualisme contemporain*, Gallimard, 1983 ; A. Laurent, *De l'individualisme*, PUF, 1985 ; P. Birnbaum, *Sur l'individualisme*, Presses de la Fondation nationale des sciences politiques, 1991 ; Alain Renaut, *L'Ère de l'individu*, Gallimard, 1989.
(6) Louis Roussel, op. cit.
(7) in *Le Figaro*, 4 avril 1989.
(8) E. Sullerot, *Le Fait féminin*, Éd. Fayard, 1978.
(9) H. Le Bras, *Les Trois France*, Éd. Odile Jacob – Le Seuil, 1986.

Famille je vous aime...

« L'été agonise ; les derniers vacanciers s'en vont. Déboussolés par l'absence des cousins et des copains, mes rejetons font leurs valises avec un mélange de morosité et d'excitation. C'est la rentrée ; elle signifie le retour à la norme, le repli dans le cocon familial. Nous allons nous retrouver entre nous et cette perspective efface la brume de mélancolie qui enveloppe le village presque inanimé. La reprise du boulot et de l'école n'est pas vraiment désolante quand on jouit du privilège de vivre en famille. Une marmaille pour semer le désordre, une mère pour le gérer, un père pour exercer une fiction de règne : voilà mon idéal de bonheur ici-bas. Il suffit pour y prétendre de convoler et de commettre des héritiers, en nombre élevé si possible car en matière d'ambiance familiale — ou nationale — tonicité rime avec fécondité. Certes je suis tenté, comme chaque année à l'approche des feuilles mortes, de rester ici quelques jours, seul, afin de procéder dans le calme à la rumination de mes fantasmes. Il m'arrive de succomber à ce mirage.

Très vite l'ennui m'accable, je flotte dans ma tranquillité comme un nain dans un manteau de géant. La nécessité des batailles de polochons et autres ramdams nocturnes s'impose avec la force de l'évidence dans le silence de la maison vide.

C'est la même chose lorsque je largue les amarres. Passée l'ivresse des départs, je compte les jours qui me séparent d'eux. Au fond, je ne pars à la chasse aux émotions que pour leur ramener un butin d'images colorées. La splendeur de Moorea, je l'ai découverte au retour, dans les yeux ébahis de ma fille. La fièvre du Dakar, je l'ai connue dans le salon, quand mes fils ont métamorphosé les fauteuils en 4×4, pour une spéciale plus mémorable que celles du désert. Comme tout Occidental, ou presque, je n'existe au sens plein du terme qu'en référence à ma tribu, et les ailleurs où je bourlingue valorisent tous notre terrier. C'est pourquoi j'assiste sans déplaisir aucun au bouclage des valises. Marie rentre en sixième : dès demain nous parlerons anglais à table pour la mettre dans le bain. Jean veut s'inscrire au club de foot : j'ai promis de lui acheter des crampons, pour peu qu'il s'abstienne pendant quelques jours de gifler François, lequel aborde la lecture avec un enthousiasme des plus incertains. Va-t-on mettre Henri à la maternelle ? Je suis pour, sa mère hésite. Les conseils des lectrices seraient les bienvenus. Tout cela nous promet des débats, des pugilats, des émois, des rires et des larmes. Surtout des rires.

Évidemment, les lois étant ce qu'elles sont, je serais plus riche sans enfants, et fiscalement avantagé si je n'étais pas marié. Mais je poursuivrais sans appétit une existence sans finalité et sans allégresse.

(...) En toute hypothèse, famille je vous aime... ».

DENIS TILLINAC
dans *Madame Figaro*, 6 septembre 1986.

Mariage ou concubinage?

Au déclin spectaculaire du mariage a correspondu, ces dernières années, une progression constante du concubinage. Phénomène de société aux multiples causes, le concubinage, comme le divorce, dessine de nouveaux modèles matrimoniaux. Ceux-ci vont-ils se confirmer ou va-t-on assister au renouveau du mariage ?

En 1972, 416 000 mariages étaient enregistrés, chiffre à peu près stable depuis le début du siècle. En 1987, on en a recensé 265 000, niveau le plus bas jamais atteint (à l'exception de la période 1914-1918) et qui a fait de la France, la championne du « non-mariage ». Pourtant, 50% des Français, interrogés peu avant par la SOFRES pour *Le Figaro Magazine* (cf. p. 00) estimaient que le mariage est « tout à fait indispensable ou plutôt indispensable à l'épanouissement d'un couple ». 47%, il est vrai, considéraient qu'il est « plutôt pas indispensable ou certainement pas indispensable ».
Le même sondage enregistrait les réactions des Français à l'égard du concubinage. 58% trouvaient normal qu'« un garçon et une fille décident de vivre ensemble sans se marier » (ils étaient 37% dix ans auparavant dans une enquête SOFRES-*La Croix*). 33% étaient « un peu choqués », mais estimaient que ce n'est « pas leur affaire » (contre 45% en 1976). Enfin 7% condamnaient tout à fait ce « comportement » (17% en 1976).
De fait, l'acceptation du concubinage a augmenté parallèlement au concubinage lui-même. En 1976, on dénombrait à peine cinq cent mille concubins, soit environ 4% de l'ensemble des couples. Aujourd'hui, leur nombre est supérieur à 1,2 million (soit 9% de l'ensemble des couples). Il reste certes environ douze millions de couples mariés, mais si l'on ne prend en compte que les couples dans lesquels l'homme a moins de trente-cinq ans, on atteint un pourcentage de plus de 20% (5% en 1976 !). D'ailleurs, 87% des jeunes de 18 à 24 ans interrogés dans l'enquête SOFRES-*Figaro Magazine* considéraient l'union libre comme normale. Celle-ci progresse désormais dans tous les milieux, y compris ruraux, mais reste essentiellement un phénomène urbain dont la fréquence est élevée chez les employés, les cadres supérieurs et les professions libérales. Géographiquement, c'est dans la région parisienne qu'elle est la plus répandue : un couple sur cinq n'est pas marié et, parmi les hommes de moins de vingt-cinq ans, on compte plus de concubins que d'époux « légitimes ». Le Nord est la région de France où le mariage a encore le plus d'adeptes.

■ Pourquoi le concubinage?

Plusieurs raisons expliquent le succès croissant de cette « formule », que les démographes appellent aussi « cohabitation hors mariage ». En premier lieu, bien sûr, le développement de la contraception qui, en assurant la maîtrise de la fécondité, permet à de nombreux couples de ne plus « être obligés » de se marier. On peut citer ensuite l'extension du travail féminin qui rend les femmes plus indépendantes. On n'oubliera pas le refus, par certains jeunes, du mariage qualifié de « formalité inutile », voire d'« hypocrisie sociale ». Enfin, il faut mentionner les avantages fiscaux dont ont bénéficié ces dernières années les concubins ayant des enfants. Ceux-ci avaient en effet la possibilité de faire des déclarations de revenus séparées et de prendre chacun un enfant à charge. Chaque enfant comptait alors pour une part, au lieu d'une demi-part (jusqu'au troisième) pour les enfants de couples mariés, ce qui entraînait des abattements et des déductions doubles. Selon certains experts, le « non-mariage » assurait à un

couple avec deux enfants, disposant d'un revenu imposable de 200 000 francs, une économie d'impôt d'environ 30%. Mais, depuis 1987, le Parlement a voté une loi qui a rapproché la situation fiscale des concubins et des couples mariés.

Cependant, les couples non mariés n'ont pas d'existence juridique, ce qui n'est pas sans conséquence en cas de conflit. Les mairies peuvent toutefois délivrer à la demande un « certificat de concubinage » ou une « attestation d'union libre ». Ces documents permettent aux concubins de jouir du statut de couple « légitime » vis-à-vis des organismes sociaux et de réductions dans les transports publics.

À côté des concubins, les sociologues et les statisticiens ont découvert qu'il existait désormais des « couples », au sens classique du terme, qui ne constituaient pas des « ménages ». Évelyne Sullerot appelle « solitaristes », les hommes et les femmes constituant ces « couples ».

Nouveau modèle matrimonial et divorce

Au même titre que le concubinage, le « mariage à l'essai » ou le mariage tardif, le divorce apparaît comme un « élément déterminant du nouveau modèle matrimonial qui semble se mettre en place aujourd'hui en France »[1]. On compte actuellement environ 100 000 divorces par an (contre 45 000 en 1972 et 60 000 en 1976), soit plus de 30 divorces pour 100 mariages. En 1984, Évelyne Sullerot, dans un rapport sur le « statut matrimonial », élaboré pour le Conseil économique et social, soulignait qu'à Paris un couple sur deux divorçait. Causes de ces taux élevés : la libéralisation du divorce décidée en 1975, avec le rétablissement du « divorce par consentement mutuel » (que la France avait connu entre 1792 et 1804...), mais aussi les nouveaux comportements des Français liés aux évolutions socioculturelles.

Le divorce est fréquent au sein des mêmes catégories socioprofessionnelles que celles où se pratique la «cohabitation hors mariage». De même, sa fréquence est faible parmi les agriculteurs, les ouvriers et les commerçants et artisans. Comme pour le concubinage, c'est surtout dans les villes qu'on enregistre le plus de divorces. «Le concubinage, le célibat, le divorce (...) ne peuvent plus être tenus pour marginaux», observait Évelyne Sullerot dans son rapport.

▦ Renouveau ou feu de paille?

En 1988 et 1989, pourtant, on a assisté à une reprise des mariages. Après le chiffre de 1967, le plus bas jamais enregistré (265 000), 271 000 en 1988 et 281 000 en 1989 ont été recensés.
À l'issue de quinze années consécutives au cours desquelles le nombre des mariages avait diminué en moyenne de 3,2% par an, c'est donc une augmentation de 2,2%, puis de 3,6%, qui est apparue dans les bilans démographiques.
S'agissait-il d'un simple sursaut ou d'un véritable renversement de tendance ? Allait-on assister à un «boom de la bague au doigt» ?[2] Le moment était-il venu de ce que François de Singly, professeur de sociologie à l'université de Rennes II et auteur de *Fortune et infortune de la femme mariée*[3], appelle la «réappropriation» du mariage ?

Il paraissait possible de répondre affirmativement à ces questions, et donc de parler de renouveau, d'autant plus qu'une enquête du CREDOC (Centre de recherche pour l'étude et l'observation des conditions de vie), publiée en septembre 1990, semblait confirmer les statistiques. Ainsi, selon cette enquête, 23% des Français considèrent le mariage comme une union indissoluble, 36% n'envisagent sa dissolution qu'en cas de graves difficultés et 50% le perçoivent comme un aboutissement logique de l'amour.
Mais, il y a quelques mois, étaient publiés les chiffres de 1990 qui faisaient apparaître une baisse de 6 000 mariages enregistrés par rapport à l'année précédente. La reprise était donc stoppée, le regain n'était peut-être bien qu'un feu de paille.
Devant ces fluctuations et ces incertitudes, toute conclusion serait prématurée. C'est peut-être la journaliste et essayiste Brigitte Ouvry-Vial, auteur notamment de *Mariage, mariages*[4], qui résume le mieux la situation : «On continue finalement à beaucoup se marier, affirme-t-elle, seulement pas tout de suite, pas trop vite et peut-être pas non plus pour toujours».

(1) Jean-Paul Sardon, dans *Les Cahiers Français*, n° 219, janvier-février 1985.
(2) *Le Quotidien de Paris*, 9 février 1990.
(3) PUF.
(4) Éd. Autrement.

La France aime-t-elle les bébés?

Depuis une quinzaine d'années, il n'y a plus de renouvellement des générations. Quelles qu'en soient les diverses raisons, ce déclin de la natalité n'est pas sans inquiéter. Outre qu'il risque de peser lourd sur le système de retraite, il peut mettre en question la place de la France dans le monde.

Il y a quelques années, on a pu voir, placardées sur les murs des grandes villes, des affiches de 4 m × 3 m, présentant en gros plan des visages de bébés surmontés de phrases chocs : « *Il n'y a pas que le sexe dans la vie.* », « *Est-ce que j'ai une tête de mesure gouvernementale ?* », « *Il paraît que je suis un phénomène culturel !* » Au bas de chacune de ces affiches, plus discrètement, était inscrite cette autre phrase : « *La France a besoin d'enfants.* » En dépit des apparences, il ne s'agissait pas d'une campagne gouvernementale visant à encourager la natalité, mais tout simplement de l'initiative d'un groupe publicitaire.

Peu après, d'autres affiches montraient un ventre de femme enceinte barré du slogan : « *La France aime les bébés.* » Affirmation du ministère de la Famille, ou de quelque association nataliste ? Non, première phase de la campagne de publicité d'une marque de couches (la deuxième phase mettra en scène trois bébés portant des couches «Absorba», célèbre marque qui « *habille la France* »...).
La publicité, qui pressent souvent et donc précède les évolutions, les mouvements profonds de la société, ne faisait là qu'exprimer une des plus vives préoccupations des démographes français.

Est-ce que j'ai une tête de mesure gouvernementale

LA FRANCE A BESOIN D'ENFANTS.

CAMPAGNE RÉALISÉE PAR AVENIR . DAUPHIN . GIRAUDY

Les générations ne sont plus renouvelées

En 1964, le taux de natalité[1] était de 18,1 pour 1 000 habitants. En 1988, il n'était plus que de 13,8.

Si l'on prend comme indicateur – jugé plus satisfaisant par les spécialistes – l'indice de fécondité (c'est-à-dire le nombre de naissances par rapport à la moyenne des femmes en âge de procréer), on passe de 2,9 enfants par femme en 1964 (autrement dit, 290 enfants nés de 100 femmes) à 1,8 aujourd'hui (1,81 en 1989). On sait par ailleurs qu'il faut dépasser le seuil de 2,1 pour assurer le simple remplacement des générations. Or, ce chiffre, qui correspond à 850 000 naissances par an, n'a plus été atteint depuis 1974 (cette année-là, on a dénombré 801 000 naissances). Le chiffre le plus faible a été enregistré en 1976 (719 000), et si l'on constatait une légère et régulière remontée depuis quelques années, en 1989, on a enregistré 6 000 naissances de moins qu'en 1988 (665 470), ce qui demeure tout à fait insuffisant. Depuis plus de quinze ans, il n'y a plus en France de renouvellement des générations. Cette chute de la natalité s'observe dans toutes les catégories socioprofessionnelles et dans toutes les régions de France. Il faut en outre souligner que l'indice actuel de 1,8 prend en considération les enfants nés de parents étrangers. Leur part est passée de 10,8 % en 1975 à 15,5 % en 1989, soit un taux de fécondité de 3,15. Si l'on ne tient pas compte de ces naissances, on obtient seulement un indice de fécondité de 1,6. Lorsqu'on interroge les Français sur la dénatalité, deux tiers d'entre eux déclarent qu'il s'agit d'un réel problème pour l'avenir de la France et, questionnés sur le nombre d'enfants qu'ils souhaitent ou auraient souhaité avoir, une majorité répond deux et plus (cf. tableau ci-après).

Les raisons du déclin

Cette apparente contradiction entre l'« idéal » et la réalité conduit à rechercher les causes de ce déclin. Certains observateurs incriminent la libéralisation de la contraception (loi de 1967) et de l'avortement (loi de 1975). À l'évidence, la « révolution contraceptive » et la légalisation de l'interruption volontaire de grossesse (IVG), qui a fait passer le nombre des avortements de 18,7 pour 100 naissances vivantes en 1976 à environ 25 en 1989, ont largement contribué à cet affaiblissement démographique (163 000 IVG ont été déclarées en 1989 et 220 000 estimées). Toutefois, l'étude historique fait apparaître que le phénomène de dénatalité est antérieur à la libéralisation des moyens contraceptifs et de l'IVG. La loi n'aurait fait qu'institutionnaliser, en l'accentuant, un processus déjà en cours. Évolution d'autant plus irréversible qu'elle s'accompagnait d'un discours social visant à limiter la natalité.

Il faut y ajouter les mutations de la société française qui ont progressivement transformé le visage des familles dans le sens d'une « nucléarisation » de plus en plus accentuée. L'exode rural, l'urbanisation, le travail des femmes ont notamment joué un rôle décisif dans la diminution des naissances du troisième enfant. Celui-ci « coûte cher » et bon nombre des couples actuels qui souhaiteraient le « programmer » estiment ne pouvoir le faire pour des raisons matérielles.

Outre ces divers facteurs, certains auteurs mettent en cause l'individualisme moderne (primat de l'individu sur le collectif, et, partant, sur la famille), l'hédonisme de masse, la crise économique, les risques de guerre ou le sida... Ces comportements, ou « styles de vie », débouchent le plus souvent sur un refus de l'enfant vu comme un obstacle à la liberté du couple, à son aisance financière, à son standing socioprofessionnel.

Sans tenir compte des problèmes matériels, combien souhaitez-vous ou auriez-vous souhaité avoir d'enfants ?

Aucun	3	*3 enfants*	33
1 enfant ...	6	*4 enfants*	10
2 enfants ..	40	*5 enfants et plus* ..	6
		Sans opinion ...	2

Dans *Le Figaro Magazine* (sondage SOFRES effectué du 20 au 25 juin 1986 auprès d'un échantillon national de 1 000 personnes représentatif de l'ensemble de la population française âgée de 18 ans et plus).

Enfin, un certain scepticisme, sinon pessimisme, à l'égard de l'avenir expliquerait également cette baisse de la fécondité. Les pères de famille ne sont décidément plus ces « aventuriers du monde moderne » dont parlait Charles Péguy. Le démographe Louis Roussel parle même de « crépuscule des pères ».

En dépit de l'augmentation du nombre des naissances hors-mariage (10% en 1975, 28,2% en 1989), la natalité reste majoritairement inséparable du mariage. Or, celui-ci, depuis plusieurs années, est en régression[2]. Comme, dans le même temps, le nombre de divorces ne cesse de croître, on comprend que la dénatalité soit un phénomène à l'ordre du jour. En l'étudiant de manière plus approfondie, on constate que les familles nombreuses diminuent davantage que les couples sans enfants n'augmentent. Or, pour atteindre le seuil crucial de 2,1 enfants par femme, il faudrait qu'un tiers des couples mariés aient trois enfants. Ils ne sont plus actuellement que 20% dans ce cas. Certains démographes n'hésitent pas à prédire un chiffre de 1,1 soit pratiquement l'enfant unique. D'autres, moins pessimistes, escomptent une reprise, dès lors qu'un seuil plancher aura été atteint.

■ Le vieillissement de la population

Selon les prévisions des démographes, la France devrait compter, au début du troisième millénaire, environ 60 millions d'habitants (56,6 millions aujourd'hui), ce qui ferait d'elle le pays le plus peuplé d'Europe occidentale, après l'Allemagne. Elle atteindrait ce chiffre malgré une fécondité restreinte, mais qui la place pourtant en seconde position, derrière l'Irlande, dans l'Europe des douze.

Ces « bons » résultats sont cependant moins dus au taux de fécondité (stabilisé, mais insuffisant) qu'à celui de la mortalité infantile qui est un des plus bas au monde (7,5/1 000), et surtout à une progression continue de l'espérance de vie (72,7 ans pour les hommes, 80,7 pour les femmes). Au XIXe siècle, elle n'avait augmenté que de 10 ans en 100 ans, désormais elle progresse de 0,3 chaque année.

À l'évidence, la population française vieillit. En un siècle environ, le nombre de personnes âgées de plus de soixante ans a doublé (18% aujourd'hui, soit 10 millions de personnes). Ce chiffre devrait continuer à s'accroître dans les années à venir pour atteindre plus de 20% (soit 12 millions de personnes)[3] au début du troisième millénaire. Alors, « le sommet de la pyramide des âges sera alourdi, observe Gérard Calot, directeur de l'Institut national d'études démographiques (INED), ce qui aura des effets sur l'économie, sur le dynamisme interne de la nation, son aptitude à la recherche ».

Ce vieillissement de la population risque d'entraîner des conséquences extrêmement graves sur le système de protection sociale, notamment l'assurance-vieillesse. On peut craindre qu'il n'y ait plus suffisamment d'actifs pour assurer les retraites des personnes âgées. Aujourd'hui, cent actifs supportent trente et un retraités de plus de soixante ans. En l'an 2040, si la fécondité continue de diminuer au rythme actuel, il n'y aura plus que cent actifs pour cent dix retraités.

Autres conséquences de la dénatalité

On peut également remarquer, avec certains experts, que la dénatalité aggrave le chômage. Une diminution du nombre d'enfants entraîne une baisse de la consommation, des besoins en établissement scolaires, en équipements sportifs... Le déclin démographique amorcé il y a une dizaine d'années serait ainsi responsable de la suppression ou de la non-création de plus de 500 000 emplois. Pour l'historien Pierre Chaunu, « de 50% à 60% du chômage actuel, qui est un chômage structurel, est dû non aux classes normales de l'après-guerre, mais au déficit (par rapport aux projections des

années soixante) de 100 millions de jeunes non nés depuis quinze ans sur le quart le plus industrialisé de la planète ».

La crise démographique influe également sur la situation de l'agriculture (actuellement, 40% des paysans sont âgés de plus de cinquante-cinq ans), sur la capacité d'innovation technologique, sur la compétitivité extérieure, voire sur le potentiel militaire.

De la natalité à la nation

« Croître ou vieillir » : tel était déjà le dilemme énoncé par l'économiste Alfred Sauvy en 1963. Vingt-trois ans plus tard, on pouvait lire dans le journal Le Matin du 13 janvier 1986 : « Dans une génération, l'Europe sera un continent affaibli, vieilli face à un monde africain, asiatique, jeune, avide d'action et de travail ». Idée également exprimée par Alain Minc qui, dans son livre Le Syndrome finlandais[4], met en garde contre le « gouffre démographique » qui guette les Européens. Devant cette menace, certains suggèrent, avec le démographe Hervé Le Bras, de « pallier les défaillances de la natalité par la naturalisation, pour laquelle les candidats ne manquent pas ». Point de vue que d'autres contestent vivement, comme l'économiste Jacques Bichot pour qui « moins les Français ont d'enfants, moins la société française est capable d'assimiler les nouveaux venus et de s'enrichir de leur apport tout en conservant son identité culturelle ».

Au-delà de la polémique, force est de constater, en dernière analyse, que parler de natalité c'est aussi, selon l'étymologie, parler de la nation et donc de sa place dans le monde. Il y a bien là une interrogation fondamentale.

---

(1) C'est-à-dire le nombre annuel de naissances par rapport à l'ensemble de la population.
(2) Cf. « Mariage ou concubinage ? », p. 15.
(3) Selon les projections de l'INSEE et de l'INED.
(4) Alain Minc, Le Syndrome finlandais, Le Seuil, 1985.

RÉALITÉS QUOTIDIENNES

Les travaux et les jours des Français.

Dites-nous ce que vous mangez.

Habiter en France.

Vive les vacances !

Les travaux et les jours des Français

L'institut national de la statistique et des études économiques (INSEE) vient de publier les résultats d'une enquête sur « les emplois du temps en France »[1]. Instructifs, bien que sans surprise, les principaux enseignements de cette enquête permettent de suivre le fil de la vie quotidienne des Français.

Les journées des Français s'organisent d'abord en fonction d'un certain nombre de contraintes que viennent moduler les sollicitations sociales, les goûts personnels et les activités de leurs proches.

Ces contraintes sont de divers ordres : d'abord physiologique (manger, dormir, faire sa toilette), puis économique (étudier, travailler) et domestique (faire la cuisine, le ménage, laver, s'occuper des enfants, bricoler, faire de la couture, tricoter, jardiner...). Homme ou femme, actif ou inactif, vivant seul ou en couple, habitant la ville ou la campagne, travailleur manuel ou intellectuel, indépendant ou salarié, chaque Français organise son temps quotidien selon quatre types d'activités : celles relevant des besoins physiologiques, celles liées aux études et au travail professionnel, celles qui ont trait au travail domestique et au loisir (ou temps libre).

■ Dormir d'abord...

Parmi les besoins physiologiques primordiaux, le sommeil occupe la plus grande part de temps. Les Français dorment en moyenne 8 h 35 par jour, soit environ soixante heures par semaine, près de deux cent soixante par mois et plus de trois mille par an... Un bon tiers de leur temps quotidien est donc réservé au sommeil. Celui-ci toutefois, est très inégalement réparti. Les plus « gros dormeurs » sont les très jeunes et les très âgés. Les inactifs dorment plus que les actifs, et, parmi ceux-là, les femmes plus que les hommes. Les habitants des villes dorment moins que ceux des campagnes. Enfin,

plus on a de diplômes, moins on dort. Le reste du « temps physiologique » est consacré aux repas (petit déjeuner, déjeuner, dîner, à domicile ou non) et à la toilette. L'ensemble correspond à la moitié de la journée (47% pour un homme actif et 53% pour un inactif).

■ « Travaillez, prenez de la peine »

Ce précepte du bon La Fontaine semble parfaitement suivi par les Français, puisque les hommes actifs consacrent 45 heures par semaine au travail professionnel (y compris la durée du trajet entre le domicile et le lieu de travail) et les femmes actives 36 heures.

Si environ 90% des actifs, hommes ou femmes, travaillent du lundi au vendredi, 45% exercent leur métier le samedi et plus de 20% le dimanche. Mais le temps passé à travailler est alors plus court : entre quatre et cinq heures dans la journée, au lieu de huit heures environ les jours de semaine. Ces travailleurs du week-end sont essentiellement des agriculteurs, des commerçants, des enseignants ou des cadres qui rapportent du travail chez eux.

En règle générale, les travailleurs indépendants travaillent plus longtemps que les salariés : un jour moyen, 96% des agriculteurs et 78% des artisans ou commerçants travaillent hors de leur domicile, contre seulement 66% des salariés. La différence entre la durée de travail des hommes et celle des femmes (neuf heures) provient de ce que celles-ci ont plus souvent une activité professionnelle à temps partiel, mais aussi du fait qu'elles habitent plus près de leur lieu de travail.

▓ Les travaux domestiques

Qu'ils soient actifs ou inactifs, les Français travaillent beaucoup chez eux. Ainsi, les femmes actives s'adonnent aux travaux domestiques 4 h 15 par jour, tandis que leurs homologues masculins y consacrent 2 h 10. Le samedi et le dimanche, ces durées augmentent : entre 5 h 30 et 6 h pour les femmes et entre 3 h 30 et 4 h 30 pour les hommes. Chez les inactifs, les femmes pratiquent des activités domestiques 6 h 20 par jour et les hommes près de 4 h .

Globalement, les femmes actives consacrent au travail à la maison un temps à peu près équivalent à celui de leur travail professionnel, soit en moyenne 35 heures par semaine, et les inactives environ 44 heures. Les unes comme les autres travaillent d'autant plus chez elle qu'elles ont un ou plusieurs enfants. Les actives, mères d'un seul enfant, comptent 5 h de travail quotidien, et une heure de plus lorsqu'elles ont trois enfants ou plus. Avec un enfant, les femmes au foyer disent travailler 8 h par jour et 1 h 20 de plus pour trois enfants.

À nombre d'enfants égal, les actives consacrent moins de temps à certaines tâches domestiques : pas ou peu de préparation de déjeuner en semaine, moins de ménage à faire, moins de temps passé à laver et repasser, encore moins à faire de la couture ou du tricot... De façon générale, les hommes actifs non célibataires participent assez peu aux activités ménagères, que leur femme ou compagne travaille ou non, qu'ils aient un ou plusieurs enfants.

Il semble donc, en dépit de certaines affirmations (complaisantes ?), que la tradition demeure vivace : les hommes, dans l'ensemble, n'apportent que peu d'aide à leurs épouses.

Lorsque les femmes actives ajoutent les heures consacrées au travail domestique à leur horaire professionnel, elles atteignent un total de près de 70 heures hebdomadaires lorsqu'elles n'ont pas d'enfant, et plus de 72 heures avec un ou deux enfants. De tels chiffres ne sont pas sans faire réfléchir sur la réalité de la libération de la femme par le travail professionnel, qui fut un des thèmes-chocs des mouvements féministes des années 1970.

Toutefois, ces données recouvrent des comportements très différents selon les activités pratiquées. Hommes et femmes ont généralement des domaines bien distincts sur lesquels ils « n'empiètent » que très rarement.

Ainsi, laver le linge (c'est-à-dire le plus souvent, aujourd'hui, utiliser un lave-linge) et le repasser reste incontestablement le domaine réservé des femmes (5 % seulement des hommes sacrifient à ce rituel domestique...). Une sur deux y consacre en moyenne 1 heure, un jour donné. Domaine réservé aux femmes également que celui de la couture et du tricot qui, cependant, les occupent seulement une demi-heure par semaine.

Le ménage est aussi essentiellement une activité féminine : 80% des femmes s'attellent à cette tâche environ 1 heure par jour, mais 20% des hommes ne rechignent pas à les assister, à raison d'une demi-heure quotidienne. C'est en matière de cuisine et de vaisselle que l'on se rapproche, relativement, le plus de l'égalité des sexes. Un homme actif sur deux fait la cuisine « ordinaire », celle de tous les jours, pendant une trentaine de minutes, tandis que les femmes actives réservent 1 heure à cette activité et les inactives 1 h 40 en moyenne. De même, les mères sont deux fois plus nombreuses que les pères à s'occuper des enfants : elles les lavent, les habillent, les font manger... bref, leur consacrent deux fois plus de temps, soit entre 1 heure (pour les actives) et 2 heures par jour (pour les inactives). On constate néanmoins que les jeunes pères actuels s'occupent davantage de leur(s) enfant(s) que leurs devanciers, même si la progression n'est pas très spectaculaire : trois quarts d'heure par jour en 1986 contre une demi-heure en 1975.

Les domaines essentiellement masculins sont ceux du bricolage et du jardinage.

Équivalent du tricot pour les femmes (et donc travail ou loisir ?), le bricolage est une activité temporaire, pratiquée, au cours d'une journée donnée, par un homme sur quatre. C'est une activité « prenante » qui occupe ses « pratiquants » au moins 1 h 40 par jour en moyenne. C'est surtout le samedi que les bricoleurs se livrent à leur occupation (passe-temps ?) favorite : 2 h 15 en moyenne pour un actif sur trois. Les inactifs bricolent plutôt en semaine. La majorité des bricoleurs sont, professionellement, des travailleurs manuels. Il en est de même pour ceux qui font du jardinage ou effectuent de gros travaux domestiques. Mais ce sont avant tout les retraités qui s'adonnent à ce type d'activités : 45% pour les hommes et 30% pour les femmes (15% seulement chez les actifs, hommes ou femmes).

▓ Le temps des loisirs

Lorsque les Français ont épuisé le temps consacré aux besoins physiologiques, au travail professionnel et aux travaux domestiques, il leur reste le « temps libre », celui consacré au(x) loisir(s). Ils l'occupent à regarder la télévision, écouter la radio, des disques ou des cassettes, à lire, sortir, se promener, pratiquer des sports, participer à des activités associatives (civiques, culturelles ou religieuses...), à rendre visite à des parents ou amis, à recevoir leurs visites, à assister à des spectacles (cinéma, théâtre, musique...), à chasser, pêcher, jouer à des jeux de société ou... ne rien faire !

En semaine, chaque Français dispose en moyenne de 3 h 30 par jour de temps libre, dont 1 h 40 consacrée à la télévision pour 43% d'entre eux. S'ils peuvent accroître cette plage de « liberté », ils accroissent aussi le temps passé devant le petit écran. Proportionnellement, ils regardent davantage la télévision en semaine que le week-end. Plus ils vieillissent plus ils réservent de temps à certaines de ces activités (télévision, radio, promenades, visites...). L'âge de la retraite venu, elles occupent l'essentiel de leurs journées.

À l'inverse, la pratique sportive est presque exclusivement une activité de jeunes : 20% des 15-19 ans et 30% des étudiants font en moyenne deux heures de sport (football, tennis, natation...) au cours de la journée. Le taux de pratique diminue régulièrement jusque vers 55 ans, pour remonter ensuite lorsque la retraite, notamment, « libère » le temps. Dans l'ensemble, les hommes demeurent plus sportifs que les femmes, même si celles-ci sont de plus en plus nombreuses à faire du « jogging », de la gymnastique ou à jouer au tennis. Enfin, la chasse et la pêche demeurent des activités de loisir essentiellement masculines et rurales. Elles sont pratiquées, dans l'Ouest et le Sud-Ouest de la France, notamment par des agriculteurs et des ouvriers. Au total, 4% des hommes y consacrent plus de 4 h 30, surtout le dimanche.

« Le travail est bon à l'homme. Il le distrait de sa propre vie », écrivit un jour Anatole France. Propos pessimiste, archaïque sans doute dans une civilisation que l'on dit être celle des loisirs. Mais, de fait, l'homme d'aujourd'hui consacre encore beaucoup de son temps au travail, qu'il soit professionnel ou domestique. Peut-être fait-il sienne cette sentence de Mallarmé : « Je travaille, et m'applique à vieillir aux heures de loisir » ?

(1) Enquête réalisée de septembre 1985 à septembre 1986 auprès d'un échantillon de 16 047 personnes âgées de 15 ans et plus. Cf. *Économie et statistique*, n° 223, juillet-août 1989.

Dites-nous ce que vous mangez...

La nourriture des Français n'est plus ce qu'elle était. Entre ruraux et cita-dins, adeptes de l'« ancienne » ou de la « nouvelle » cuisine, les différen-ces sont sensibles. De nouvelles habitudes et de nouveaux goûts culinaires apparaissent depuis quelque temps.

« Dis-moi ce que tu manges, je te dirai ce que tu es », affirmait Brillat-Savarin auteur d'une *Physiologie du goût* (1838). Cet aphorisme fameux est de nos jours confirmé par ce que l'on sait des habitudes et des pratiques alimentai-res des Français qui, comme leurs conditions de vie, ont beaucoup évolué au cours des der-nières années.
Outre la réduction de la part du budget des ménages consacrée à l'alimentation (20% contre 35% il y a trente ans), intervient la baisse rela-tive de son coût qui réduit les inégalités de consommation liées au revenu. De plus, le déve-loppement de la production de masse, « l'indus-trialisation » de l'agriculture et de l'artisanat alimentaire, l'extension géographique du mar-ché contribuent à effacer peu à peu les diffé-rences régionales, à diffuser très largement des produits autrefois réservés aux couches les plus aisées de la population. Dans le même temps, l'urbanisation et le progrès technique atténuent les oppositions traditionnelles entre ville et cam-pagne, entre travail manuel et travail intellec-tuel, oppositions particulièrement fortes dans le domaine des habitudes alimentaires. S'y ajoutent l'allongement de la scolarisation, l'accroissement des dépenses de santé et le déve-loppement des moyens modernes d'information qui facilitent et accélèrent la diffusion des nor-mes et des modes en matière de diététique, d'hygiène et d'esthétique corporelle.
Toutefois, l'ensemble de ces facteurs ne débou-che pas automatiquement sur l'uniformisa-tion et la standardisation des comportements

alimentaires. D'une part, ils résistent mieux et plus longtemps que prévu ; d'autre part, apparaissent de nouvelles différences. Études empiriques et enquêtes statistiques continuent donc d'enregistrer des écarts, parfois considérables, entre les consommations respectives des diverses catégories sociales.

La hiérarchie des plats

La « consommation alimentaire » des ouvriers, par exemple, demeure, en valeur, inférieure à la consommation moyenne de l'ensemble des ménages. Cet écart reste constant depuis une vingtaine d'années. Le calcul des indices de consommation par catégories socioprofessionnelles et par produits fait ressortir l'opposition entre un petit nombre d'aliments « surconsommés » par les ouvriers et(ou) les paysans (pain, pâtes, vin ordinaire...) et le grand nombre de produits surconsommés par les couches aisées : produits courants mais assez chers (viande de boucherie, poisson, fruits...), produits surgelés ou plats préparés, produits de luxe ou de demi-luxe (crustacés, pâtisserie, vins).
Ainsi, le bœuf demeure une viande « bourgeoise » surconsommée par les cadres supérieurs, les industriels, les gros commerçants, les membres des professions libérales ; elle s'oppose aux viandes « paysannes », volaille et lapin, et surtout au porc, viande populaire traditionnelle. On retrouve cette hiérarchie des plats pour les légumes, desserts et boissons. Aux endives, aubergines et artichauts, très appréciés des cadres et professions libérales, répondent la laitue, les pommes de terre et les poireaux que l'on trouve habituellement à la table des ouvriers et des paysans.
Les fromages de gruyère et de roquefort sont élus par les milieux « bourgeois », alors que les milieux « populaires » préfèrent le camembert et le brie. Même opposition pour les fruits : les premiers choisissent fraises, clémentines et raisins, tandis que les seconds se contentent de bananes, d'oranges ou de pêches.
Au chapitre des boissons, les vins fins et le whisky sont dégustés surtout par les cadres supérieurs (qui se distinguent ici très nettement des professions libérales, industriels et gros commerçants) quand les vins ordinaires et la bière sont généralement bus par les agriculteurs et les ouvriers.

Alimentation des champs

Deux grandes lignes de partage se dessinent ici : l'une sépare les agriculteurs des autres catégories socioprofessionnelles ; l'autre, les ouvriers des employés.
L'alimentation « paysanne » se caractérise par l'importance de l'« autoconsommation » qui représente 37% de la consommation alimentaire totale des agriculteurs. Celle-ci se situe presque trait pour trait à l'opposé de celle des cadres supérieurs. Elle apparaît cependant non pas comme un simple attachement aux traditions, voire un ensemble de survivances, mais comme « un comportement traditionnel modernisé, qui s'inscrit dans le mode de vie de la couche montante des agriculteurs »[1]. Ce comportement correspond à un « calcul économique rationnel », car l'autoconsommation permet de limiter les dépenses consacrées à l'alimentation et rend possible l'accès à une consommation de type urbain (équipement domestique ou loisirs).

L'autoconsommation peut donc être perçue à la fois comme une possibilité pratique et comme une nécessité découlant du sentiment d'appartenance à un groupe social bien déterminé. Tout se passe « comme si elle réactivait, au niveau privé de l'économie domestique, tout un ensemble d'attitudes anciennes que les agriculteurs ont été amenés à refouler au niveau de la gestion de l'exploitation »[2]. Agissant comme « compensation symbolique », elle représente sans doute « l'indépendance et l'autonomie que les paysans ont de plus en plus de mal à préserver en tant que producteurs »[3].
L'alimentation des employés est sensiblement différente de celle des ouvriers. Elle est plus

coûteuse, plus moderne, et plus proche de celle des cadres. Les employés consomment moins d'aliments traditionnels à bon marché que les ouvriers et davantage de produits courants, mais assez chers (viande de boucherie, légumes et fromage frais...). Ils achètent également plus de conserves et de plats surgelés.

Enfin, leur alimentation est plus conforme aux modes, sinon aux normes diététiques. Ils ont tendance à suivre les conseils prodigués par les journaux ou magazines. Leur comportement tend à se rapprocher de celui des cadres supérieurs : ils sont soucieux de leur santé, voire de leur ligne.

■ Nouvelles habitudes et nouveaux goûts culinaires

D'une façon générale, les Français dépensent moins d'argent pour leur nourriture et y consacrent également moins de temps, notamment pour leurs repas quotidiens (sandwiches ou repas rapides au déjeuner, plats surgelés ou « tout préparés » pour le dîner). Le midi comme le soir, à l'extérieur comme à domicile, ils mangent non seulement plus rapidement, mais aussi plus légèrement : moins de viandes, de sauces, de corps gras, plus de produits laitiers, de volaille, de glaces... Le « déclin » le plus spectaculaire est celui du pain : en 1920, chaque Français en mangeait une moyenne de 630 g par jour, puis 290 g en 1960 et 170 g aujourd'hui. Le pain français « traditionnel » (la baguette) est d'ailleurs de plus en plus concurrencé par des pains de campagne ou de ferme, par des pains de seigle, au son, aux céréales, aux noix, aux raisins, etc. Ce sont les produits surgelés qui ont, en revanche, le plus progressé : +70% durant les cinq dernières années. Les ménagères françaises sont de plus en plus nombreuses à stocker des surgelés dans le congélateur de leur frigidaire... Qui n'apprécierait pas de déguster des champignons au printemps ou des framboises en hiver ! Au congélateur (présent dans 80% des foyers) s'ajoute de plus en plus souvent son complément naturel : le four à micro-ondes (20% seulement aujourd'hui, mais en progression rapide !). Les Français, on le sait, ont une solide réputation en matière de vins : ils sont non seulement les premiers producteurs (à peu près à égalité avec l'Italie) mais, surtout, les premiers consommateurs... Pourtant leur consommation a diminué d'environ 25% en vingt ans. Elle a également changé de nature : ils boivent moins, beaucoup moins de vins ordinaires (−50% en vingt ans), mais davantage de vins fins : vins délimités de qualité supérieure (VDQS) ou, mieux encore, vins d'appellation d'origine contrôlée (AOC).

Il n'est peut-être pas inutile, cependant, de préciser que les Français sont aussi les plus gros buveurs... d'eau minérale. Qu'il s'agisse de produits frais, « authentiques », allégés (moins de matières grasses, de sucre...) ou de vins d'appellation contrôlée (AC), on constate chez nos compatriotes une évidente recherche de la qualité alliée à un véritable souci diététique (notamment chez les jeunes). Autrement dit, on mange moins, mais mieux et meilleur. Ce qui est encore une façon de donner raison à Brillat-Savarin qui affirmait que « le plaisir de la table est de tous les âges, de toutes les conditions, de tous les pays et de tous les jours ». Avant d'ajouter : « Il peut s'associer à tous les autres plaisirs ; et reste le dernier pour nous consoler de leur perte ».

(1) « Les pratiques alimentaires », par Claude et Christiane Grignon, dans *Données sociales*, 1984 (INSEE).
(2) *Ibid.*
(3) *Ibid.*

Habiter en France

Les années d'après-guerre ont connu une spectaculaire augmentation de la construction immobilière. Depuis quelques années, elle marque le pas, tandis que se transforme l'espace urbain. Les Français sont de plus en plus sédentaires, mais rêvent toujours de posséder une résidence secondaire. L'habitat se diversifie, la banlieue gagne du terrain, mais à quel prix ?

Après la Seconde Guerre mondiale, le paysage français, jusqu'alors essentiellement rural et agricole, s'est industrialisé et urbanisé. Ce phénomène a eu pour conséquence une transformation profonde des conditions de vie et de logement des Français.

De 1950 à 1968 se sont produits d'importants flux migratoires en direction des grandes métropoles, notamment Paris et sa périphérie, et des régions industrielles de l'Est. À cet exode massif de populations venues des zones rurales de l'Ouest et du Sud-Ouest, s'est ajoutée l'arrivée d'un million et demi de Français d'Algérie et celle de centaines de milliers de travailleurs immigrés. Il s'en est suivi, durant ces quelque vingt ans, une très forte croissance urbaine qui a modifié considérablement les habitudes des Français en matière de logement.

▨ Construction immobilière : des hauts et des bas

Dès 1950, la construction immobilière s'industrialise : de « grands ensembles » sortent de terre dans la banlieue parisienne, près de Lyon et de Rouen.
Au début des années soixante est envisagée la création de cinq villes nouvelles dans la région parisienne[1]. Dans le même temps, de nombreux logements sont construits dans les agglomérations des grandes capitales régionales (Lille, Nancy, Grenoble, Marseille, Bordeaux...). De 210 000 logements neufs en 1955, on passe à 316 000 en 1960, 412 000 en 1965 et 456 000 en 1970. C'est de cette période que datent les « banlieues-dortoirs » uniformisées avec leurs tours de béton aux logements sans âme ni originalité.

À partir de 1970, des immeubles de taille plus modeste et de meilleure qualité succèdent aux grands ensembles, tandis que se développe la construction de maisons individuelles et de « villages pavillonnaires ».

Ce mouvement de croissance immobilière diversifiée va se poursuivre jusqu'à l'aube des années quatre-vingts. Sous l'effet de la crise, il se ralentit alors très nettement, avec seulement 378 000 nouveaux logements en 1980 (contre 500 000 en 1975). À partir de 1987, la barre des 300 000 est à nouveau franchie, les constructions annuelles se stabilisant entre 310 000 et 340 000.

▨ **D**iversification de l'habitat et des espaces urbains

Au fil des années, le logement des Français s'est amélioré (68% s'en disent satisfaits, contre 58% en 1978) et ils sont de plus en plus nombreux à accéder à la propriété. 52% des ménages français sont actuellement propriétaires de leur résidence (ils étaient 42% il y a vingt ans).

Dans le même temps, le développement de l'habitat individuel se poursuit : 56% habitent désormais en maison individuelle (51% en 1978).

Le mode d'habitat des Français et le visage des villes ont été progressivement transformés par les différentes phases de l'urbanisation.

▨ *Le centre-ville*
De plus en plus consacré aux affaires et aux commerces, il conserve quelques quartiers « bourgeois » que côtoient des quartiers anciens, assez pauvres, dans lesquels vivent souvent des personnes âgées, des ménages à faibles ressources ou des chômeurs...

▨ *La banlieue*
D'anciens bourgs ou villages ont laissé la place aux grands ensembles anonymes de béton et de bitume où se retrouvent « petits » salariés, travailleurs immigrés et leurs familles, jeunes sans emploi, etc.

▨ *L'espace « péri-urbain »*
C'est celui que décrivait l'humoriste Alphonse Allais lorsqu'il imaginait l'installation des villes à la campagne. Aux concentrations verticales d'immeubles (les tours) succèdent désormais des concentrations horizontales de villages pavil-lonnaires et des groupes de maisons individuelles chères au cœur des Français.

Cette division en trois espaces géographiques, mais aussi sociaux, doit, à l'évidence, être relativisée. Au sein de chacun de ces espaces coexistent divers modes d'habitat, tout comme différentes catégories sociales.

▨ **L**es Français qui bougent

Lorsqu'ils déménagent, les Français le font pour trois raisons :

▨ *L'amélioration du logement*
Le confort et l'équipement des logements se sont considérablement améliorés au cours des dernières années. Les logements sont plus grands, 85 m² en moyenne (contre 77 m² en 1978) ; 80% des appartements et 71% des maisons individuelles ont « tout le confort » (salle de bains, w.c. intérieurs, chauffage central, téléphone...).

Ils comptent en moyenne près de 4 pièces contre 3 il y a vingt ans (l'INSEE considère qu'un logement « normalement peuplé » doit compter une pièce de plus qu'il y a d'occupants).

▨ *Les événements de la vie familiale*
Mariage, divorce, naissance influent de manière importante sur la mobilité des Français : par exemple, un mariage sur deux et un divorce sur trois entraînent un déménagement.

Ces chiffres varient bien sûr selon les catégories socioprofessionnelles : ainsi les cadres supérieurs, déjà « grandement » logés, ne sont pas contraints de déménager « lorsque l'enfant paraît ». Toutes catégories confondues, on a observé que, sur une période de cinq ans, 50% des ménages ayant eu un enfant avaient changé de logement. En moyenne, les familles les plus mobiles sont celles de deux enfants.

■ *Les changements dans la vie professionnelle*
Qu'il s'agisse de changements d'emploi ou d'employeur, ils impliquent dans 60% des cas un déménagement. Cela est particulièrement vrai pour les jeunes actifs et pour les cadres supérieurs, alors que pour les employés ou les ouvriers, la mobilité résidentielle ne dépend que faiblement de la mobilité professionnelle.

■ **R**ésidences secondaires : toujours plus

Sur les 25 millions de logements actuellement dénombrés en France, on compte 20,5 millions de résidences principales et 2,7 millions de résidences secondaires (le 1,8 million restant sont des logements vacants). Achetée ou héritée mais toujours souhaitée, la résidence secondaire est l'endroit où l'on passe ses « week-ends » ou ses vacances. 80% sont des maisons, le plus souvent avec jardin, 9% des terrains avec « résidence mobile » (caravane ou « camping-car »).
La majorité (56%) des résidences secondaires se trouvent à la campagne, 32% à la mer et 16% à la montagne. Leurs propriétaires sont surtout des cadres supérieurs et des membres des professions libérales.

■ **D**iversification et problèmes de l'habitat

Deux points caractérisent la situation actuelle de l'habitat :
■ La situation des ménages se diversifiant de plus en plus, il paraît indispensable de prévoir une large diversification du parc immobilier, avec notamment différents types de localisation, de logement, de coût... Pour réaliser cette diversification, il faut bien sûr, mettre en œuvre de nouvelles constructions (habitat collectif ou individuel), mais aussi rénover ou « réhabiliter » des logements édifiés il y a une vingtaine d'années et devenus usés, « fatigués ». Tel était le cas notamment des HLM (habitations à loyer modéré), ensemble de 3,2 millions de logements où habitent environ 13 millions de personnes. Un million de ces HLM sont récentes, un million ont été rénovées et 1,2 doivent l'être d'ici à 1995. Ce sont donc 200 000 logements qui devraient être « réhabilités » chaque année. Ces opérations de « réhabilitation » revêtent d'ailleurs des formes différentes : il peut s'agir d'une simple rénovation ou modernisation, mais aussi d'une restructuration complète, voire d'une démolition (comme les « grands ensembles » des Minguettes dans la banlieue de Lyon qui ont été spectaculairement dynamités, il y a quelques années).
■ Cette différenciation de l'habitat, souhaitable si elle débouche sur un véritable brassage humain, peut cependant entraîner une séparation, sinon une ségrégation entre générations, catégories sociales ou groupes ethniques. C'est malheureusement ce qui s'est souvent produit dans les banlieues des grandes villes, ces dernières années.
Ce que certains ont appelé le « mal des banlieues », et qui s'est notamment traduit par des émeutes aux Minguettes en 1983, à Vaux-en-Velin, toujours près de Lyon, en 1990, à Sartrouville et à Mantes-la-Jolie près de Paris, début 1991, doit être impérativement pris en considération. Le chômage, le phénomène de « ghettoïsation » des communautés immigrées, avec leur cortège de violence et de délinquance, sont certes responsables de ce « mal de vivre » dans les banlieues. Mais la responsabilité majeure réside certainement dans leur développement continu et souvent anarchique. Celles-ci ne cessent de s'étendre et le nombre de leurs habitants de s'accroître. Durant les quinze dernières années, la population des banlieues a augmenté de 4 millions de personnes. Les banlieues proches sont passées de 15,5 à 17,6 millions d'habitants (+13,5%) et les banlieues lointaines de 7,8 à 9,7 millions (+24,3%). Cette augmentation est, dans plus de 80% des cas, la conséquence de migrations des « villes-centres » vers les périphéries. Le phénomène est particulièrement sensible pour les banlieues (« communes périurbaines » disent les spécialistes) des grandes villes.
Les banlieues représentent désormais 90% de la superficie des agglomérations et abritent 80% de la population urbaine.

Il n'est pas étonnant, dans ces conditions, que certaines d'entre elles soient devenues des zones particulièrement « à problèmes », de véritables ghettos où peuvent éclater toutes les révoltes, toutes les violences. Pour tenter de prévoir les « maladies de la civilisation urbaine » (bruit, pollution, manque d'espaces verts, absence de lieux de rencontre entraînant délinquance ou marginalité) qui sévissent dans les banlieues les plus défavorisées, les pouvoirs publics ont pris diverses mesures. On peut citer le projet « Banlieue 89 » de l'architecte-urbaniste Roland Castro qui se propose de « repenser la ville dans de nouvelles formes » ou, plus concrètement, l'aide apportée en 1990 à 400 quartiers « insalubres ». Beaucoup, sans doute, reste à faire. Peut-être la nomination, fin 1990, d'un ministre de la Ville permettra-t-elle d'obtenir rapidement des résultats satisfaisants ?

(1) Ce sont aujourd'hui Cergy-Pontoise, Évry, Marne-la-Vallée, Melun-Sénart et Saint-Quentin-en-Yvelines.

Vive les vacances!

Près de deux Français sur trois partent, chaque année, en vacances. Qui sont-ils ? Quel type de vacances prennent-ils ?
Une chose est sûre : ils sont toujours plus nombreux à répondre à « l'invitation au voyage », en France et hors de nos frontières.

Si l'on en croit plusieurs enquêtes récentes[1], les habitants de l'Hexagone seraient chaque année plus nombreux à partir en vacances et, notamment, à l'étranger. Ainsi, sur une trentaine de millions de vacanciers, quelque six millions sortent du territoire national. Chiffre faible, cependant, en comparaison de ceux enregistrés en Allemagne fédérale (une vingtaine de millions) et au Royaume-Uni (une dizaine de millions).

Le directeur commercial du Club Méditerranée, Jean-Michel Landau, observait récemment : « Il y a encore dix ans, manger exotique, boire exclusivement de l'eau et se trouver dans un pays dont on ne parle pas la langue constituait des freins psychologiques. Maintenant, le Français est de plus en plus curieux de découvrir d'autres cultures, d'autres modes de vie. »[2]

De fait, 80% de ceux qui « s'expatrient » se déplacent en Europe (50% en Espagne, en Italie et au Portugal), puis la plus grande partie en Grèce, Yougoslavie et Turquie, 12% vont en Afrique du Nord et 7% vers des destinations lointaines (Polynésie, Seychelles, Maldives...). Mais au palmarès des pays où ils aimeraient passer leurs vacances d'été, viennent en tête les États-Unis (26%), suivis de la Grèce (24%), de la France (22%), puis de l'Italie (18%), de l'Espagne (16%) et des Antilles (12%)... Les États-Unis sont surtout « souhaités » par les hommes et les jeunes, la Grèce a les faveurs des femmes, et la France séduit les plus de quarante-cinq ans et les couples avec enfants. Pour les vacances d'hiver, la France reprend la tête (42%), loin devant l'Autriche (24%), la Suisse (22%), pays traditionnels de sports d'hiver, puis les Antilles (17%) et l'Italie (12%). On constate, ces dernières années, une baisse de l'attirance pour les vacances de neige au bénéfice des « destinations soleil » (Antilles, mais aussi Maroc, Égypte, Sénégal, Ile Maurice...). La France est plébiscitée par les Parisiens et les familles avec enfants, tandis que les jeunes préfèrent l'Autriche et la Suisse.

Quels Français ?

Si environ 60% des Français partent actuellement en vacances, les trente/quarante-neuf ans constituent la génération qui part le plus (environ 65%), contre 50% pour les autres classes d'âge (65% jusqu'à vingt ans et 35% au-dessus de soixante-dix ans).

Socialement parlant, ce sont bien sûr les catégories les plus aisées qui se déplacent le plus souvent et le plus régulièrement. Environ 88% des cadres supérieurs et des professions libérales, plus de 75% des cadres moyens, 66% des employés, 55% des ouvriers et 34% des exploitants et salariés agricoles ont pris des vacances ces dernières années.

Cette hiérarchisation sociale se renforce d'une différenciation géographique. L'été, on part beaucoup plus en Ile-de-France (premier rang avec environ 75% de départs) qu'en Lorraine (dernier rang, avec 40%), et l'hiver (toujours) en Ile-de-France (près de 45%), bien davantage que dans le Nord-Pas-de-Calais (15%). Globalement, bien entendu, les citadins sont plus nombreux à partir que les ruraux.

Quelles vacances ?

Interrogés sur les facteurs qui motivent le choix de leur destination de vacances, les Français citent en premier (28%) l'éloignement (le dépaysement, l'exotisme), puis (25%) l'intérêt du voyage (humain, culturel...), la beauté des lieux (20%) et le climat (14%). Quant aux raisons qui les incitent à partir, la découverte d'autres lieux et d'autres gens arrive loin en tête (72%) devant la nécessité de « se refaire une santé et de penser à autre chose » (23%), ou l'obligation de se consacrer à des proches (5%). Pour choisir leur lieu de vacances, ils font d'abord confiance au « bouche à oreille » (69%), à la lecture d'un journal ou d'un magazine (51%), à la vision d'un film ou d'une émission télévisée (42%), aux brochures des agences et organismes de voyages et de séjours (36%), à la publicité (affichage, télévision, radio).

Lorsqu'ils ont décidé de partir, 55% ont recours aux services d'une agence de voyages (18% souvent, 37% parfois), taux sensiblement inférieurs à ceux enregistrés en Allemagne et surtout en Grande-Bretagne. Dans ce cas, les services requis sont principalement la réservation ou l'achat de billets de train ou d'avion, bien plus que l'information ou la demande de conseils (33%).

Si les Français sont relativement peu nombreux à s'adresser aux agences de voyages (44% ne le font jamais), c'est probablement en raison de leur individualisme bien connu (comme tout stéréotype, il comporte une indéniable part de vérité). Il se manifeste notamment dans le choix de la formule pour les séjours à l'étranger : 64% déclarent préférer le voyage individuel qu'ils organisent eux-mêmes.

Loin derrière, ils mentionnent le séjour à l'hôtel (27%), le voyage individuel organisé (23%), le voyage en groupe organisé (21%), la location (17%), le camping (17%), le séjour en club de vacances (16%), l'échange de domiciles (7%). Les obstacles aux voyages hors des frontières de l'Hexagone sont essentiellement d'ordre financier (60%), liés aux risques d'une situation locale troublée (68%) ou à ceux résultant de conditions sanitaires défectueuses (28%). L'ignorance des langues locales n'est considérée comme un obstacle que par 17% des éventuels voyageurs à l'étranger, tandis que la peur de l'avion et le mal de mer ne sont évoqués respectivement que par 8% et 7% d'entre eux.

◼ Des vacances d'un nouveau type

Si l'ensemble de ces données, comparé à des indications antérieures, ne fait pas apparaître de changements « révolutionnaires » dans les comportements de nos compatriotes, on constate cependant que, désormais, la majorité d'entre eux (52%) se prononce pour des vacances réparties sur plusieurs séjours de courte durée. Les « grandes vacances » (un mois sans interruption, au même endroit) ont depuis longtemps vécu, mais la formule « deux ou trois semaines à la mer l'été, et une ou deux semaines à la montagne l'hiver » laisse dorénavant la place à la répartition sur plusieurs périodes des cinq semaines de congé légal. Cet « éparpillement » peut aller jusqu'aux brèves vacances (quelques jours), voire aux « week-ends ». On peut signaler, à cet égard, que s'ils avaient la possibilité de passer trois jours (hors travail) dans une ville européenne, les Français choisiraient d'abord le tiercé Florence, Venise, Vienne (24%), puis Athènes (22%), Rome et Moscou (21%), enfin Istambul (17%), Londres (16%), Amsterdam (14%), Madrid (12%), Berlin (10%) et... Paris (8%).
Toutefois, les modes de vacances demeurent largement tributaires de facteurs tels que les congés scolaires et la fermeture annuelle des entreprises.
Les Français continuent majoritairement de partir en vacances aux mois de juillet et d'août, mais affirment (à 55%) que leur mois idéal serait juin ou septembre. L'idée d'« étalement des vacances », toujours souhaité, jamais réalisé, progresse donc dans les esprits, sinon dans les mœurs. Le type d'hébergement préféré reste, pour plus de 50%, l'accueil chez des parents ou des amis et la résidence secondaire. Viennent ensuite la location, l'hôtel, le camping et le camping-car, tandis que les séjours en gîtes ruraux connaissent une faveur croissante.
Si les voyages à l'étranger sont prisés par environ 20% des vacanciers, la destination France est l'objet d'un véritable engouement. « Sans aucun doute une nouvelle tendance », note encore J.-M. Landau. Les Français redécouvrent la France, ses régions, ses terroirs et... ses habitants. Au cœur des provinces, ils font du tourisme à thème (tennis, équitation, voile, golf, poterie, tissage, informatique, travaux à la ferme...), ayant pour bon nombre d'entre eux définitivement décidé de ne plus « bronzer idiots » sur les plages surpeuplées de la Côte d'Azur.
Selon toute probabilité, les prochaines années devraient confirmer ces tendances et ces évolutions. De plus, l'accès à la démocratie des pays d'Europe de l'Est devrait offrir d'autres perspectives de vacances aux Français.

(1) Notamment un sondage IPSOS-*Le Monde* (1989).
(2) Cité par *Le Figaro Magazine*, 12 mai 1990.

CONTEXTE POLITIQUE

Le rapport des forces.

Le phénomène Front national.

Les Verts en politique.

La démobilisation des Français.

Décentralisation ou régionalisation ?

Le rapport des forces

Entre la représentation des divers partis à l'Assemblée nationale et leur poids réel dans le pays, il y a parfois de sensibles différences. Si les moins représentés progressent, les formations traditionnelles souffrent de la désaffection des Français. Pourquoi ? Parce que ceux-ci semblent, notamment, ne plus différencier la gauche et la droite.

Si l'on considère l'état des forces politiques en France tel qu'il ressort de la répartition des groupes à l'Assemblée nationale, on constate que le Parti socialiste (PS) avec 272 députés sur un total de 577, est le plus important et détient donc la majorité, mais aussi que cette majorité est relative.

Face à lui, en effet, l'opposition, représentée par le Rassemblement pour la république (RPR), avec 133 députés, l'Union pour la démocratie française (UDF), 90, l'Union du centre (UDC), 41, et le Front national (FN), 1, totalise 265 sièges.

Pour obtenir la majorité absolue (289), le PS a donc besoin de l'appoint des 26 députés du Parti communiste (PC). Il peut aussi compter sur certains députés dits non-inscrits (14), c'est-à-dire n'appartenant à aucun des groupes politiques mentionnés ci-dessus.

■ Représentation parlementaire et poids dans l'opinion

Mais cette composition de l'Assemblée nationale, fruit des élections législatives de 1988, ne rend pas fidèlement compte de l'état réel des forces politiques, deux ans et demi après cette consultation. En effet, deux partis, le Front national et les Verts, ne sont pas représentés à l'Assemblée nationale, alors qu'aux élections européennes de 1989, ils ont recueilli à eux deux environ 22% des suffrages exprimés. Avec 11,8% (le Front national) et 10% (les Verts), chacun possède 10 députés au Parlement européen de Strasbourg, alors qu'avec à peu près le même pourcentage aux législatives de 1988,

le FN n'a qu'un seul député à l'Assemblée nationale. Toujours avec le même pourcentage, le FN, aux élections législatives de 1986, avait disposé de 35 sièges. Pourquoi de telles différences ? En raison de deux modes de scrutin différents. Aux législatives de 1986, tout comme aux élections européennes de 1989, les électeurs se sont prononcés selon le scrutin proportionnel, alors qu'en 1988, ils ont voté au scrutin majoritaire. Rappelons que ce mode de scrutin, établi en 1958, avec l'avènement de la Ve République, est un système où les électeurs élisent un député dans chaque circonscription (scrutin uninominal). Si un candidat obtient la majorité absolue des suffrages exprimés (la moitié plus une voix), il est élu au premier tour. Si aucun candidat n'est dans ce cas, il y a ballotage et il faut alors procéder à un second tour. Seuls les candidats ayant obtenu au moins 12,5% des suffrages des électeurs inscrits sont autorisés à se présenter au second tour. À l'issue du deuxième tour, est élu le candidat qui a recueilli le plus de voix (majorité relative).

Avec le scrutin proportionnel, qui se déroule en un seul tour, à l'échelon départemental, sont élus les candidats inscrits avec un numéro d'ordre sur la liste d'un parti, proportionnellement au nombre de voix obtenues par cette liste. Les sièges restants sont attribués à la plus forte moyenne. Une limite cependant est fixée à cette proportionnalité : pour être représentée, toute liste doit recueillir au moins 5% des suffrages exprimés.

Les différentes consultations électorales qui se déroulent en France ne peuvent, certes, être mises sur un même plan : on ne saurait, par exemple, comparer des élections législatives et des élections européennes. Les premières comportent des enjeux nationaux que les électeurs considèrent, à tort ou à raison, comme absents des secondes. Ainsi, rien ne permet d'affirmer que le vote écologiste de 1989 aurait la même ampleur lors d'une consultation nationale (aux législatives de 1988, les Verts n'ont obtenu que 3,5% des voix). Mais lorsqu'une élection à l'échelle nationale, fût-elle européenne, est confirmée par des élections partielles, ainsi que par des sondages réguliers, aux résultats convergents, force est d'admettre qu'il se passe « quelque chose » dans l'électorat français. Ce « quelque chose » peut se résumer ainsi : on assiste depuis quelques mois, voire quelques années, à une montée en puissance du Front national et des Verts ; à une perte d'influence du Parti socialiste ; à un déclin du Parti communiste et à une stagnation de la droite (RPR, UDF) et du centre (UDC).

▨ **D**es difficultés à gauche...

Comme on l'a vu précédemment, si l'on s'en tient à la représentation à l'Assemblée nationale, le Parti socialiste est à lui seul le premier parti de France. Ses 272 députés sont les élus de plus de 30% de l'électorat français et ce chiffre est remarquable quand on songe aux quelque 5% que représentait le Parti socialiste, alors « Section française de l'internationale ouvrière » (SFIO), à la fin des années soixante. Un des grands mérites de François Mitterrand aura été, après le congrès d'Épinay en 1971, de transformer ce parti minoritaire en un parti (le PS) majoritaire, et, donc, de gouvernement. Toutefois, après une dizaine d'années, (à l'exception de la période 1986-1988) de majorité dans le pays, tous les observateurs s'accordent pour reconnaître – résultats d'élections partielles et sondages à l'appui – que l'influence du PS se détériore, avec comme conséquence une perte sensible d'audience en termes électoraux. À l'issue de son dernier congrès, à Rennes, marqué bien plus par des rivalités de courants et des chocs d'ambition que par de véritables débats d'idées, le PS paraît être définitivement devenu un parti social-démocrate, sur le modèle allemand ou scandinave. Cette évolution, sans doute inéluctable, compte tenu notamment des bouleversements idéologiques survenus dans le bloc « socialiste » d'Europe de l'Est, ne laisse pourtant pas de surprendre, voire de traumatiser, de nombreux électeurs et militants socialistes, déçus de ne pas voir le PS « changer la vie », comme il le promettait à l'aube des années 80.

D'où une incontestable perte de confiance dans les sondages et une hémorragie de voix dans les différents scrutins partiels de ces derniers mois. Peut-être la nomination comme Premier ministre d'une personnalité issue de ses rangs, féminine de surcroît, Madame Édith Cresson, redonnera-t-elle au PS un « nouvel élan » ? Cette situation est d'autant plus alarmante pour le PS qu'il ne peut plus guère compter sur le soutien et l'appoint du Parti communiste. Celui-ci a vu, en effet, son déclin, amorcé il y a quelques années, se confirmer et s'amplifier. Alors qu'il dépassait encore les 20% en 1978, le PC est tombé à 6,7% à l'élection présidentielle de 1988 et à 7,6% aux européennes de 1989. Malgré un sursaut aux élections législatives de 1988 (11,3%), dû en grande partie à des situations locales acquises de longue date et au mode de scrutin, le déclin du PC apparaît irrémédiable, compte tenu de l'effondrement du communisme en Europe de l'Est.

Toutefois, la principale cause, en France, de la chute du PC demeure essentiellement d'ordre sociologique. L'évolution de la société et la transformation des conditions de vie et de travail de « la classe ouvrière », aux cours des années 1950-1980 (Les « Trente Glorieuses ») expliquent ce renoncement à « l'idéal révolutionnaire ». Les ouvriers français ont fini par ne plus croire aux « lendemains qui chantent » et à la capacité du PC de changer la société. Si l'on ajoute à cela l'écroulement du marxisme comme idéologie dominante (« horizon indépassable de notre temps » disait Jean-Paul Sartre) et donc l'abandon par les intellectuels du « compagnonnage » avec le PC (où sont les Aragon, Elsa Triolet, Althusser, Garaudy... ?), on comprend que celui-ci soit devenu aujourd'hui un parti minoritaire (alors qu'il fut longtemps le premier parti de France), dépassé par le Front national, talonné par les Verts, et donc simple auxiliaire ou force d'appoint (et parfois aussi de contestation) du PS.

... Comme à droite

Si la situation n'est pas brillante à gauche, elle ne l'est pas davantage à droite. Ici, également, les affrontements entre clans et les querelles de personnes l'emportent sur les confrontations d'idées, les ambitions prennent le pas sur les programmes. La droite, la droite parlementaire (RPR + UDF), la droite modérée ou « civilisée », celle de MM. Chirac et Giscard d'Estaing, doit désormais compter avec la droite nationale ou extrême-droite que représente le Front national de Jean-Marie Le Pen (cf. page 40, « Le phénomène Front national »). Malgré des succès non négligeables aux élections partielles qui ont eu lieu depuis 1988, la droite RPR-UDF sait que l'existence du FN la prive désormais d'au moins un quart de ses électeurs. L'alternative pour elle est donc simple : ou bien s'allier avec le FN et avoir de fortes chances de gagner les élections (l'ensemble des droites paraissant, au vu des sondages, actuellement nettement majoritaires), ou bien refuser cette alliance (ce qui est jusqu'à maintenant son attitude constante : « plutôt perdre les élections que perdre son âme » a dit un jour le maire de Lyon, Michel Noir) et perdre toutes les élections. Certes, l'Union pour la France

(UPF), récemment créée pour resserrer les liens entre les diverses composantes de la droite modérée, en faire une force électorale attractive et dégager de ses rangs, grâce à des « primaires » à l'américaine, un candidat unique à la prochaine élection présidentielle, peut inciter une partie des électeurs de droite, « égarés » vers le FN, à « voter utile ». Mais, le niveau des intentions de vote des Français en faveur de ce dernier se situant, actuellement, autour de 15%, il n'est pas besoin d'être expert en calculs électoraux pour comprendre qu'un tel chiffre constitue désormais un seuil « incontournable », ou pour reprendre la formule de Philippe Habert, chercheur au Centre d'études de la vie politique française (CEVIPOF) et directeur des études politiques du *Figaro*, « les termes, difficiles et exigeants, de l'équation irrésolue des droites modérées »[1].

Si « l'existence du Front national handicape la droite modérée, (...) l'irruption des écologistes gêne symétriquement la gauche » faisait observer récemment le journaliste Alain Duhamel[2].

De fait, et même si « le déficit électoral est plus lourd à droite qu'à gauche »[3], ces deux mouvements constituent, sur l'échiquier politique français, les forces nouvelles avec lesquelles les partis « traditionnels » doivent désormais compter et qui, en tant que telles, méritent d'être considérées à part (cf. p. 40 et 44).

▪ Des Français désorientés

Si l'on excepte donc les partis qui ne sont pas, ou peu, représentés à l'Assemblée nationale (Verts, FN et, à un degré moindre, PC) pour ne considérer que les deux grands blocs majoritaires de gauche (PS) et de droite (RPR, UDF), force est de constater que la frontière entre eux est désormais incertaine. Près de deux tiers des Français estiment qu'il n'y a plus de différence entre la gauche et la droite. Qu'en est-il vraiment ? La gauche et la droite existent-elles encore ? Un sondage réalisé par la SOFRES pour *Le Figaro* (23, 24, 25 avril 1990) et l'analyse qu'en ont fait P. Habert et Colette Ysmal (directeur de recherche au CEVIPOF) fournissent des éléments de réponse à cette question.

Trois domaines, où le clivage gauche-droite correspondait traditionnellement à des attitudes nettement différenciées, ont été retenus : le rôle de l'État dans la vie économique, le libéralisme culturel et l'immigration. L'analyse de l'attitude des Français à l'égard du rôle économique de l'État (plus ou moins d'intervention étatique, plus ou moins de liberté accordée aux entreprises, plus ou moins de privatisations ou de nationalisations, etc.) montre que sur un ensemble de 62% opposés à la prédominance de l'État, 70% se situent à droite et 45% à gauche. Ces chiffres révèlent à l'évidence une nette évolution de l'électorat de gauche (54% des électeurs du PS) vers le libéralisme économique.

En matière de libéralisme culturel (attitude à l'égard de la peine de mort, du divorce, de l'avortement...), sur les 50% qui se déclarent favorables, 62% proviennent de gauche et 47% de droite. Ici, le mouvement est inverse, ce sont les électeurs de droite (en particulier les plus jeunes) qui adoptent désormais des positions plus libérales en matière de mœurs.

Enfin, en ce qui concerne l'immigration, (attitude à l'égard de l'acquisition de la nationalité française, du droit de vote aux immigrés, de la construction de mosquées...) si 65% de la population représentent une opinion globalement opposée à l'immigration, la répartition entre droite et gauche montre que 85% appartiennent à la première et 46% à la seconde. Sur cette question, délicate et difficile, les positions sont donc beaucoup plus tranchées et le clivage traditionnel gauche-droite demeure. Mais si l'on excepte le phénomène de l'immigration, on constate une incontestable « atténuation des antagonismes bipolaires » (P. Habert et C. Ysmal), c'est-à-dire un rapprochement de la gauche vers la droite (en matière économique) et, inversement, de la droite vers la gauche (en matière culturelle). Ce double mouvement dessine à l'évidence un « nouvel équilibre idéologique », il traduit un nouvel état des forces politiques. Il ne signifie pas pour autant, l'avènement du consensus généralisé, car, au-delà de l'apparente homogénéisation des deux blocs de gauche et de droite, des divisions internes apparaissent et de nouveaux clivages se font jour.

(1) in *Le Figaro*, 22 juin 1990.
(2) in *Le Quotidien de Paris*, 30 mars 1990.
(3) *Ibid*.

Le phénomène Front national

Groupuscule, il y a une dizaine d'années, le Front national est désormais un parti qui compte.
Hétérogène dans son électorat comme dans son idéologie, il a su pourtant s'enraciner dans le paysage politique.
Son avenir paraît lié à l'évolution de la société française.

Selon de récents sondages, les intentions de vote en faveur du Front national (FN), en cas d'élections législatives anticipées (elles ne doivent normalement avoir lieu qu'en 1993), se situeraient autour de 15%, soit environ 4% de plus qu'aux législatives de 1988.
Quant à la cote personnelle de son président, Jean-Marie Le Pen, elle atteindrait 18%, soit environ 3% de plus que son score à l'élection présidentielle de 1988.
Pour surprenants qu'ils puissent paraître, ces chiffres ne font pourtant que confirmer les résultats obtenus par le FN depuis la fin de 1989, à l'occasion de diverses élections partielles (municipales, cantonales, législatives). Dans ces différents scrutins, sa progression s'est échelonnée entre 6,5% et 26% par rapport à l'élection précédente.
Progression dans les chiffres, mais aussi élargissement de son implantation géographique dans des régions comme le Centre où il était jusque-là quasiment inexistant.

Une ascension continue

Avant de s'imposer sur l'échiquier politique français, le FN a connu une longue période de marginalité. Fondé en 1972, il demeurera dix années durant un mouvement ultra-minoritaire, sinon un « groupuscule ». En 1974, J.-M. Le Pen ne recueille que 0,74% des suffrages à l'élection présidentielle ; en 1981, il ne peut se présenter, faute d'avoir obtenu le nombre requis de signatures de personnalités politiques acceptant de parrainer sa candidature,

et, aux élections législatives qui suivent, le FN obtient seulement 0,35% !
Le déclic se produit en 1983, à Dreux (Eure-et-Loir), à l'occasion des élections municipales. La présence, dans cette ville d'environ 100 000 habitants, d'une importante communauté immigrée (22% de l'ensemble de la population) et l'intense activité militante du secrétaire général du parti, Jean-Pierre Stirbois, permettent au FN d'obtenir 16,72% des voix, ce qui lui vaut quatre sièges de conseillers municipaux. J.-M. Le Pen de son côté, recueille 11% à Paris, dans le 20e arrondissement. La machine FN est désormais lancée sur les rails électoraux. Un an plus tard, aux élections européennes de juin 1984, la liste conduite par J.-M. Le Pen réalise le score inattendu de 11,6%. Aux élections législatives de mars 1986, qui se déroulent au scrutin proportionnel, pour la première fois depuis 1958, le FN avec 9,6% des suffrages, fait son entrée à l'Assemblée nationale, où il est représenté par 35 députés. Enfin, à l'élection présidentielle de 1988, J.-M. Le Pen réunit sur son nom 4,3 millions de voix, soit 14,4%.
Au lendemain de sa réélection, François Mitterrand ayant prononcé la dissolution de l'Assemblée nationale, de nouvelles élections législatives ont lieu en mai-juin. Quelque peu en deçà de ses espérances, le FN recueille cependant 9,78% des suffrages mais, en raison du scrutin majoritaire, n'a qu'un seul député (qui démissionnera d'ailleurs quelque temps plus tard). Les consultations électorales se succèdent de 1988 à 1989 et le FN est de plus en plus présent, notamment dans les scrutins locaux. Aux municipales de mars 1989, il voit

un millier de ses candidats élus, mais n'a toutefois qu'un seul maire dans une ville de plus de 10 000 habitants, Saint-Gilles dans le Gard. Aux élections européennes de juin il améliore légèrement son score de 1984 (11,18%), mais demeure représenté par dix députés. C'est la stabilité, certains disent la stagnation. Et puis, le 3 décembre 1989, c'est le choc, le «coup de tonnerre» de Dreux. Au second tour de l'élection législative partielle de cette circonscription, Marie-France Stirbois, épouse de l'ancien secrétaire général du FN, décédé accidentellement quelques mois auparavant, remporte la victoire avec 63% des suffrages. Le FN retrouve donc un siège de député.

Un électorat hétérogène

Mais, au-delà de ce succès, qui est avant tout celui d'une personnalité très active sur le terrain, l'intérêt de cette élection réside dans les enseignements qui en ont été tirés en termes de sociologie électorale. Au vu d'un sondage réalisé par l'IFOP «à la sortie des urnes», on a constaté en effet que 55% des électeurs du FN à Dreux étaient des hommes et 48% des femmes, que cet électorat était notamment composé de 53% de 18-24 ans et 74% d'ouvriers. Ses motivations étaient liées essentiellement aux problèmes de l'immigration (pour 76% c'est ce qui a le plus compté au moment du vote), mais aussi à son opposition à la politique du gouvernement (92% «désapprouvaient sa politique en matière d'immigration» et 80% étaient «hostiles à sa politique sociale»).
Plus généralement, 72% se déclaraient «mécontents à l'égard du système politique» et 79% souhaitaient que les idées du FN soient mieux prises en compte.
Ces données, de par leur caractère ponctuel, n'auraient qu'une valeur indicative si elles ne confirmaient – au moins partiellement – d'autres sondages post-électoraux effectués après l'élection présidentielle de 1988 et les européennes de 1989. L'électorat du FN apparaît ainsi à dominante masculine, il est représenté majoritairement par des moins de 35 ans et des plus de 50 ans, il recrute essentiellement parmi les inactifs (y compris les chômeurs) et les retraités, les ouvriers, les professions intermédiaires et employés et, plus globalement, les travailleurs indépendants.

Un enracinement nord-sud

Cet électorat est une réalité politique : «l'effet Le Pen» annoncé comme «éphémère» en 1983-1984, ou jugé comme un «épiphénomène», a perduré au fil des années. Le FN est désormais enraciné dans le paysage politique français. Ses places-fortes se trouvent à l'est d'une ligne Le Havre-Valence-Perpignan, c'est-à-dire toute l'Ile-de-France et quelques départements (Eure-et-Loir, Oise, Yonne), l'Est (Moselle, Haut et Bas-Rhin, Territoire de Belfort), la région Rhône-Alpes et tout le littoral méditerranéen, des Pyrénées-Orientales aux Alpes-Maritimes. En deçà de cette ligne, il éprouve plus de difficulté à «faire souche», bien qu'il ait récemment enregistré quelques gains sensibles en Bretagne, Auvergne et Gironde. L'ascension, puis l'enracinement du FN s'expliquent, selon Pascal Perrineau, chercheur en sciences politiques et coordinateur du livre Le Front national à découvert[1], par toute une série de facteurs : «la crise économique et les mécanismes de marginalisation qui l'accompagnent, l'incapacité des partis traditionnels à prendre en charge à temps les nouveaux enjeux de l'immigration et de l'insécurité, la crise de confiance vis-à-vis de la représentation politique classique, la succession d'élections sans enjeux importants de 1983 à 1985, la déception de la gauche au pouvoir et l'évanescence de l'alternative en matière politique.
(…) Le FN se nourrit de ce déficit d'alternative et est un des seuls à jouer, sur une scène politique désenchantée, le rôle du «grand illusionniste». [2]

Une idéologie illusionniste?

«Illusionniste», le FN ? Peut-être. Mais un «illusionniste» qui a le sens du concret, de l'action politique quotidienne, de la présence sur le terrain, qui a des militants, des adhérents (70 000), des conseillers municipaux (un millier), des conseillers régionaux (120), des réseaux implantés dans tous les secteurs de l'activité du pays, des journaux (National Hebdo, Identité)… Mais, c'est aussi, et avant tout, un parti politique désormais structuré et sûr de lui. Un parti que 75% de ses cadres classent à l'extrême droite (pour 38% d'entre eux le meilleur système politique pour la France serait un «gouvernement d'autorité», pour 32% la République et pour 16% la Monarchie) [3]. Un parti qui a une idéologie : aux «droits de l'homme», le FN oppose «les devoirs du citoyen», à «l'individu dépersonnalisé, déshumanisé» il préfère «l'homme enraciné, héritier d'un lignage et d'une culture»… ; des valeurs («le travail, la famille, l'identité nationale»…) ; des adversaires («les lobbies de l'immigration», «le cosmopolitisme», «la nomenclature politicienne»…).

Cet ensemble de croyances et de valeurs, ces adversaires clairement désignés, appartiennent à l'évidence au fonds commun de l'extrême droite française. Mais, au-delà d'une apparente unité, cette idéologie est véhiculée par des canaux qui représentent des traditions et des positions parfois très opposées. Comme le note Pierre-André Taguieff, chercheur au CNRS, politologue, et auteur d'une somme sur le racisme et l'antiracisme, *La Force du préjugé, essai sur le racisme et ses doubles* [4] : «Le Front national est un espace idéologique hétérogène, peuplé de groupes rivaux et distincts n'ayant en commun que leur allégeance à la personne du chef, jusqu'à nouvel ordre irremplaçable» [5]. De fait, si la plupart des observateurs politiques s'accordent pour définir le FN comme un mouvement national-populiste, les véritables «nationaux-populistes» ne représentent, selon P.-A. Taguieff, qu'une des trois «familles de pensée» du FN. Celle-ci regroupe «les partisans d'un nationalisme dur et hostiles au libéralisme économique autant qu'à la démocratie libérale» [6].

La deuxième famille comprend les «nationaux-catholiques», qui se définissent comme «traditionalistes» et que leurs adversaires nomment «intégristes». Chrétiens, contre-révolutionnaires, souvent monarchistes, leur devise est : «Dieu-Famille-Patrie».

La troisième famille, enfin, «est constituée pour l'essentiel de transfuges de la Nouvelle Droite, GRECE (Groupement de recherches et d'études pour la civilisation européenne) et Club de l'Horloge, (…) elle-même clivée entre un pôle national-libéral et un pôle nationaliste européen radicalement anti-libéral [7]».

À ces trois familles principales, il faut ajouter quelques «résidus» des courants traditionnels d'extrême droite : «fidèles» du maréchal Pétain, «nostalgiques» de l'Empire colonial français, «néo-fascistes» convaincus…

Ce rapide panorama du «fonds» idéologique du FN ne doit cependant pas faire oublier que, comme pour toute force politique, il faut distinguer les dirigeants des électeurs. Si, au FN, les premiers appartiennent sans conteste aux différentes mouvances de l'extrême droite, les seconds ne comptent dans leurs rangs, selon la plupart des estimations, que 1 ou 2% de véritables extrémistes. Qui sont les autres, les 10 à 15% qui ont apporté ou sont susceptibles d'apporter leurs suffrages au FN ? Réponse de P. Perrineau : 50% sont issus de la droite classique, 25% de la gauche et 25% sont des hommes et des femmes qui, jusque-là, ne s'étaient jamais inscrits sur les listes électorales ou ne votaient pas.

À l'occasion de son congrès, tenu au printemps dernier, le FN a fait savoir que son objectif était «d'apparaître comme une force crédible à vocation majoritaire». Y parviendra-t-il ? Seul l'avenir le dira. Mais une chose est sûre : son irruption sur la scène politique constitue un des faits majeurs de ces dernières années. Son maintien dépend, sans doute, des solutions que la société française saura, ou non, apporter à ses problèmes les plus aigus (chômage, immigration, insécurité…).

(1) Presses de la Fondation nationale des sciences politiques.
(2) In *L'Événement du Jeudi*, 15-21 février 1990.
(3) Enquête SOFRES auprès des cadres du FN (mars 1990).
(4) *La Découverte*, 1987 et « Tel », Gallimard, 1990.
(5) In *Le Nouvel Observateur*, 12-18 avril 1990.
(6) *Ibid*.
(7) *Ibid*.

AGRICULTEURS,
LE FRONT NATIONAL
C'EST VOUS!
REJOIGNEZ JEAN-MARIE LE PEN
FRONT NATIONAL · 8, RUE GENERAL-CLERGERIE · 75116 PARIS

Les Verts en politique

Après vingt ans de participation marginale à la vie politique française, les écologistes semblent désormais en être partie intégrante. Mais, entre alliances et appoints, la voie de l'autonomie paraît assez étroite. Le paysage politique de demain sera-t-il plus vert ?

On peut situer au lendemain de mai 1968 l'apparition des écologistes sur la scène politique. Il s'agit alors, pour les «défenseurs de l'environnement», d'empêcher que le causse du Larzac (sud du Massif central) ne devienne un camp militaire, entraînant l'expropriation de nombreux agriculteurs.

Dans le même temps, des manifestations à vélo se déroulent à Paris pour protester contre la pollution de la capitale. Toutefois, ces divers mouvements ne se traduisent pas par une action politique, entendue comme participation aux consultations électorales. L'esprit «soixante-huitard», qui considère les élections comme des «pièges à c...», est encore bien vivace !

De Plogoff à Strasbourg

Cinq ans plus tard, pourtant, en Alsace, des candidats rassemblés sous la bannière «Écologie et Survie» se présentent aux élections législatives. L'année suivante, ils soutiennent la candidature à la présidence de la République de l'agronome René Dumont qui recueille seulement 1% des suffrages.

Le nouveau président de la République, Valéry Giscard d'Estaing, transforme le ministère de la Protection de la nature et de l'environnement, créé en 1973, en ministère de la Qualité de la vie. La création de ce nouveau ministère ne désarme pas les militants écologistes, mobilisés contre la mise en œuvre du programme électro-nucléaire décidé par Georges Pompidou. Avec le Parti socialiste unifié (PSU) et le syndicat CFDT, ils constituent un front anti-nucléaire. Des manifestations, parfois très violentes, ont lieu alors sur les sites des centrales,

à Plogoff en Bretagne, Bugey dans l'Ain et Creys-Malville dans l'Isère.

Aux élections municipales de 1977, les écologistes obtiennent des scores honorables à Paris et en banlieue, en Basse-Normandie et dans le Midi méditerranéen.

Deux groupes sont alors créés : le Réseau des amis de la terre (RAT) qu'anime l'actuel ministre chargé de l'Environnement, Brice Lalonde, et le Mouvement d'écologie politique (MEP). Le MEP présente une liste aux élections européennes de 1979. Elle atteint 4,38% des voix, manquant de peu la barre de 5%, seuil qui lui aurait permis d'avoir des élus.

En 1981, c'est le RAT qui soutient la candidature de Brice Lalonde à l'élection présidentielle. Le futur ministre est crédité de 3,87% des suffrages.

Les divers mouvements écologistes se posent alors la question de leur unification. Celle-ci se réalisera en janvier 1984 : à l'instar des *Grünen* allemands, les Verts français sont désormais présents sur l'échiquier politique.

En juin de la même année, ils constituent une liste pour le second scrutin européen, mais font moins bien qu'en 1979, obtenant seulement 3,37% des voix. Désireux d'élargir leur assise politique, ils s'efforcent de créer un «pôle alternatif» avec des groupes d'extrême gauche et des immigrés de la seconde génération (les Beurs). Cette tentative échoue, et, en mars 1986, ils ne réunissent plus que 1,21% des suffrages aux élections législatives et 2,40% aux régionales. Pour enrayer ce déclin, un ingénieur alsacien, Antoine Waechter, prend la tête du mouvement. Bénéficiant d'une conjoncture favorable aux défenseurs de l'environnement (opinion traumatisée par les marées noires, les menaces sur la forêt amazonienne et surtout la catastrophe de Tchernobyl), il est candidat à l'élection présidentielle de 1988 et enregistre le score de 3,78%. Encouragé par ce résultat plutôt satisfaisant, il conduit une liste pour les élections européennes de juin 1989, liste « ouverte » où figurent notamment un régionaliste corse et une jeune femme beur. Elle recueille plus de 10% (10,51%) des suffrages (ce qui constitue de loin le meilleur résultat des Verts, toutes élections confondues), dépassant même les 20% dans le département du Haut-Rhin. Dix députés écologistes font leur entrée au Parlement européen de Strasbourg.

Un avenir vert ?

À l'issue de ces élections, les Verts apparaissent comme la quatrième force politique française, derrière la gauche socialiste, la droite RPR-UDF et le Front national, mais devançant les centristes et les communistes. Cette progression spectaculaire ne fait d'ailleurs que refléter – du moins partiellement – les sentiments exprimés par les Français dans divers sondages récents (cf. « Les Français, l'environnement et les écologistes »). Phénomène que Dominique Florian, présidente du mouvement Écologie et Société, explique ainsi : « C'est parce que ce courant de pensée constitue un mouvement du long terme dans un monde du court terme ; c'est parce qu'il véhicule un projet global dans une société de l'émiettement et de la spécialisation ; c'est parce qu'il introduit la notion de durée et de survie dans un monde de la consommation »[1]. Une question-clé se pose cependant aux écologistes : doivent-ils demeurer une force autonome, indépendante de la droite comme de la gauche, ou, au contraire, doivent-ils rechercher des alliances et constituer ainsi une force d'appoint pour tel ou tel parti ? Les dirigeants actuels répondent que « l'écologie n'est pas à marier », qu'ils ne se reconnaissent pas dans les clivages traditionnels, qu'ils veulent conserver leur liberté d'action... Mais tous les Verts ne l'entendent pas de cette oreille : certains sont prêts à s'allier avec le PS, voire le RPR ou l'UDF, pour faire barrage au Front national, d'autres semblent se laisser tenter par les sirènes gouvernementales, d'aucuns enfin font « un bout de chemin » avec tel ou tel « leader » de droite.

Une chose est sûre : le mouvement écologiste fait désormais partie intégrante du paysage politique. Il suffit, pour s'en convaincre, de considérer le « très grand intérêt » manifesté, ces derniers mois, par l'ensemble des autres formations. De droite à gauche, du Front national au Parti communiste, toutes ont créé leur commission ou leur association spécialisée, toutes ont nommé un responsable des questions écologiques... Face à cette surenchère verte, comment les Verts vont-ils réagir, quelle va être leur ligne de conduite, que peuvent-ils espérer ? Les réponses qu'ils apporteront à ces questions ne laisseront sans doute pas de modifier la configuration politique du pays.

(1) : in *Le Figaro*, 13-14 mai 1989.

La démobilisation des Français

On a souvent voté en France ces deux dernières années, mais on s'est aussi beaucoup abstenu. Les raisons de cet abstentionnisme se trouvent certes dans des problèmes de société non résolus, mais surtout dans la défiance, sinon le discrédit, qui touche la classe politique.
Déchirés entre rivalités de factions et ambitions personnelles, les partis ne laissent aux citoyens que le choix entre le désintérêt et le rejet.
Une telle situation ne devrait pas laisser le monde politique indifférent.

Plusieurs sondages et les élections partielles de ces derniers mois sont venus confirmer ce que les différents scrutins de 1988-1989 (législatives, cantonales, référendum sur la Nouvelle-Calédonie, municipales, européennes) avaient fait apparaître : la cassure, le divorce entre les Français et leurs représentants politiques. Avec un taux d'abstention moyen dépassant les 50% et atteignant parfois 70% la France rejoint le peloton de tête des nations démocratiques les plus « abstentionnistes ». À l'évidence, « les citoyens boudent la politique »[1], ou, plus précisément, les hommes politiques. Déçus, démotivés, ils s'abstiennent massivement ou émettent des votes protestataires (Front national, Verts). Le fossé se creuse entre la société et la classe politique.

Une réalité cruelle

La désaffection des électeurs à l'égard des hommes politiques et le discrédit qui frappe ceux-ci ont des causes multiples. La première est sans conteste la perte presque totale de confiance des uns envers les autres. 85% des Français estiment que les hommes politiques ne disent pas la vérité, contre seulement 10% qui sont d'un avis contraire[2].
Plus généralement, 74% considèrent que la politique est en crise, 47% éprouvent de la méfiance à son égard, 24% de l'ennui et 21% du dégoût ![3]

Ces chiffres sont les plus terribles d'une série qui n'incite certes pas à l'optimisme quant à l'état de santé politique de la France. Invités à choisir, parmi divers groupes, ceux qui, selon eux, sont les plus responsables de ce qui va mal aujourd'hui, les Français placent en tête les partis politiques (33%), loin devant les syndicats de salariés (18%), les citoyens eux-mêmes (14%) et les fonctionnaires (9%). De même, 63% ont le sentiment que les problèmes qui les concernent ne sont pas pris en compte dans la vie politique (contre 31%). 69% disent s'intéresser peu ou pas du tout à la politique (contre 38%), tandis que 23% pensent que ce qui lui manque le plus pour qu'elle soit intéressante, c'est l'honnêteté (viennent ensuite l'efficacité : 25%, les idées : 17% ; les grands leaders : 12% ; la générosité : 6% ; les grands projets : 4%). Enfin, s'ils admettent s'intéresser de moins en moins à la politique c'est, pour 88% d'entre eux, le signe que les vrais problèmes ne sont pas abordés.

« L'automne des partis »

Au-delà des chiffres, souvent cruels, de ces sondages et de leur traduction électorale qu'est l'abstentionnisme, on peut s'interroger sur les motivations ou les sentiments profonds des Français. Depuis quelques années, ceux-ci ont eu, il est vrai, plusieurs motifs sérieux de mécontentement. Le chômage a atteint des proportions élevées et les hommes politique de tous bords ont été impuissants à le faire reculer de façon sensible. Des phénomènes ou problèmes de société tels que l'immigration, l'insécurité, la drogue, l'environnement, les conditions de vie en milieu urbain..., ont incité les Français au repli sur eux-mêmes ou suscité chez eux rejet ou inquiétude. Pourtant, la situation économique globale s'améliore, la France tient une place honorable sur l'échiquier mondial et son rayonnement culturel ne paraît pas s'affaiblir. C'est donc incontestablement sur le plan politique que le bât blesse. Le Parlement, qui devrait être le lieu principal du débat politique, n'est souvent plus qu'un théâtre d'ombres, à la scène désertée au profit des studios de télévision. L'œuvre législative est essentiellement gouvernementale, l'activité parlementaire tendant à se réduire à un simple rôle d'enregistrement.

Les partis politiques ne bruissent que de querelles internes, de luttes de clans et de courants ou d'affrontements personnels (Laurent Fabius/Lionel Jospin, Jacques Delors/Michel Rocard au PS ; Jacques Chirac et Alain Juppé/Charles Pasqua et Philippe Seguin au RPR ; Valéry Giscard-d'Estaing/François Léotard à l'UDF, les «conservateurs» contre les «reconstructeurs» au PC...). À l'heure où des événements historiques considérables se déroulent en Europe, ces rivalités, ces ambitions, ces guerres de succession semblent dérisoires et vaines aux Français, et ouvrent une voie royale aux lepénistes ou aux écologistes. Les formations

politiques traditionnelles semblent n'avoir plus rien à proposer aux citoyens, ni idées ni projets mobilisateurs, et ceux-ci se désintéressent chaque jour davantage de ces joutes quand ils n'en éprouvent pas du dégoût. Au printemps des peuples européens répond «l'automne des partis» français[4]. Le rejet est désormais bien réel, en particulier chez les jeunes qui ne militent plus, ou même ne s'inscrivent pas sur les listes électorales. Quant aux électeurs qui n'ont pas renoncé à accomplir leur devoir civique (ceux que les politologues Alain Lancelot et Philippe Habert appellent les «nouveaux électeurs») ils sont plus informés, plus exigeants, et donc plus indépendants. Ils ne sont plus, comme naguère, liés à une famille politique et ne se sentent plus tenus de voter pour elle, quoiqu'il arrive, par fidélité ou discipline.

La fin des idéologies ?

En outre, comme l'ont montré plusieurs enquêtes (SOFRES pour *Le Figaro* et Louis Harris pour *L'Express*), une majorité de Français (environ 60%) ne fait plus de différence entre la gauche et la droite. Phénomène surprenant dans un pays aussi fortement «idéologisé», en tout cas traditionnellement coupé en deux blocs antagonistes. Peut-être est-ce «la fin de l'exception française», récemment diagnostiquée par l'historien François Furet[5], peut-être est-ce l'établissement définitif du

« consensus », si souvent invoqué ici et là, peut-être enfin est-ce l'avènement d'une France idéologiquement unifiée, voire uniformisée ? On peut répondre affirmativement à ces questions et s'en réjouir, on peut aussi, comme le font certains, déplorer le « consensus mou » et dénoncer une France devenue « pépère »[6].

Une chose est sûre : les grands débats idéologiques ne font plus la « une » de l'actualité : autrement dit, ils ont cessé de passionner (et de diviser) les Français, peut-être même ont-ils vécu ? Ce qui intéresse nos concitoyens, ce sur quoi ils aimeraient être consultés par référendum national ou local (79% se déclarent favorables à l'organisation de référendums d'initiative populaire), c'est la peine de mort (39%), la création d'emplois (37%), la pollution de l'air et de l'eau (31%), la lutte contre la drogue (30%), la pauvreté (30%), l'immigration (27%)[7]... Et pour résoudre ces problèmes, ils font beaucoup plus confiance aux associations d'usagers, de consommateurs ou aux organisations humanitaires qu'aux partis politiques (dans une proportion de trois contre un), au travail des maires plutôt qu'à celui du gouvernement ou aux débats parlementaires (deux contre un)[8].

La France connaît à l'évidence une crise de représentation politique : les institutions, les hommes qui la représentent sont généralement, y compris hors de nos frontières, appréciés et estimés, mais leur fonctionnement, leurs rapports avec les citoyens sont souvent jugés insuffisants ou inadaptés. Qu'il s'agisse de la consultation des électeurs, inexistante sur les thèmes de société, du mode de scrutin qui exclut les formations certes minoritaires mais qui, ajoutées les unes aux autres, représentent actuellement de 25 à 30% de l'électorat, ou de la désignation des candidats aux différentes élections qui est du seul ressort des états-majors des partis, un constat s'impose : les Français désertent le terrain politique.

Au-delà de ce constat qui, au fil des mois, devient rituel : la désaffection, la défiance, la démobilisation... des Français, une inquiétude peut se faire jour. Interrogés sur les risques d'explosion politique et sociale en France aujourd'hui, 69% de nos concitoyens les estiment importants[9].

Ce sentiment est sans doute une crainte, mais peut-être aussi un avertissement. Aux hommes politiques, qui sont les premiers intéressés et les mieux placés pour agir, de ne pas rester sourds. Faute d'être entendus, les Français qui, selon le journaliste Alain Duhamel, sont « les enfants gâtés de la démocratie »[10] pourraient en devenir les « enfants terribles ».

(1) Alain Duhamel, in *Le Monde*, 21-22 janvier 1990.
(2) Sondage SOFRES/*Figaro Magazine*, 3 mars 1990.
(3) SOFRES/*Figaro Magazine*, 21 mai 1990.
(4) Alain Touraine, in *Le Monde*, 15 septembre 1989.
(5) in *La République du centre*, Calmann-Lévy, 1988. Cf. *Échos*, n° 56-58.
(6) Jugement récent de Raymond Barre : « une France pépère s'accommodant d'une gauche pépère »...
(7) Sondage Louis Harris/*L'Express*.
(8) *Ibid.*
(9) *Ibid.*
(10) in *Le Monde*, 21-22 janvier 1990.

Décentralisation ou Régionalisation?

La loi de décentralisation de 1982 est venue consacrer l'aspiration de la majorité des Français à la régionalisation.
Excessive pour les uns, insuffisante pour les autres, quel est le bilan de cette « révolution tranquille » ?

La régionalisation, sinon le régionalisme, n'est pas une idée neuve en France. Le mot « régionalisme » apparaît après la Commune, des mouvements qui s'en réclament surgissent dans l'Alsace des années trente et en Bretagne sous l'Occupation, mais l'idée régionale reste confuse, revendiquée aussi bien par des révolutionnaires que par des conservateurs ou des libéraux. Il faudra attendre 1956 pour voir la régionalisation s'amorcer avec la création de vingt-deux « régions de programme ». Dans le cadre de l'aménagement du territoire, il était apparu indispensable à un certain nombre de responsables politiques de mettre en œuvre la déconcentration économique et administrative du pays. Cet ambitieux dessein eut du mal à se concrétiser dans une France solidement ancrée dans le jacobinisme[1] centralisateur. Il allait pourtant s'imposer, à travers les péripéties historiques et politiques des années soixante, notamment l'échec du référendum de 1969 sur la régionalisation, qui contraignit le général de Gaulle à abandonner le pouvoir.
C'est durant cette période que l'idée régionale, qui avait jusque-là été plutôt incarnée par la droite (d'Alexis de Tocqueville et Charles Maurras au « néo-régionalisme » de l'État français entre 1940 et 1945), allait progressivement être reprise à son compte par la gauche.
Au-delà de sa version « soixante-huitarde » (Proudhon revu par les défenseurs du Larzac et tous ceux qui voulaient « vivre et travailler au pays »), elle contribua sans doute, à l'issue d'une longue et patiente imprégnation culturelle et politique, à la victoire de la gauche en 1981. Celle-ci fit adopter, en mars 1982, une *loi de décentralisation* qui transforma la région,

établissement public depuis 1972, en une collectivité territoriale de la République. Événement d'une portée considérable, « révolution tranquille » qui rompt le cordon ombilical entre l'État et la région, dont l'exécutif, assuré jusqu'alors par les préfets (nommés par le Gouvernement), est désormais confié aux présidents des conseils régionaux. Dans le même temps, on transfère à la région des compétences qui étaient de la responsabilité de l'État, notamment en matière d'éducation, de formation professionnelle, d'urbanisme, de logement et de transports...

Les Français et la régionalisation

En 1986 ont lieu les premières élections des conseillers régionaux au suffrage universel : ce scrutin vient, en quelque sorte, consacrer la décentralisation. Cette même année, une première enquête est menée par l'Observatoire interrégional du politique (OIP)[2] afin de savoir quelle est, pour les Français, l'unité politique et administrative d'avenir ? Leur choix, entre la région et le département, se porte, pour 59% d'entre eux, sur la première, tandis qu'à peine 25% se prononcent pour le second. Trois ans plus tard, en 1984, ils sont 62% pour la région, dont 83% chez les cadres et 68% chez les ouvriers.
Cette nette majorité en faveur de la région s'inscrit cependant dans un contexte qui demeure incertain. Ainsi, lorsqu'on demande à nos compatriotes à quel lieu ils ont le sentiment « d'appartenir avant tout », ils répondent d'abord la commune où ils habitent (41%), puis

la France (38%), la région ne recueillant que 15%, mais devançant le département (8%). Trois quarts des Français se déclarent, en outre, favorables à la politique de régionalisation.

De fait, les Français attendent des régions qu'elles aident les départements et les communes à réaliser leurs projets plutôt que les siens. Outre cette fonction de «banquiers naturels des collectivités locales»[3], l'atout majeur des régions, aux yeux de la population française, est le rôle qu'elles sont amenées à jouer au sein de l'Europe de demain. Déjà, plusieurs régions françaises ont conclu des accords de coopération avec des régions de différents pays de la Communauté européenne.

▨ Le bilan de la décentralisation

Neuf ans après le vote de la loi de 1982 qui, rappelons-le, a également transféré des compétences à ces autres collectivités locales que sont les départements et les communes, quel premier bilan peut-on tirer de la décentralisation ?

Si l'on en croit deux observateurs autorisés, Bruno Rémond et Jacques Blanc, enseignants à l'Institut d'études politiques de Paris, et auteurs d'un récent ouvrage justement intitulé *Les Collectivités locales*[4], la transformation de la région en collectivité territoriale de plein exercice est le fait majeur de la décentralisation.

Quant au sentiment de ceux qui ont vécu les premiers pas de cette «révolution tranquille», qui en sont les acteurs sur le terrain et au quotidien, élus locaux ou simples citoyens, il apparaît, de l'avis général, plutôt favorable. Bilan positif donc ? Sans doute, mais avec des réserves parfois importantes, qu'il faut souligner. Parmi les «satisfecit» accordés à la décentralisation, vient au premier rang ce qui est dans l'intitulé même de la loi, c'est-à-dire l'octroi aux collectivités locales de nouvelles «libertés et responsabilités». Permettant ainsi une décentralisation des pouvoirs et des moyens de l'État, ainsi qu'une meilleure répartition des rôles, la décentralisation est positive pour l'administration locale et sa gestion.

Plus libres, les élus locaux sont aussi plus responsables, ayant désormais en leurs mains certains pouvoirs de décision.

En matière financière notamment, après des premiers temps difficiles, ils ont fait face à leurs responsabilités en recherchant des ressources autres que celles de l'État (activités économiques sur place, collaboration avec les entreprises, mécénat, etc.). Ils ont ainsi progressivement mieux maîtrisé leurs crédits et leurs dépenses, et privilégié l'investissement au détriment du fonctionnement. À défaut d'enquêtes précises sur l'action de ces élus, force est de se contenter de témoignages partiels : tous cependant, concordent pour reconnaître à la majorité des responsables locaux «capacité et dynamisme».

Autres points à l'actif de la décentralisation : elle concerne les citoyens et les incite à participer à la vie de la collectivité ; elle rend possible de notables progrès dans les domaines de l'action sociale, du sport et de la culture ; elle permet, enfin, de nouer des relations fructueuses avec d'autres régions, françaises et européennes.

Parmi les critiques, les plus souvent adressées à la décentralisation, on note que certains lui reprochent essentiellement de créer de nouvelles «féodalités» en accordant des prérogatives et des moyens financiers excessifs aux présidents des conseils régionaux ou généraux. D'où le danger de priver l'État peu à peu de toute capacité d'initiative et, à terme, la menace de porter atteinte à l'unité de la nation. À ceux qui réclament, par exemple, l'autonomie des universités au sein des régions, les adversaires «jacobins» de la décentralisation répondent : «Pourquoi pas, demain, celle de la justice, de la police, ou de la monnaie ?» Autre critique, mais en sens opposé, c'est-à-dire provenant de «déçus» de la décentralisation : l'impuissance à laquelle sont réduites les collectivités locales en matière de formation, initiale ou continue. Dans ce domaine, notamment en matière de personnel et de pédagogie, c'est l'État qui demeure seul responsable, ne laissant aux élus locaux, selon l'expression de l'un d'entre eux, que «les murs, le chauffage et les crayons»...

À ces critiques, «libérales» ou «anti-jacobines», il faut ajouter celles de responsables locaux qui se plaignent des inégalités entre départements et régions, certains départements disposant d'un budget égal ou supérieur à celui de la région à laquelle ils appartiennent (rappelons qu'il y a, en France métropolitaine, 95 départements et 22 régions, soit un peu plus de 4 départements par région).

RÉGION PARISIENNE

DÉPARTEMENTS
◁ D'OUTRE-MER ▷

SEYCHELLES

OCÉAN
INDIEN

AFRIQUE
COMORES
Mayotte
(F)
MADAGASCAR

St-Denis
RÉUNION
MAURICE

Tropique du Capricorne

ÉTATS-UNIS

OCÉAN
ATLANTIQUE

Tropique du Cancer

CUBA

MER
DES
CARAÏBES

VENEZUELA

BRÉSIL

GUADELOUPE
Basse-Terre
Fort-de-France
Antilles
MARTINIQUE

GUYANE
Cayenne

NORD-
PAS-DE-CALAIS
Lille
PAS-DE-CALAIS
SOMME
Arras
NORD
AISNE
Amiens
PICARDIE
Laon
Charleville-
Mézières
ARDENNES

MANCHE
HAUTE-
NORMANDIE
Rouen
Beauvais
OISE
SEINE-
MARITIME
St-Lô
Caen
CALVADOS
Évreux
EURE

BASSE-NORMANDIE
ORNE
Alençon
Chartres
ÎLE-
DE-
FRANCE
Paris
ESSONNE
SEINE-
ET-MARNE
Châlons-
s. Marne
MARNE
Bar-
le-Duc
MEUSE
MOSELLE
Metz
MEURTHE-
ET-MOSELLE
Nancy
LORRAINE
BAS-RHIN
Strasbourg

CÔTES
D'ARMOR
St-Brieuc
MAYENNE
FINISTÈRE
Quimper
BRETAGNE
Rennes
ILLE-ET-
VILAINE
Laval
EURE-ET-LOIR
Le Mans
SARTHE
Troyes
ARDENNE
AUBE
Chaumont
HTE-MARNE
Épinal
VOSGES
ALSACE
Colmar
HAUT-
RHIN

MORBIHAN
Vannes
PAYS-DE-LA-LOIRE
Angers
MAINE-ET-LOIRE
Tours
LOIR-ET-
CHER
Blois
CENTRE
Orléans
LOIRET
Auxerre
YONNE
CÔTE
D'OR
Dijon
BOURGOGNE
HTE-SAÔNE
Vesoul
Belfort
DOUBS
Besançon
FRANCHE-
COMTÉ
TERRITOIRE
DE BELFORT

Nantes
LOIRE-ATLANTIQUE
La Roche-s-Yon
VENDÉE
DEUX-
SÈVRES
VIENNE
Poitiers
Châteauroux
INDRE
Bourges
CHER
NIÈVRE
Nevers
Moulins
SAÔNE-ET-LOIRE
Mâcon
Lons-
le-Saunier
JURA

La Rochelle
CHARENTE-
MARITIME
POITOU-
CHARENTES
CHARENTE
Angoulême
HAUTE-
VIENNE
Limoges
LIMOUSIN
Guéret
CREUSE
AUVERGNE
Clermont-
Ferrand
PUY-DE-DÔME
St-Étienne
LOIRE
RHÔNE
Lyon
Bourg-en-Bresse
AIN
RHÔNE-
Annecy
HTE-
SAVOIE
SAVOIE
Chambéry

GIRONDE
Bordeaux
DORDOGNE
Périgueux
CORRÈZE
Tulle
CANTAL
Aurillac
HTE-LOIRE
Le Puy
Privas
ARDÈCHE
DRÔME
Valence
ISÈRE
Grenoble
ALPES
Gap
HAUTES-
ALPES

AQUITAINE
LANDES
Mont-
de-Marsan
LOT-ET-
GARONNE
Agen
Cahors
LOT
MIDI-
Rodez
AVEYRON
TARN-
ET-
GARONNE
Montauban
Albi
TARN
LOZÈRE
Mende
GARD
Nîmes
VAUCLUSE
Avignon
HTE-PROVENCE
Digne
ALPES-DE-
PROVENCE-
ALPES
MARITIMES
Nice

GERS
Auch
PYRÉNÉES
HÉRAULT
Montpellier
BOUCHES-DU-
RHÔNE
Marseille
Toulon
VAR
ALPES-CÔTE D'AZUR
Bastia
HAUTE-CORSE

PYRÉNÉES
Pau
Tarbes
HTE-
GARONNE
Toulouse
Foix
ARIÈGE
AUDE
Carcassonne
Perpignan
PYRÉNÉES
ORIENTALES
ROUSSILLON
LANGUEDOC-
TARN
ATLANTIQUES
HAUTES-
PYRÉNÉES

CORSE
Ajaccio
CORSE-
DU-SUD

RÉGION PARISIENNE

Cergy-Pontoise
VAL D'OISE
HAUTS-
DE-SEINE
Nanterre
Versailles
YVELINES
PARIS
Bobigny
SEINE-ST-DENIS
Créteil
VAL-DE-MARNE
Évry
ESSONNE
SEINE-
ET-
MARNE
Melun

Limite de département
• Préfecture de département
Limite de région
○ Préfecture régionale

0   100 km

AFDEC

ALLIER
POITOU-

Comme on le voit, ces critiques, qu'elles soient d'esprit « jacobin » ou « anti-jacobin », ne sont pas négligeables. Elles sont cependant le fait de fractions minoritaires de la classe politique, et dépassent, en outre, le clivage traditionnel gauche/droite.

Pour ceux – la majorité des responsables politiques et de l'opinion publique – qui croient en la décentralisation, les perspectives sont claires : cette « révolution tranquille » doit être poursuivie et menée à son terme. Il lui faut, notamment, tout en veillant aux tentatives de « retour de l'État », mais sans s'opposer à lui, amener le pouvoir local toujours plus près des citoyens ; il lui faut s'efforcer d'obtenir des compétences accrues en matière de formation (apprentissage, formation continue et apprentissage) ; il lui faut, enfin, face à l'ouverture de l'Europe, rendre les régions plus compétentes et plus compétitives.

(1) Du Club des Jacobins, groupe politique qui se réunissait dans un ancien couvent de Jacobins, à la veille de la Révolution française ; jacobinisme : conception selon laquelle le pouvoir politique et administratif doit être assuré par le seul gouvernement central.
(2) Créé en 1985 par le Centre national de la recherche scientifique (CNRS) et la Fondation nationale des sciences politiques (FNSP), en partenariat avec les Conseils régionaux.
(3) *Ibid.*
(4) Presses de la Fondation nationale des sciences politiques/ Dalloz, 1989.

SITUATION ÉCONOMIQUE

Les Français et l'argent.

Industrie : la fin de la crise ?

Le monde paysan en question.

Le bon en avant du tourisme.

Les Français et l'argent

L'attitude des Français face à l'argent a beaucoup changé. Ceux qui s'enrichissent ont désormais leurs faveurs. Mais travailler ne suffit pas pour s'enrichir. Alors ils tentent leur chance aux jeux d'argent. Certains possèdent aussi un patrimoine qui demeure inégal, mais change de nature. Après la croissance des « Trente Glorieuses », la crise a freiné la progression du niveau de vie. Quel avenir financier pour les Français ?

Depuis le Moyen Âge[1], des théologiens comme saint Thomas d'Aquin aux révolutionnaires comme Saint-Just, chez des écrivains comme Zola ou Péguy, à gauche comme à droite, l'argent a souvent eu mauvaise presse en France. Dans le même temps, la sagesse populaire affirmait que « l'argent ne fait pas le bonheur » et que « plaie d'argent n'est pas mortelle ».

Mais les temps ont changé. Désormais, les Français ne considèrent plus l'argent comme un sujet tabou, sinon malsain, ils acceptent d'en parler, ils lui accordent même une valeur positive.

S'enrichir disent-ils...

Lorsque François Guizot, qui fut chef du gouvernement français en 1847-1848, lança la célèbre formule « Enrichissez-vous ! » (« par le travail et par l'épargne », ajouta-t-il, mais on ne cite jamais la fin de sa phrase), il ne se doutait certes pas que ces quelques mots allaient lui valoir, pour plus d'un siècle, l'opprobre, voire le mépris, de nombre d'historiens et d'hommes politiques. L'opinion publique, pour sa part, considéra avec méfiance ou réprobation ceux qui écoutèrent Guizot.

Depuis quelques années pourtant, le personnage et l'œuvre de Guizot connaissent, avec le renouveau des idées libérales, un regain d'intérêt et de compréhension[2], tandis que les Français regardent maintenant avec sympathie, sinon envie, ceux qui s'enrichissent.

Celui qui a réussi, qui a fait fortune en quelques années, jouit, dans les années 80, de la considération sinon générale de l'admiration.

Le « faiseur d'argent » (*money maker*), figure emblématique de l'*American way of life*, est désormais présent en France : qu'il soit industriel, artiste ou sportif, sa réussite fascine et fait rêver.

À la bourse des valeurs sûres d'aujourd'hui, le succès et l'argent occupent les premières places. La presse, principal reflet des préoccupations de notre société, publie ainsi de fréquents dossiers sur le thème de l'argent dans ses principaux magazines.

Le « boom » des jeux d'argent

Dorénavant prêts à suivre le conseil de Guizot, nombre de Français savent cependant qu'ils ont peu de chances de s'enrichir avec leurs seuls salaires ou revenus, aussi misent-ils sur le hasard.

Les jeux d'argents, longtemps limités à la Loterie nationale[3] et au tiercé[4], se sont augmentés en 1976 du quarté[5] et du Loto[6], en 1984 du Tac-o-Tac[7], en 1985 du Bingo[8], du Loto sportif[9], en 1987 du Tapis vert et en 1989 du Quinté.

Tous ces jeux attirent un nombre de Français sans cesse croissant. Si 70 000 d'entre eux ont participé au premier tirage du Loto en mai 1976, ils étaient plus d'un million six mois après et ils sont actuellement entre 11 et 15 millions chaque semaine. Au total, ce sont environ 28 millions de joueurs, soit près d'un Français sur deux, qui dépensent hebdomadairement une moyenne de 25 francs, en espérant gagner le gros lot[10].

En 1989, 70 milliards de francs ont été misés, dont 30 pour les courses de chevaux, dans le cadre du PMU[11], 12 au Loto, 4 à la Loterie nationale et 1,5 dans les casinos (désormais équipés de machines à sous). À ces jeux, il faut ajouter une quarantaine de jeux télévisés (« La roue de la fortune », « Le juste prix »…) et radiophoniques, sans oublier les jeux de cartes ou de société. « Les jeux sont partout » constate l'écrivain et académicien Jean d'Ormesson. Nous vivons désormais, poursuit-il, « dans un monde où coule à flot, un pactole étincelant distribué à grand renfort de spectacle et de publicité par la société de casino »[12].

Ce que gagnent les Français

Pour savoir ce que gagnent les Français, il importe de considérer les bulletins de paye des salariés et les rémunérations des non-salariés. Mais, si l'on veut connaître aussi précisément que possible ce dont ils disposent réellement pour vivre, c'est-à-dire leurs « revenus disponibles », il faut alors tenir compte – outre leurs salaires ou leurs rémunérations – des cotisations sociales et des impôts qu'ils paient et des prestations sociales qu'ils perçoivent. Toutefois, si le « revenu disponible des ménages » est actuellement reconnu comme l'indicateur le plus juste de la situation financière réelle des Français, les salaires restent la référence la plus communément admise.

■ Les salaires

En 1990, les salariés français ont gagné en moyenne 110 000 F, soit un salaire mensuel net d'environ 9 000 F.

Lorsqu'on examine l'évolution des salaires des différentes catégories socioprofessionnelles au cours des cinq dernières années, on constate que les écarts entre les salariés les plus élevés (ceux des cadres supérieurs) et les plus bas (ceux des manœuvres) se sont accrus.

Le rapport entre les salaires des 10% de Français les mieux payés et ceux des 10% les moins payés, qui était passé de 4,1 en 1967 à 3,09 en 1984 (son seuil le plus bas) est de nouveau à 3,2, comme en 1980.

Le SMIC (salaire minimum interprofessionnel de croissance) qui, en 1970, a remplacé le SMIG (salaire minimum interprofessionnel garanti) a connu, depuis cette date, une forte croissance : il a été multiplié par 6. Le SMIC est indexé sur les prix et les salaires : il est actuellement fixé à environ 5 500 F mensuels nets. Les « smi-cards » (c'est-à-dire ceux qui touchent seulement le SMIC) sont environ 1 500 000 (dont une majorité de femmes).

Les salaires des femmes demeurent en moyenne inférieurs d'environ 30% à ceux des hommes. Selon l'INSEE, le salaire annuel moyen des femmes en 1989 s'élevait à 86 500 F, alors que le salaire masculin atteignait 114 800 F. L'écart varie selon les catégories professionnelles : de

14% pour les employées à 32% pour les cadres supérieurs. L'écart entre les salaires féminins et masculins reste donc très important, même s'il diminue puisqu'il était de 35% entre 1951 et 1968 et de 33% entre 1968 et 1975. Selon des experts officiels, le maintien de cette inégalité s'expliquerait par l'existence d'une « discrimination indirecte » : « quatre-vingt-cinq pour cent de l'écart global (seraient dus) à la concentration des femmes dans des niveaux, des activités, des tailles d'établissements qui payent moins. »

À ces éléments, il faut ajouter que la durée du travail des femmes est généralement inférieure à celle des hommes, qu'elles effectuent moins d'heures supplémentaires et touchent moins de primes (pour travaux pénibles ou de nuit, par exemple).

Force est donc de constater qu'il reste encore beaucoup à faire pour que la loi de 1983 sur l'égalité professionnelle entre les hommes et les femmes ait atteint ses objectifs, à savoir l'ouverture de tous les métiers aux femmes, dans des conditions de recrutement, de travail, de rémunération identiques à celles des hommes.

■ *Les salaires selon les types et secteurs d'activités...*

Les différences de salaires entre les entreprises correspondent de plus en plus à la diversité des types et des secteurs d'activités.

À travail égal, les salaires en vigueur dans des secteurs de pointe comme l'informatique, par exemple, sont sans commune mesure avec ceux du bâtiment ou de l'habillement. Il faut aussi tenir compte des disparités régionales qui peuvent se traduire par des écarts de salaires de plus de 20%.

En règle générale, les salariés du secteur public perçoivent des traitements inférieurs à ceux de leurs homologues du secteur privé. En contrepartie, ils peuvent bénéficier de certains avantages (durée et conditions de travail, primes...) et surtout actuellement d'une bien plus grande sécurité de l'emploi.

■ **Les revenus**

En 1990, le revenu disponible des ménages français s'est élevé à environ 200 000 F, soit environ 16 700 F par mois. Dans ce chiffre sont pris en compte les transferts sociaux (prestations sociales, cotisations sociales et impôts), qui influent de plus en plus sur les ressources des Français. Les prestations sociales (celles qui couvrent les risques de maladie, invalidité, décès, veuvage, accidents du travail ; les allocations familiales, la retraite et les indemnités de chômage...) s'ajoutent aux revenus des familles.

Elles représentent environ un tiers du revenu disponible ; elles ont été multipliées par 8 depuis 1970[13].

Les prélèvements sociaux sont, eux, déduits des revenus des ménages[14]. Ils comprennent les cotisations sociales (assurances maladie, vieillesse, veuvage, chômage) qui sont retenues « à la source » (c'est-à-dire prélevées sur le salaire) et les impôts directs.

Les impôts indirects, notamment la TVA[15], ne sont pas pris en compte dans le revenu disponible.

Les impôts directs pour leur part équivalent actuellement à environ 8% de ce revenu.

Barème de l'impôt sur le revenu	
1991	Taux (en %)
N'excédant pas 36 280 F	0
de 36 280 à 37 920 F	5
de 37 920 à 44 940 F	9,6
de 44 940 à 71 040 F	14,4
de 71 040 à 91 320 F	19,2
de 91 320 à 114 640 F	24
de 114 640 à 138 740 F	28,8
de 138 740 à 160 060 F	33,6
de 160 060 à 266 680 F	38,4
de 266 680 à 366 800 F	43,2
de 366 800 à 433 880 F	49
de 433 880 à 493 540 F	53,9
Au-delà de 493 540 F	56,8

À l'impôt sur le revenu s'ajoutent les impôts locaux (taxes foncières et d'habitation), l'impôt sur les plus-values immobilières ou mobilières, les revenus des valeurs et capitaux mobiliers, les revenus fonciers, etc. L'impôt sur les grandes fortunes qui avait été institué par la gauche en 1982, a été supprimé par la droite en 1986, et rétabli en 1988 sous le nom d'impôt de solidarité sur la fortune (ISF) (cf. tableau ci-contre).

Les ménages ouvriers et employés touchent plus de prestations sociales qu'ils ne paient d'impôts directs, alors que les cadres moyens, cadres supérieurs et professions indépendantes voient leurs prestations diminuer lorsque leur revenu s'accroît, tandis que, dans le même temps, leurs impôts augmentent.

Cela explique que l'écart existant par exemple entre le salaire brut annuel d'un cadre supérieur et celui d'un ouvrier professionnel, se réduit sensiblement lorsqu'on compare leur revenu disponible.

L'impôt-solidarité sur la fortune (ISF)

L'ISF est un impôt annuel auquel sont assujetties les personnes qui disposent d'un patrimoine excédent le seuil d'imposition par foyer fiscal (outre les époux, celui-ci comprend les enfants mineurs).

Fonction de la valeur taxable du patrimoine	%
n'excédant pas 4 260 000 F	0
comprise entre 4 260 000 F et 6 290 000 F.	0,5
comprise entre 6 290 000 F et 13 740 000 F.	0,7
comprise entre 13 740 000 F et 21 320 000 F.	0,9
comprise entre 21 320 000 F et 41 280 000 F.	1,2
supérieure à 41 280 000 F	1,5

■ Ce que dépensent les Français

De 1950 à 1980, les Français ont connu trente années de croissance, les « Trente Glorieuses », selon l'expression de l'économiste Jean Fourastié. De 1950 à 1970, le pouvoir d'achat du salaire moyen a été multiplié par deux ; de 1970 à 1980, il a augmenté d'environ 3,5 % par an.

Durant ces trente ans, les Français ont pu acquérir les produits que leur proposait la « société de consommation » (télévision, machine à laver, voiture...). Au cours de la décennie 1970-80, l'inflation – qui atteignit 14,7 % en 1973 – a freiné la croissance du pouvoir d'achat, mais celui-ci a continué sa progression, avec toutefois des différences sensibles selon les catégories socioprofessionnelles. Si le pouvoir d'achat des « smicards »[16] a augmenté de 5,7 % en moyenne par an et celui des ouvriers de 4,7 %, les cadres supérieurs ont vu le leur progresser seulement de 0,6 %.

Depuis 1981, le pouvoir d'achat a évolué en dents de scie, alternant augmentations et diminutions généralement modérées. En 1989 et 1990, on a enregistré une progression d'environ 3,5 %. Bien entendu, ces évolutions sont variables selon que l'on considère les salariés, les agriculteurs, les commerçants ou les médecins.

Les dépenses des Français représentent actuellement entre 85 et 90 % de leur revenu disponible. Entre épargner et dépenser, ils ont donc choisi : ils dépensent. Mais la façon dont ils le font a beaucoup changé au cours des dernières années. 1973, début de la première crise pétrolière, peut être considérée comme l'année marquant une rupture avec la période qui avait commencé en 1960. À partir de cette date, les Français vont consacrer une part croissante de leur budget aux dépenses pour le logement, les transports et la communication, au détriment de celles qu'ils effectuaient pour l'alimentation, l'habillement et l'équipement du logement (cf. tableau ci-après).

Le budget des ménages : 1960-1988 (en %)

	1960	1973	1988
Alimentation	35,5	24,4	19,8
Habillement	8,7	8,2	6,8
Logement	12,1	14,7	18,9
Équipement du logement	10,2	10,8	8,2
Santé	7,2	10,7	9,3
Transports et communication	9,1	12,5	16,9
Loisirs et culture.	5,5	6,4	7,5
Biens et services divers . .	13,7	12,2	12,6

Source : INSEE.

Ces changements dans la hiérarchie des choix budgétaires reflètent à l'évidence l'évolution des besoins et des aspirations des Français, tout comme celle de la situation économique du pays.

Consommation des Français
1960-1970 : +4,3% [*]
1970-1973 : +5,1%
1973-1982 : +2,9%
1983-1985 : +1,6%
1989-1990 : +3 %
* Rythme annuel en francs constants.

Pour atténuer cette baisse de la consommation, les Français ont puisé dans leur épargne. Celle-ci est passée de 15,6% du revenu disponible en 1981 à 12,7% en 1989.

Le patrimoine des Français
L'épargne

Pour maintenir leur niveau de vie, les Français ont donc été contraints de réduire leur épargne. Ainsi, leur taux d'épargne a-t-il subi une baisse importante au cours des dix dernières années, passant de 18,6% en 1979 à 12,7% en 1989. Cette baisse n'a cependant pas été régulière et les variations de la courbe de l'épargne ne résultent pas seulement de l'alternative dépense ou économie. Elles sont vraisemblablement la conséquence de phénomènes économiques tels que le chômage ou l'inflation, de

facteurs démographiques ou sociaux, mais aussi d'éléments psychologiques liés, en particulier, aux modes de vie et aux mentalités. Ceux-ci, depuis quelques années, vont dans le sens d'une réduction de l'épargne au profit de la consommation.

Lorsque les Français épargnent, ils le font en vue d'objectifs variés, mais bien déterminés (impôts, gros achats, vacances...) et, le plus souvent, à court ou à moyen terme.

Les placements

Le fameux bas de laine, dans lequel les Français plaçaient autrefois leurs économies, a, semble-t-il, définitivement disparu des foyers français, au profit de placements dans l'or, la terre, la pierre, ou encore à la Caisse d'épargne. Toutefois, l'or n'est plus ce qu'il était — dollar oblige —, la terre ment parfois[17], la pierre est en crise et la Caisse d'épargne a mal résisté à l'inflation de ces dernières années. Aussi les Français se tournent-ils vers d'autres placements, et notamment les valeurs mobilières (obligations, actions). Celles-ci connaissent cependant des fortunes diverses. Après le krach de 1987 (−29,4%), la Bourse a enregistré 48% de hausse en 1988 et 33,3% en 1989, avant de subir de nouveau une baisse de 24,1% en 1990, crise du Golfe aidant.

Aussi les Français se tournent-ils vers de nouveaux types de placements : plan d'épargne populaire (PEP) et surtout assurance-vie dont la part a presque doublé entre 1985 et 1989 passant de 18% à 33%.

Évolution des placements financiers des ménages (en %)	1985	1987	1989
• *Épargne investie*	57	58	70
– Assurance-vie	18	26	33
– Valeurs mobilières	39	32	37
• *Épargne liquide*	43	42	30
– Comptes de dépôts, bons, comptes à terme	30	32	26
– Livrets	13	10	4

Source : INSEE.

▦ La fortune

Durant les « Trente Glorieuses », les Français se sont incontestablement enrichis : en 1980, leur patrimoine global représentait environ 8 600 milliards de francs soit 380 000 F par ménage. Ce chiffre est très approximatif car il est impossible, compte tenu de leur discrétion en la matière, de connaître les biens que possèdent réellement les Français (or, terre, œuvres d'art...) de même que la valeur exacte de ces biens. Si l'on évalue à 12% la hausse annuelle moyenne, ce patrimoine équivaudrait aujourd'hui à environ 16 000 milliards soit une moyenne de 800 000 francs par ménage. Il y a bien sûr de très importantes différences, selon les catégories socioprofessionnelles.

L'immobilier demeure l'élément majeur de la fortune des Français (55,4%), qu'il s'agisse des résidences principales ou secondaires ou des immeubles dits de « rapport » à usage professionnel ou de logement.

L'épargne liquide ou à court terme (livrets d'épargne, comptes épargne-logement...) occupe la seconde position avec 22,3% du total. Sa part tend actuellement à diminuer. Les entreprises viennent ensuite avec 6,5%.

Les terres et les bois représentent 7,5% et subissent une baisse constante depuis plusieurs années.

Les valeurs mobilières (actions, parts de société, obligations), avec 10,2%, connaissent (on l'a souligné précédemment) une très forte hausse.

Les différences entre patrimoines dépendent essentiellement du capital professionnel (terres de l'agriculteur, usine et machines de l'industriel, cabinet du médecin...), de l'héritage et des revenus.

Dans tous les cas, il existe de notables écarts à l'intérieur d'une même catégorie, chez les salariés et surtout chez les non-salariés. Parmi ceux-ci il n'y a, en effet, aucune commune mesure entre le propriétaire d'une exploitation agricole de moins de cinq hectares dans le Limousin, et celui qui possède en Beauce un domaine de plus de cent hectares, ou entre le patron d'une entreprise de moins de dix personnes et le PDG d'une firme, nationalisée ou non, qui emploie plus de dix mille salariés.

La répartition du patrimoine est nettement plus inégale que celle des revenus. On estime que 1% des Français les plus riches possèdent près de 20% du patrimoine total ; les 10% les plus fortunés en détiennent environ 60%, tandis que les 10% les moins fortunés doivent se contenter de 0,1%.

Avec la crise économique de la dernière décennie, le rapport des Français avec l'argent s'est sensiblement modifié. Si la majorité d'entre eux (les deux tiers environ) continuent de « jouer les cigales », c'est-à-dire de « consommer », de dépenser immédiatement l'argent qu'ils gagnent, comme ce fut le cas entre 1945 et 1975, les autres adoptent le comportement de la fourmi. Afin de ne pas se trouver « dépourvus », ils réduisent leurs dépenses et considèrent l'argent essentiellement en terme d'épargne, de patrimoine.

Nul ne peut dire aujourd'hui ce que sera leur avenir financier, mais force est de constater qu'il existe bien désormais deux attitudes des Français face à l'argent.

(1) Cf. *La Bourse et la vie* de Jacques Le Goff (Hachette, 1986). Dans ce livre, le grand historien du Moyen Âge explique pourquoi l'usurier qui consacrait sa vie à l'argent était voué à l'enfer. L'usurier, en effet, gagne de l'argent sans travailler. Il vole donc le temps. Or, le temps est don de Dieu. Par conséquent, il vole Dieu lui-même. D'où sa destinée « infernale » !
(2) Cf. notamment *Le Moment Guizot* de Pierre Rosanvallon (Gallimard) et *Les Libéraux français* de Louis Girard (Aubier).
(3) Créée en 1933 (1er tirage le 7 novembre) ; le premier gagnant du gros lot (5 millions de centimes) fut un coiffeur de Tarascon. Une loterie d'État avait fonctionné de 1776 à 1836.
(4) Pari sur les courses de chevaux, créé en 1954. Il s'agit de désigner les trois premiers d'une course, « dans l'ordre » exact d'arrivée ou « dans le désordre ».
(5) Il s'agit cette fois de désigner les quatre premiers chevaux d'une course, si possible également dans l'ordre d'arrivée.
(6) Jeu qui consiste à cocher d'une croix six numéros parmi quarante-neuf figurant sur les grilles d'un bulletin. On peut miser autant de grilles et remplir autant de bulletins que l'on veut. Pour gagner le gros lot, il faut que les six numéros cochés correspondent aux six numéros sortis du tirage.
(7) Loterie qui se combine à la Loterie nationale classique. Des billets en deux parties offrent deux chances de gagner.
(8) Autre variante du Loto proposée aux lecteurs de certains quotidiens nationaux et régionaux, parmi lesquels : *France-Soir, Le Parisien, Le Provençal, La Dépêche du Midi, Le Progrès de Lyon...* Grâce au Bingo, ces journaux ont vu leurs ventes augmenter de 3 à 12%.
(9) Autre variante du Loto consistant à faire des pronostics sur des matches de football.
(10) Au Loto, désormais jeu préféré des Français, le record de gain est de 33 457 000 F.
(11) Pari mutuel urbain, organisme qui réunit les sociétés des courses hippiques sous la tutelle du ministère de l'Agriculture.
(12) in *Le Figaro Magazine*, 6 février 1988.
(13) Durant la même période, les allocations de chômage ont été multipliées par 42 !
(14) Ces prélèvements « obligatoires » représentaient en 1989 et 1990, 43,9% du Produit intérieur brut (PIB). En d'autres termes, près de la moitié de ce que gagnent les Français est réservé à l'État sous forme de cotisations sociales et d'impôts.
(15) Taxe à la valeur ajoutée, payée par les ménages sur les achats de biens et de services.
(16) Personnes qui touchent le SMIC.
(17) Allusion au slogan « la terre ne ment pas » utilisé en France, entre 1940 et 1945, dans le discours gouvernemental.

Industrie: la fin de la crise?

De 1974 à 1988, l'industrie française a connu de graves difficultés : ralentissement des investissements, recul des exportations, et surtout licenciements et fermetures d'usines. Les résultats de ces dernières années ont fait apparaître une certaine reprise pouvant laisser entrevoir la fin de la crise. Mais, depuis, il y eut la guerre du Golfe...

Dans les années qui ont suivi le premier choc pétrolier, la France a éprouvé le «goût amer des usines arrêtées et des ouvriers au chômage»[1]. Dans les houillères et dans l'industrie textile d'abord, puis dans la sidérurgie, la construction navale et dans l'industrie automobile, des ouvriers, des employés, mais aussi des cadres ont été licenciés et des entreprises ont dû cesser leurs activités. Outre ces symptômes marquants, l'affaiblissement de l'industrie française s'est traduit par quelques chiffres : en 1983, elle ne représentait plus que 19,3% du Produit intérieur brut (PIB) contre 22,8% en 1974 ; en 1985, elle assurait 8,2% des exportations des douze plus grands pays industrialisés contre 10,4% en 1979 ; enfin, elle a perdu 612 000 emplois entre 1979 et 1984.

Des nationalisations de 1982...

Dès 1981, le président de la République, François Mitterrand, et son gouvernement ont entrepris de réorganiser l'industrie nationale, en élargissant le secteur public. Au début de l'année 1982, le Parlement a ainsi été amené à voter une importante série de nationalisations. Onze sociétés sont passées sous le contrôle de l'État, permettant au secteur public de tripler sa part dans l'emploi industriel où il regroupe alors 20% des effectifs (800 000 salariés). Jusque-là, les seules entreprises nationalisées dans l'industrie, outre les arsenaux et la SEITA[2], étaient essentiellement Renault pour l'automobile, la SNIAS[3] et la SNECMA[4] pour l'aéronautique, et quelques firmes dans la chimie. Après 1982, l'industrie nationalisée va occuper des positions dominantes, sinon de monopole, dans un certain nombre de secteurs clés. Ainsi, dans le matériel électrique et électronique, avec la nationalisation de la Compagnie générale d'électricité (CGE) et de Thomson-Brandt, la part de l'État représente environ 35%. Dans la chimie, elle passe de 18% à 48% après la nationalisation de Péchiney et de Rhône-Poulenc.

Usinor et Sacilor étant nationalisées, l'État contrôle désormais 80% du marché français dans la sidérurgie et, après ses prises de participation majoritaire (à 51%) dans le groupe Dassault-Bréguet et la société Matra, 84% dans l'aéronautique. Enfin, la nationalisation de Saint-Gobain permet à l'État de posséder 35% de l'industrie du verre.

Au lendemain de ces nationalisations, la France est le deuxième pays européen après l'Autriche, et le premier dans la Communauté Économique Européenne (CEE) par le poids du secteur public (22,8%). Ce poids dans l'industrie équivaut alors à un quart des effectifs.

Entre 1982 et 1984, l'État accordera 35 milliards de francs au secteur public de l'industrie.

Cet apport financier sera accompagné de restructurations, d'un important effort d'investissement et d'une réduction des effectifs. Mesures qui entraîneront un redressement de situation pour certains groupes déficitaires en 1982.

... aux privatisations de 1986

À partir de 1983, l'État, très interventionniste au cours des deux années précédentes, va opérer un retrait de plus en plus sensible. Certaines sociétés vont donc se tourner vers la Bourse pour obtenir des ressources nécessaires à leur développement. Elles vont ainsi bénéficier de plusieurs milliards de capitaux privés. Leur privatisation est dès lors acquise « dans les esprits, les méthodes et la politique de l'emploi, si ce n'est encore dans l'application de la loi »[5].

Ce sera acquis en 1986, après les élections législatives de mars qui voient la victoire de l'opposition de droite. Son « leader », Jacques Chirac, nommé Premier ministre par François Mitterrand, se fixe comme objectif de mettre fin au « dirigisme étatique ». Pour atteindre cet objectif, il décide de mettre en œuvre un important programme de privatisations. Il est ainsi prévu de privatiser 65 entreprises, parmi lesquelles 9 sociétés individuelles[6], dont 6 avaient été nationalisées entre 1982 et 1986.

De fait, durant les deux années de « cohabitation »[7], 13 sociétés seront privatisées, dont 4 appartenant au secteur industriel (Saint-Gobain, CGCT, CGE, Matra).

La situation actuelle

Cette politique de privatisation sera interrompue par le retour au pouvoir de la gauche en 1988. Selon le vœu de F. Mitterrand, la politique économique du nouveau gouvernement ne devra plus comporter ni nationalisations ni privatisations. Politique que les journalistes définissent comme celle du « ni-ni »...

Trois ans après, on peut donc s'interroger sur la situation de l'industrie française. D'emblée, une constatation s'impose : malgré la crise profonde qu'elle a connue pendant plusieurs années, la France demeure la quatrième puissance industrielle du monde. Si sa progression annuelle avait stagné de 1980 à 1984, légèrement remonté à partir de 1985, elle a spectaculairement redécollé en 1988, atteignant près de 5%, qu'elle maintiendra en 1989, avant de retomber à 2% en 1990.

Après avoir perdu 22% de ses effectifs entre 1974 et 1988 (de 6,1 millions de personnes à 4,7, soit 100 000 emplois par an en moyenne), l'industrie a stoppé cette hémorragie en 1989, créant 30 000 emplois, avant d'en perdre à nouveau en 1990.

Jusqu'à la seconde moitié de cette année, les secteurs clés de l'industrie étaient plutôt en expansion. Des domaines en difficulté depuis plusieurs années, telle la sidérurgie semblaient être repartis du bon pied. Plus généralement, les entreprises avaient recommencé à investir (+11% en 1988, +8% en 1989 et +9% en 1990 contre 5,9% en 1987 et 4,3% en 1986). Ces bons résultats, dus notamment à la progression des investissements dans l'automobile et les biens de consommation, étaient la conséquence d'une sensible amélioration de la situation financière de l'industrie. En 1988, par exemple, les cent premières entreprises ont enregistré des profits records (32 milliards de francs au lieu de 9,7 en 1987 pour les huits grandes entreprises nationalisées). Un point noir cependant dans ce bilan de santé plutôt positif : la balance commerciale. Celle-ci est largement déficitaire : 42,7 milliards en 1988 (alors qu'elle avait connu un excédent record de 94 milliards en 1984), 45 milliards en 1989 et plus de 50 milliards en 1990. La situation ici demeure préoccupante. Au total, la situation de l'industrie se caractérise par une amélioration d'ensemble, notamment en termes de créations d'emplois, et par la coexistence de points forts et de points faibles.

Parmi les premiers, on citera des secteurs, généralement de pointe, où la France se situe dans les premiers rangs mondiaux : ce sont l'industrie nucléaire, l'armement, l'aéronautique et l'aérospatiale. Sont également en bonne ou en très bonne santé aujourd'hui, mais après avoir connu, il y a peu, des moments difficiles voire très inquiétants : la métallurgie, l'industrie mécanique, la chimie, le bâtiment et les travaux publics (BTP) et l'industrie automobile.

Parmi les seconds, deux secteurs éprouvent des difficultés : l'industrie ferroviaire (malgré le TGV) et surtout l'électricité et l'électronique. Deux autres secteurs subissent, depuis plusieurs années, une véritable crise : le textile et la construction navale. Bien entendu, les succès ou les échecs de l'industrie ont des répercussions en matière d'emploi : dans le premier cas, le chômage diminue, dans le second, il reste stable ou même progresse.

Tous ces éléments sont, bien sûr, remis en question après la guerre du Golfe et ses conséquences indiscutablement graves mais encore, en grande partie, imprévisibles.

La production industrielle, on l'a vu, est passée de 5% en 1989 à 2% en 1990, et si les investissements ont de nouveau atteint un seuil élevé (+9%), les chefs d'entreprise envisagent un arrêt (entre 0 et 1%) en 1991.

De nouvelles restructurations sont d'ores et déjà en cours, notamment dans l'automobile. Après quatre années de hausses mensuelles, les immatriculations reculent (−2% par rapport à 1989), tout comme la production (−3,3%).

Dans le même temps, la part des voitures étrangères augmente (39,2% contre 38% en 1989).

D'où l'annonce de 8 000 suppressions d'emplois. D'autres secteurs sont également touchés : l'aéronautique et l'armement, l'acier et la chimie, mais surtout l'électronique, très affectée par la concurrence japonaise et américaine. Compte tenu de la situation économique mondiale et de la guerre du Golfe, l'avenir est fort incertain. D'ailleurs, les chefs d'entreprises françaises, interrogés par l'INSEE, en janvier 1991, se sont déclarés très pessimistes.

(1) Hervé Le Bras, *Les Trois France* (Éd. Odile Jacob - Le Seuil).
(2) Service d'exploitation industrielle du tabac et des allumettes.
(3) Société nationale industrielle aérospatiale.
(4) Société nationale d'étude et de construction des moteurs d'avion.
(5) Claire Blandin, dans *Le Monde*, 23 septembre 1986.
(6) Compagnie de Saint-Gobain, Compagnie de machines Bull, CGE, Compagnie générale de constructions téléphoniques (CGCT), Péchiney, Rhône-Poulenc, Société Matra, Elf-Aquitaine, Thomson.
(7) Entre le président Mitterrand et le gouvernement dirigé par J. Chirac.

Le monde paysan en question

Artisans, naguère, d'une véritable « révolution silencieuse », les paysans ont été ces dernières années les victimes, parfois durement touchées, de la crise du « pétrole vert ». Désormais minoritaires dans la société française, leur rôle n'en est pas moins primordial et devrait encore s'accroître dans les années à venir.

« On a trouvé, en bonne politique, le secret de faire mourir de faim ceux qui, en cultivant la terre, font vivre les autres ». On ne trouverait probablement plus aujourd'hui de « paysans (suffisamment) en colère » pour reprendre à leur compte cette sentence de Voltaire. Quelles que puissent être en effet leurs difficultés, les paysans français actuels ne sont nullement condamnés à mourir de faim. Il reste néanmoins vrai qu'ils « font vivre les autres », c'est-à-dire qu'ils procurent à leurs compatriotes toute l'alimentation dont ils ont besoin. De fait, ils produisent même beaucoup plus qu'il est nécessaire pour nourrir les Français, et un de leurs problèmes est justement de trouver des débouchés pour le surplus de leur production, autrement dit d'exporter.

Après la guerre, on considérait qu'un agriculteur français moyen subvenait aux besoins alimentaires d'une dizaine de ses concitoyens ; aujourd'hui, les spécialistes estiment qu'il peut offrir une nourriture plus riche et plus variée à plus d'une quarantaine de personnes.

Pourtant, les paysans ne représentent plus désormais qu'à peine 5,3% de la population active (soit 1,5 million de personnes), contre 31% en 1954, 36% en 1936 et plus de 40% à la veille de la Première Guerre mondiale. Avec 3,8 millions de personnes, la population paysanne correspond également à 7% de l'ensemble des Français, contre 44% en 1954, 48% en 1936 et plus de 55% avant 1914. S'ils ont perdu plus des deux tiers de leurs effectifs au cours des quarante dernières années, les paysans français ont, durant cette période, acquis la parité avec l'ensemble de leurs compatriotes. « Parité économique, parité des revenus, parité sociale, parité des conditions de vie, parité de la dignité, (et enfin) parité de la considération », ainsi que le déclarait en 1977 M. Giscard d'Estaing, alors président de la République. Prenant acte de cette « révolution silencieuse » qui avait permis aux paysans de parvenir à un niveau de vie à peu près identique à celui du reste de la population, le chef de l'État affirma que l'agriculture « (devait) être notre pétrole ».

■ L'importance du « pétrole vert »

Aujourd'hui, ce pétrole vert est-il aussi rentable que l'était l'or noir en 1977 ? D'abord, un constat : depuis la fin de la guerre, la productivité de l'agriculture a plus rapidement augmenté que celle de l'industrie. Plus récemment, elle a contribué pour un quart à la croissance de la production nationale et a joué un rôle important dans la diminution de l'inflation. En 1984, avec les industries de transformation agricoles et alimentaires, elle a permis, grâce à un solde commercial positif d'une trentaine de milliards de francs, de régler la facture des importations françaises de pétrole.

Au cours des vingt-cinq dernières années, elle a progressé en volume de 2,7% par an, mais ne représente plus, en raison de la baisse de 27% de ses prix, que 3,8% du produit national, au lieu de 11,3% au début des années soixante. Les industries agro-alimentaires, avec 3,3% du PIB[1] restent au niveau de 1960. Au total, l'ensemble du secteur agro-alimentaire correspond à environ 8% de l'économie française.

Si les observateurs se plaisent à souligner la productivité de l'agriculture française, ils font également remarquer qu'elle bénéficie du soutien constant de l'État. Comparée aux autres nations industrialisées, et notamment à ses partenaires du Marché commun, la France est le pays qui accorde le plus de subventions à son agriculture. Certains n'hésitent d'ailleurs pas à parler d'« État-providence » agricole. En 1990, les subventions ou aides accordées par l'État ont augmenté de 36,5%.

La crise, et après... ?

Pourtant, le revenu des agriculteurs diminue depuis une quinzaine d'années. En 1985, il a subi une baisse de 4,7%, la plus importante, avec 1980, depuis quinze ans. Et si, en 1990 il a globalement augmenté de 5,1%, certains, comme les céréaliers, ont connu une baisse de plus de 9%. En revanche, les viticulteurs voyaient le leur progresser de près de 28% ! De fait, les revenus agricoles se caractérisent par de très fortes disparités : entre les agriculteurs disposant de moins de 5 hectares-« équivalent-blé » et ceux qui en possèdent plus de 100, on

relève des écarts de 1 à 35. Cependant, si l'on prend également en compte les salaires et les retraites, la différence n'est plus que de 1 à 3,5, quelle que soit la surface cultivée.

Une chose est sûre : la baisse des revenus est un des signes les plus importants de la crise que traverse actuellement l'agriculture française. Parmi les autres symptômes, on observe le vieillissement de la population agricole (40% des paysans ont plus de cinquante-cinq ans), son endettement, la diminution des possibilités d'investissement, la surproduction chronique et surtout l'effondrement du marché foncier. En d'autres termes, les prix de la terre baissent : ils ont perdu 40% depuis 1978.

Pourquoi la terre perd-elle de sa valeur ? Parce que les paysans, ses traditionnels acquéreurs, l'achètent moins et que les épargnants investissent dans des placements plus rentables (les actions, l'or, la pierre...). Les paysans, en effet, ont dépensé beaucoup d'argent, ces dernières années, pour s'équiper : ils ont acquis des machines et des engrais, au détriment des terres. Quant aux épargnants, ils ont vendu, en vingt ans, 2,5 fois plus de terres qu'ils n'en ont acheté.

Durant ce même laps de temps, deux millions de personnes ont quitté l'agriculture et 640 000 exploitants ont disparu. Selon certaines prévisions, entre 1983 et 1993 plus de 40% des exploitants (578 000 personnes) devraient cesser leur activité, «libérant» 4 millions d'hectares cultivables (l'équivalent de huit départements). On estime au maximum à 10 000 par an le nombre de jeunes susceptibles de s'installer à leur place. D'après le ministère de l'Agriculture, les jeunes paysans qui ont décidé de s'établir «cherchent de moins en moins à devenir propriétaires, sauf s'ils bénéficient d'une donation ou d'un héritage». Ils n'achètent plus la terre, mais la louent. Si cette tendance se confirme, d'ici quelques années, les propriétaires terriens ne seront plus que des retraités, «anciens paysans», ou des «gens de la ville», héritiers ou acquéreurs de patrimoines fonciers.

Cette situation se vérifie aujourd'hui sur le plateau limousin qui, avec une seule installation pour trois disparitions, se transforme peu à peu en un véritable désert agricole, avec − comme propriétaires − des médecins, des cafetiers, des postiers...

Actuellement, certaines terres de mauvaise qualité ne trouvent pas d'acquéreurs et sont donc à l'abandon. Des responsables agricoles n'hésitent pas à évoquer, pour certaines régions, le retour aux friches (qui représentent déjà 6% du territoire) et la dévalorisation d'une partie importante du domaine foncier. Dans son livre *La France en friches* [2], le journaliste Éric Fottorino écrit : «Aux friches industrielles d'hier s'accolent désormais les friches rurales et humaines du IIIe millénaire.» De son côté, le

directeur du Centre national pour l'aménagement des structures des exploitations agricoles affirmait, il y a quelque temps, devant les membres de la Société des agriculteurs de France : «Sur une longue période de dix à quinze ans, un rééquilibrage des productions est tout à fait possible. Il faut dans l'immédiat accepter que des centaines d'hectares de terres agricoles reçoivent une vocation autre. Même si cela peut choquer, des zones à faible densité de population passeront à l'état de réserves naturelles.» À l'évidence, l'agriculture française vit une mutation profonde. Le paysan traditionnel (qu'on songe au «Papet» de *L'Eau des collines*, le roman de Marcel Pagnol, magnifiquement incarné à l'écran par Yves Montand [3]) est désormais en voie de disparition et de plus en plus remplacé par l'exploitant agricole. Incollable sur les «montants compensatoires monétaires» de l'Europe verte, une «nouvelle race» de paysans programme sur ses micro-ordinateurs les quotas laitiers qui lui permettront de faire face à la concurrence internationale.

Les agriculteurs de demain ne représenteront plus que 4% de la population active, ils ne posséderont plus que quelques dizaines de milliers d'exploitations ressemblant de plus en plus à d'immenses entreprises mécanisées, mais ils devraient faire partie des producteurs et des exportateurs les plus efficaces de ce pays. Peut-être alors ne constitueront-ils plus ce «peuple oublié» dont parlait Balzac ?

(1) Produit intérieur brut.
(2) Éd. Lieu commun, 1989.
(3) Réalisés par Claude Berri, deux films, *Jean de Florette* et *Manon des sources*, ont été tirés de ce roman.

Le bon en avant du tourisme

Importante puissance touristique, la France reçoit des millions de visiteurs étrangers. Elle leur propose aujourd'hui des structures d'accueil profondément renouvelées. Élément essentiel de notre économie, le tourisme doit encore se développer. Mais à quel prix et dans quelle direction ?

Avec 40 millions de touristes étrangers en 1989 et 50 en 1990, la France est la première puissance touristique en Europe et la seconde au monde derrière les États-Unis. Mais ce rang flatteur est d'abord dû à un important marché intérieur. Si avant 1940, le nombre des Français qui partaient en vacances n'avait jamais dépassé 4 à 5 millions (c'est-à-dire environ 10% de la population), dès le début des années cinquante, c'est une véritable explosion, avec 8 millions de vacanciers (20% de la population). En 1965, on atteint le pourcentage de 44% et actuellement on enregistre un taux de 60%, soit 21,2 millions de personnes (cf. « Vive les vacances », p. 32).

Des touristes étrangers par millions

Quant aux touristes étrangers, qui étaient environ 500 000 en 1946, ils sont dix fois plus nombreux dès 1950, voient leur nombre doubler en 1960, soit 10 millions, se retrouvent 14 millions en 1970, 30 en 1980, avant d'atteindre les 50 millions aujourd'hui. En 1990, ils ont ainsi dépensé 110 milliards de francs. Quant au solde de la balance des paiements touristiques, il a atteint 45 milliards en 1990 contre 40 en 1989 (+ 13,4%). Il s'agit là encore d'un véritable « boom », car ce solde est resté stable, à un niveau très bas, pendant vingt ans (de 0,1 milliard de francs en 1955 à 1,7 milliard en 1975) avant de grimper à 9,3 milliards en 1980 et 31,5 milliards en 1985. Les observateurs n'avancent aucune explication vraiment satisfaisante de ce phénomène. Force est simplement de constater la croissance régulière (5% par an depuis vingt ans) du nombre de touristes étrangers venant en France, alors que le nombre de Français se rendant à l'étranger est beaucoup plus variable (ne serait-ce qu'en raison des restrictions que tel ou tel gouvernement, à telle ou telle époque, a pu apporter au montant des devises accordées aux Français pour leur séjour hors de France). Contrôle des changes, ajustements monétaires défavorables à notre pays, crise mondiale ? Et si cette « montée en puissance » de nos recettes n'était que la conséquence « des progrès accomplis par le tourisme français, dans ses infrastructures et chez ses professionnels, pour mettre en valeur un pays choyé par la nature, l'histoire et la géographie ? »[1]

Le « modèle américain »

De fait, le secteur touristique a connu, au cours des quarante dernières années, de profondes transformations. Sur le plan quantitatif d'abord, où le nombre des « hôtels de tourisme homologués » est passé de 4 800 en 1945 à 12 745 en 1965, puis 20 000 aujourd'hui[2]. Sur le plan de sa nature ensuite, avec la naissance « d'entreprises de taille industrielle qui faisaient totalement défaut en France, et qui complètent désormais notre panoplie d'accueil et de traitement du tourisme »[3]. Ces entreprises ont notamment pour nom, le Club Méditerranée, Nouvelles Frontières ou Frantour... Sur le plan strictement hôtelier, le modèle américain se substitue de plus en plus au modèle français de l'hôtellerie artisanale et familiale. Plusieurs centaines d'hôtels représentant des chaînes intégrées ont été construits, le plus souvent à la périphérie des grandes agglomérations, près des autoroutes. Il s'agit généralement de bâtiments à l'architecture moderne mais standardisée, au confort fonctionnel mais sans âme.

Les premiers ont vu le jour à partir de 1967 (un Novotel près de Lille), mais c'est entre 1973 et 1976 que le plus grand nombre a surgi de terre, notamment près de Paris, avec par exemple le Novotel Bagnolet, le PLM Saint-Jacques, le Concorde Lafayette et le géant Méridien qui propose plus de 1 000 chambres. D'autres grands hôtels seront ouverts au cours des années suivantes pour atteindre, fin 1984, le nombre de 550 établissements « deux, trois et quatre étoiles », appartenant ou affiliés à des chaînes françaises intégrées. Huit de ces chaînes sont représentées à l'étranger, dans une cinquantaine de pays, tandis qu'une douzaine de chaînes étrangères sont présentes en France, surtout à Paris et sur la côte d'Azur. Propriété d'importants actionnaires (banques, compagnies d'assurances ou de transports...), ces chaînes hôtelières connaissent de croissants phénomènes de concentration qui font désormais d'elles de puissants groupes financiers. Ainsi, la chaîne Accor (née de la fusion des groupes Jacques Borel international et Novotel), qui possède près de 500 hôtels, dont environ les deux tiers en France, et emploie 45 000 personnes, se situe au 10e rang mondial.

Tourisme populaire ou tourisme de luxe ?

Directement ou indirectement, plus de 1,8 million de personnes, c'est-à-dire environ 9% de la population active, travaillent dans le secteur du tourisme. Il est la première activité du pays en termes de rentrées de devises. Pourtant, ce n'est pas une manne providentielle pour

l'économie française : il représente actuellement 1,5% du Produit intérieur brut (PIB).

La France peut sans doute recevoir encore davantage de touristes. Mais souhaite-t-elle accueillir des touristes aux moyens modestes, dans des hôtels ou des villages de vacances à prix modérés ? Ou envisage-t-elle de donner la préférence à des touristes « haut de gamme » qu'elle logera dans de luxueux « 4 étoiles » ? En d'autres termes, quelle politique touristique est-elle disposée à mettre en œuvre ?

(1) Roger Alexandre, dans *L'Expansion*, numéro spécial « Demain la France », octobre-novembre 1985.
(2) Sur un total d'environ 46 000 hôtels (soit près de 800 000 chambres) qui place la France au second rang mondial, derrière les États-Unis, pour le parc hôtelier.
(3) Cf. note (1).

La France mise au jour...

Au siècle dernier, les grands voyageurs, les grands découvreurs de la France étaient presque tous étrangers, anglais surtout. Les plus connus sont Arthur Young et Robert Louis Stevenson mais il y en eut beaucoup d'autres. Les Français demeurèrent très longtemps indifférents à leur propre pays, et ce jusqu'au siècle dernier, si l'on excepte George Sand et Flaubert. En France, on ne voyageait pas, on se déplaçait. (...) En plein XVIIIe* siècle, Restif de la Bretonne, seul écrivain authentiquement paysan de ce temps, disait que « les Français connaissent bien mieux les mœurs des Indiens iroquois que celles des paysans français ». Phrase prophétique car toujours valable aujourd'hui. Pendant des siècles, les Français ont ignoré la France, ou tout au moins sa province, puisque la France, c'était Paris. La province, c'était un désert, blanc, jaune ou vert sur des cartes, qui ne pou-*

vait intéresser que des aventuriers, comme ces Anglais juchés sur des chevaux ou tirant des ânesses, bref, des excentriques.

Nous n'en sommes plus tout à fait là, mais avons-nous pour autant véritablement progressé ? Depuis ces dernières années, en tout cas depuis l'après-guerre, les Français commencent à regarder de nouveau leur pays. Il paraît des livres sur lui... (...) L'essentiel c'est bien aujourd'hui de voyager, de regarder, de sentir, de détecter le monde avec une mémoire personnelle. En ces temps de self-service, eh bien servons-nous aussi pour nous-mêmes du passé et du paysage, composons nos chemins à la carte — dans tous les sens du mot — inventons-les pour découvrir ou retrouver une France buissonnière.

JACQUES LACARRIÈRE,
La France buissonnière,
Guide France, Hachette 1984.

QUESTIONS SOCIALES

Le travail des Français.

Le fléau du chômage.

Le déclin du syndicalisme.

La protection sociale en danger?

Y a-t-il encore une classe ouvrière?

Du côté des fonctionnaires.

Le travail des Français

Actuellement, à peine un Français sur deux exerce une activité professionnelle. Le travail, il est vrai, a beaucoup changé. Le secteur tertiaire continue de s'accroître, les salariés sont de plus en plus nombreux, les « cols blancs » supplantent peu à peu les « cols bleus ». Les Français travaillent moins et de manière plus souple. Mais il y a le chômage. Et l'informatisation. Alors, quel travail pour demain ?

Qui travaille ?

La France compte actuellement environ 24 millions d'actifs, soit 43% de la population totale [1].

Si l'on considère l'évolution de la population active depuis le début de ce siècle, on constate qu'entre 1900 et 1975, sa proportion par rapport à l'ensemble des Français a baissé de 10%. Cette diminution s'explique par divers facteurs démographiques : allongement de la scolarité qui retarde l'entrée des jeunes dans la vie active, abaissement de l'âge de la retraite et augmentation de la durée de vie.

En revanche, depuis 1975, le pourcentage d'actifs remonte légèrement (de 41,9% à 43%), tout en restant fort éloigné des 52% de 1921. Cette remontée est due essentiellement à l'arrivée, sur le marché du travail, des générations de l'après-guerre et de nombreux travailleurs immigrés, mais surtout à l'accroissement du travail féminin (10,5 millions de femmes travaillent, soit 43% de la population active). Plus de 45% des femmes de 16 ans et plus exercent une activité professionnelle (contre 35% en 1954).

Les transformations du travail

Le travail a connu des transformations profondes depuis la fin de la Seconde Guerre mondiale (dans certains domaines, l'évolution s'était amorcée au XIXᵉ siècle).

Les paysans, qui constituaient encore 31% de la population active en 1954, n'en représentent plus désormais que 5,3% (contre 75% au début du XIXᵉ siècle) [2]. Ce faible taux, dû à la mécanisation et à l'exode rural, reste cependant supérieur à celui de pays comme l'Allemagne (5,8%), les États-Unis (3,6%) ou la Grande-Bretagne (2,8%).

Ce déclin du monde rural, voire cette « fin des paysans » diagnostiquée par certains sociologues, s'accompagne d'une irrésistible ascension des salariés qui représentent actuellement environ 85% des actifs (72% en 1962), soit environ 18 millions de personnes. Parmi elles, on compte un nombre croissant de fonctionnaires (2,5 millions [3]), d'agents des collectivités locales (900 000), de salariés des entreprises publiques nationalisées (2,2 millions), au total plus de 5,5 millions de personnes. Ce chiffre a doublé au cours des vingt dernières années.

▪ Cols bleus, cols blancs

L'économie française est traditionnellement divisée en trois secteurs : primaire (l'agriculture), secondaire (l'industrie), tertiaire (les services). Chacun de ces secteurs correspond à une grande période, à un « âge » de l'économie. Après l'âge de l'agriculture et celui de l'industrie, la France vit actuellement le « troisième âge », celui des services, dans lesquels travaillent plus de 60% des actifs. Cette évolution a profondément modifié la nature des métiers et des emplois exercés par les Français. Les « cols blancs » (employés, techniciens, cadres) remplacent peu à peu les « cols bleus » (manœuvres, ouvriers spécialisés et qualifiés). Ces derniers

ne représentent plus qu'à peine 30% de la population active, contre 36,6% en 1968 (cf. tableau ci-après). Cette diminution du nombre des ouvriers (−600 000 entre 1982 et 1986) est la conséquence de l'affaiblissement de l'industrie[4], mais aussi de la modernisation des entreprises et, bien sûr, de la montée du chômage au cours des dix dernières années[5]. De fait, ce sont essentiellement les emplois des manœuvres et d'ouvriers spécialisés (OS) qui diminuent (−765 000 de 1975 à 1982), alors que ceux d'ouvriers qualifiés et de contremaîtres continuent d'augmenter.
Tandis que la part des ouvriers dans la population active diminuait, celle des cadres augmentait sensiblement (cf. tableau ci-après). En 30 ans, par exemple, le nombre des cadres a doublé, notamment les cadres supérieurs (cadres de la fonction publique, cadres administratifs et commerciaux, ingénieurs et cadres

techniques d'entreprise, etc.). Au total, le secteur tertiaire a créé 1 500 000 emplois entre 1974 et 1985. Autre caractéristique de ce « troisième âge » de l'économie, la disparition en 20 ans de 2 millions d'emplois de commerçants. Phénomène dû essentiellement à la création et au développement des « grandes surfaces » (super, puis hypermarchés). Le premier hypermarché a été ouvert en 1963 dans la région parisienne, on en compte aujourd'hui plus de 500.

Répartition de la population active selon la catégorie socioprofessionnelle (en %)		
Catégorie socioprofessionnelle	1989	1968 (rappel)
Agriculteurs exploitants	5,3	11,5
Artisans, commerçants, chefs d'entreprise	7,3	10,7
Cadres, professions intellectuelles supérieures[1]	9,6	5,1
Professions intermédiaires[2] .	19,1	10,4
Employés (y compris personnels de services)	28,1	21,2
Ouvriers (y compris agricoles)	29,6	36,6

(1) Cadres de la fonction publique, professeurs, professions scientifiques, professions de l'information, des arts et spectacles, cadres administratifs et commerciaux, ingénieurs et cadres techniques d'entreprise, professions libérales.
(2) Anciens techniciens et cadres moyens, contremaîtres, agents de maîtrise, clergé...

▪ La durée du travail

Depuis 1982, la durée hebdomadaire légale de travail est de 39 heures[6]. En 15 ans, elle a diminué de 6 heures, avec des réductions particulièrement importantes dans certains secteurs, comme le bâtiment (près de 50 heures en 1968) ou l'industrie agro-alimentaire (46 heures). Il subsiste cependant des écarts importants selon les professions : 58,8 heures pour les agriculteurs, 49,7 pour les professions libérales, 40 pour les employés...
Au sein des pays industrialisés, les Français travaillent moins que les Britanniques (41,7 h), les Allemands (40,8 h) et les Japonais (41 h) mais plus que les Italiens (37,5 h) et les Belges (34,5 h). La France figure, par contre, dans le

peloton de queue en ce qui concerne la durée annuelle de travail (1 750 heures), loin derrière le Japon (2 150), la Suisse (1 910) et les États-Unis (1 910), mais en détenant, il est vrai, le record de durée des congés payés.

Le travail à temps partiel[7], qui se développe régulièrement, intéresse aujourd'hui 2,3 millions de personnes (dont 83% de femmes) soit environ 9,5% de la population active. La France est cependant encore loin des taux scandinaves (20%) ou américains (16%).

Le travail intérimaire, en revanche, est essentiellement un travail d'hommes (70%). Après avoir connu, dans les années 60, une période de forte expansion, les entreprises de travail intérimaire ont subi très durement le contre-coup de la crise. Après la mise en place, en 1972, d'un dispositif légal de protection des salariés intérimaires (conditions et durée d'emploi, indemnités d'emploi précaire), la montée du chômage a incité les pouvoirs publics à prendre de nouvelles mesures. Afin de limiter le recours au travail temporaire, une ordonnance de 1982 a instauré un statut du travailleur temporaire proche de celui des autres salariés. Les conséquences ont été immédiates et brutales : en un an, on a observé une diminution de 30% des effectifs et la disparition de 600 organismes spécialisés.

Malheureusement, cette chute des emplois intérimaires n'a pas entraîné la création d'un nombre équivalent d'emplois permanents.

Les horaires de travail

Les 39 heures hebdomadaires de travail se traduisent pour 14 millions de Français par environ huit heures d'activité quotidienne pendant 5 jours. La journée débute généralement entre 8 h et 9 h et se termine entre 17 h et 18 h. Les 9 autres millions d'actifs ont des horaires plus diversifiés ou plus souples, qu'ils soient « libres » (déterminés par l'employé en accord avec l'employeur) ou « à la carte » (heures d'arrivée et de départ variables en dehors d'une période fixe commune).

Près de 9% commencent leur journée avant 7 heures du matin, essentiellement des ouvriers, employés et personnels de service ; 7,8% la terminent entre 20 h et minuit. Des personnels de service et des ouvriers travaillent encore souvent la nuit, notamment en équipes.

Fin décembre 1986, le Gouvernement a fait adopter par le Parlement un texte sur l'aménagement du temps de travail. L'objectif de ce texte était de donner plus de flexibilité aux

horaires de travail. Il autorise le travail des femmes la nuit (entre 22 h et 5 h) dans les secteurs « où les conditions économiques et sociales l'exigent », sous réserve d'accord entre les partenaires sociaux. Cette réforme devait permettre aux chefs d'entreprise d'augmenter les horaires jusqu'à 44 heures par semaine, à condition que la durée annuelle moyenne du travail ne dépasse pas 39 heures. Dans ce cadre, il suffit d'un accord d'entreprise, et non plus de branche (c'est-à-dire un secteur d'activités) pour « aménager » les horaires de travail. Si un accord de branche est conclu, il est possible d'aller au-delà des 44 heures hebdomadaires.

▧ **D**emain, quel travail ?

Avec la crise et son corollaire le chômage, le travail (un temps relégué au second plan, le « boulot » des années 70 coincé entre « métro » et « dodo »)[9] est redevenu la préoccupation majeure des Français. Chez les jeunes notamment qui, lors des manifestations de novembre-décembre 1990, ont exprimé à l'évidence, outre leur mécontentement à l'égard des conditions d'enseignement, leur inquiétude quant à leur avenir professionnel.

S'y ajoute une autre interrogation : le travail qu'ils réussiront à trouver sera-t-il intéressant, voire épanouissant ? Ce qu'ils veulent, c'est un métier dans lequel ils se sentent bien, auquel ils prennent plaisir, avec des responsabilités mais aussi du temps libre.

Ce travail, ces métiers, les trouveront-ils dans une société qui s'informatise chaque jour davantage ?

À l'heure où la micro-informatique entre non seulement dans les bureaux, mais aussi dans des millions de foyers[10], une chose est certaine : pour que les Français puissent concilier leurs aspirations à un nouveau type de travail (plus agréable, laissant davantage de loisirs, intellectuellement plus enrichissant...) et les impératifs économiques du pays, il faut trouver des solutions originales. Jusqu'à présent, les expériences mises en œuvre (réduction du temps de travail, développement du travail à temps partiel, flexibilité de l'emploi...) n'ont pas donné de résultats vraiment satisfaisants. D'autres formules restent à trouver. Certaines, comme le « télétravail » (un salarié travaille chez lui et communique avec son entreprise par l'intermédiaire d'un ordinateur) sont actuellement expérimentées.

Gadget ou panacée ? L'avenir le dira, mais il faut choisir et agir vite, car, à la différence des précédentes mutations qui se sont étalées sur plusieurs décennies, celle que nous vivons aujourd'hui se fera en quelques années. Le troisième millénaire commence demain.

(1) Les chômeurs et les jeunes à la recherche d'un premier emploi sont inclus dans la population active.
(2) Le monde paysan en question, p. 00.
(3) Cf. « Du côté des fonctionnaires », p. 00.
(4) Cf. « Industrie : sortir de la crise », p. 00.
(5) Cf. « Le choc du chômage », p. 00.
(6) Durée moyenne en 1989 : 39,2 heures.
(7) Un travail inférieur à 30 heures par semaine est considéré comme travail à temps partiel.
(8) Réduction du temps de travail, avantages financiers, repos compensateur ou temps de formation indemnisé.
(9) Allusion au slogan post « soixante-huitard » contestant, par la dérision, une existence quotidienne rythmée par les trois temps « métro-boulot-dodo ».
(10) 5 millions de Minitel (serveurs télématiques) sont installés en France.

Au travail, en souplesse

L'année 1992 ? Autant dire demain matin. Trop proche pour le statu quo. Trop loin pour le raz de marée. Bureaucratique, productique... Chatouillée par toutes ces « tiques » et toutes ces « puces », notre galaxie travail – à Paris-sur-tertiaire comme ailleurs – suit son étoile : elle bouge, glisse, mais n'explose pas. Quoi ? Quand ? Jusqu'où ? Jeu fascinant. Jouons...

Cap sur l'abstrait ; en route pour l'uniformité. Quoi de commun entre le banquier, le chimiste et l'ouvrier textile ? Hier, rien. Demain, tous trois manieront des données. Clavier-écran et carte magnétique masquent la matière, laissée à la machine.

N'en déplaise aux futuristes forcenés, bureaux et ateliers n'abriteront pas dans six ans des myriades d'innovations, insoupçonnées à ce jour. Sur quatre objets promis au décor du ménage de l'an 2000, dit-on, trois restent à inventer. Soit. Mais les outils du futur existent déjà. Tout juste gagneront-ils d'ici 1992 en capacité ou en cohérence. (...) Ainsi, mon terminal me permettra tout à la fois de dialoguer par la voix et l'image ou d'accéder à une banque de données. Parions donc sur l'essor du stockage informatisé de documents, du visiophone ou des réunions par téléphone. Le « SOS Devoirs » cher au cancre, l'aide au diagnostic à distance, la commande d'une tarte aux pommes par minitel, autant de signes avant-coureurs...

(...) Quarante heures hier, trente-neuf aujourd'hui. Combien en 1992 : trente-cinq, trente, moins encore ? Ne rêvons pas. Les fantasmes de la « société ludique » ont vécu. Quand le chômage frappe, on pense boulot avant de songer temps libre. Or, tous les scénarios recensés par le Commissariat général du plan, prédisent un accroissement du nombre des sans-emploi. Soyons francs : la réduction de l'horaire légal bute sur la crainte d'une perte de pouvoir d'achat.

En revanche – toutes les enquêtes le démontrent –, l'aménagement du temps de travail recueille un réel écho, avant tout chez les femmes et les jeunes. L'intérim, certes plus souvent subi que choisi au demeurant la gestion souple d'un total annuel, avec vacances fractionnées, de même que l'horaire hebdomadaire concentré sur trois jours, fût-ce en week-end, voire le poste de travail partagé... Il existe, comme l'écrit si joliment Michel Drancourt dans La Fin du travail, 36 façons de faire 39 heures. Ou un peu moins.

« Dans six ans, avoue Philippe, directeur adjoint d'une agence bancaire, je me vois sans peine bosser le samedi et le dimanche ou sur trois jours, à raison de douze heures quotidiennes. » Vive la souplesse. « On raisonnera de plus en plus en termes de dossier à traiter à telle date, renchérit Annie Perrochon, directeur général de Bureautique SA. Peu importe qu'il le soit à 16 h, 3 h du matin, au bureau ou à la maison. »

Le travail à domicile ? Beaucoup lui promettent une destinée marginale. Car si l'informatique s'y prête, les réticences abondent. Côté salarié, la peur d'un « dessèchement » de la vie sociale. Côté employeur, celle d'un déclin de l'esprit boutique, sinon d'une perte de contrôle au détriment de la hiérarchie.

(...) « Nous vivons la fin du « tais-toi et visse », résume Gilbert Raveleau, délégué général de l'Association française des cercles de qualité (AFCERQ). Hier, on troquait une force de travail contre un salaire. Désormais, on échangera en plus de la créativité contre de l'intéressement. »

Aussi passionnante soit-elle, l'émergence de cette « nouvelle culture d'entreprise » ne suffit pas à écarter le danger de la société duale, tant redouté. Ici, les salariés « dans le coup », maîtres de leur temps et friands de loisirs. Là, une minorité de laissés-pour-compte. Comment trouver du boulot ? s'interrogent ceux-ci. Que faire de mon non-travail ? soupirent ceux-là en écho.

VINCENT HUGEUX
La Croix.

Le fléau du chômage

Qu'il touche les jeunes ou les plus de 25 ans, le chômage constitue une véritable maladie sociale.
Pour le combattre, diverses mesures ont été prises depuis une quinzaine d'années.
Longtemps inefficaces, elles ont fini par porter leurs fruits à partir de 1987. Malheureusement, en 1990 et surtout en 1991, la situation de l'emploi se dégrade à nouveau.

À l'issue de l'année 1990, le bilan en matière d'emploi s'est avéré négatif. Fin décembre, le ministère du Travail recensait 2 530 000 chômeurs inscrits à l'ANPE[1], soit 1% de plus que fin 1989, ce qui représente environ 9% de la population active.

De la fin de la guerre à 1967, le chômage est resté inférieur à 2%. À partir de 1972, année du premier choc pétrolier, il va augmenter régulièrement, passant de 2,7% en 1972 à 4,1% en 1975, 5,2% en 1978, 7,3% en 1981, 9,7% en 1984, 10,5% en 1985 et 10,7% en 1986, taux le plus élevé jamais atteint.

À partir de 1987, il commence une légère décrue (−0,3%) qui s'accentue en 1988 (−1,1%) et 1989 (−2,3%) avant le coup d'arrêt et la remontée de 1990.

■ Demandeurs d'emploi et chômeurs

Si le langage courant ne fait pas toujours la distinction, la terminologie officielle distingue généralement les « demandeurs d'emploi » et les « chômeurs ».

Les premiers sont des jeunes (de 16 à 25 ans) à la recherche d'un premier emploi. Les seconds ont perdu leur emploi, à la suite d'un licenciement, d'un départ volontaire, de la fin d'un contrat ou encore de la cessation d'activité de l'entreprise qui les employait.

Actuellement, les jeunes demandeurs d'emploi représentent environ 20% de l'ensemble des chômeurs. Aussi élevé soit-il (deux fois supérieur à la moyenne nationale), ce chiffre est cependant en nette amélioration par rapport à ceux d'il y a quelques années (35% vers 1985). Cette amélioration est due en particulier à la reprise du marché du travail et donc aux créations d'emploi (environ 700 000 ces trois dernières années) dont les jeunes ont été les principaux bénéficiaires. Mais il faut aussi prendre en compte les différentes mesures de « traitement social » du chômage qui ont été prises par tous les gouvernements depuis quinze ans. Un important effort de formation professionnelle et d'insertion a ainsi été réalisé, notamment ces dernières années. Après les contrats d'apprentissage, de qualification, de formation à la vie professionnelle et les travaux d'utilité collective (TUC), de nouveaux dispositifs ont été mis en place. On peut citer le crédit-formation individualisé, proposé à 125 000 jeunes et représentant une somme de 5 milliards ; les contrats emploi-solidarité (CES) qui remplacent les TUC et sont offerts à 220 000 jeunes pour un montant de 2,1 milliards ; les stages d'initiation à la vie professionnelle (SIVP) qui disposent de 41 000 places et d'une enveloppe de 429 milliards de francs ; enfin, la rénovation de l'apprentissage est poursuivie et 495 milliards lui sont consacrés. La formule, considérée par les pouvoirs publics comme la plus « sociale » et aussi la plus largement « ouverte » est celle des CES. Il s'agit d'un contrat de travail à durée déterminée et à mi-temps, rémunéré 2 100 F nets mensuels. Son objectif est de permettre l'entrée des jeunes dans la vie active, mais aussi la réinsertion des anciens chômeurs dans des emplois utiles à la collectivité (associations, collectivités territoriales, sociétés mutualistes, etc.). Fin 1990, le ministère du Travail dénombrait 270 000 CES et en espère 400 000 fin 1991. Il justifie ainsi cette formule qui fait incontestablement baisser les chiffres du chômage, sans pour autant assurer à ses bénéficiaires un emploi stable (puisqu'il s'agit d'un contrat à *durée déterminée*) : « Les aléas de la conjoncture économique, les incertitudes qui pèsent sur l'évolution de l'emploi, exigent de continuer à donner le maximum d'efficacité à cette mesure instituée par le plan emploi 1990 et renforcée par celui de 1991 ».

Si ces différentes dispositions ont des effets bénéfiques sur le chômage des jeunes, il n'en est pas de même pour les hommes et les femmes de plus de vingt-cinq ans.

Le chômage des premiers a augmenté de 3,2% en un an et celui des femmes de 5,6%. Celles-ci ont un taux nettement supérieur : 12,6% pour l'ensemble des femmes contre 7,3% pour les hommes. Au sein des catégories socioprofessionnelles, les plus touchés sont les employés, qualifiés ou non, les agents de maîtrise et techniciens et les cadres (+10,9%).

Quant au pourcentage de chômeurs de longue durée (plus d'un an d'inscription à l'ANPE), il a légèrement diminué, passant de 30,8% en 1989 à 30,2% en 1990, pour une ancienneté moyenne de 356 jours.

▪ Quelles perspectives ?

Piège pour les uns, cancer pour les autres, avec ses conséquences psychologiques et sociales souvent dramatiques[2], le chômage demeure à l'évidence le problème majeur de la société française actuelle. Celui en tout cas qui angoisse le plus les Français, et que tous les gouvernements de ces dernières années ont inscrit en tête de leurs préoccupations. Malheureusement, la

volonté de trouver un remède à ce fléau ne suffit pas, et les prévisions des experts, notamment ceux de l'INSEE, ne sont guère optimistes. Certains n'hésitent pas à pronostiquer 100 000 chômeurs de plus pour l'année à venir. Encore ces prévisions ne tiennent-elles pas toutes compte des incertitudes liées aux conséquences de la guerre du Golfe.

Taux de chômage par catégories socioprofessionnelles en 1989 (%)	
– Agriculteurs exploitants	0,5
– Artisans, commerçants, chefs d'entreprise	2,6
– Cadres et professions intellectuelles supérieures	2,3
– Professions intermédiaires	3,6
– Employés (dont 18,4 pour les employés de commerce)	10,7
– Ouvriers (dont 16,4 pour les ouvriers non qualifiés	12,2

Source : INSEE.

(1) Agence nationale pour l'emploi : organisme où doivent s'inscrire les chômeurs pour être indemnisés, s'ils remplissent les conditions requises, et se voir éventuellement proposer des emplois.
(2) Au cours de l'hiver 84, qui fut particulièrement rigoureux, un nombre important de personnes se sont retrouvées dans une situation très difficile (logement, nourriture, etc.). La prise de conscience de ce phénomène a incité les médias à parler de « nouvelle pauvreté » et les pouvoirs publics à prendre des mesures (indemnités de solidarité pour les plus démunis).

Le RMI
(revenu minimum d'insertion)

Voté par le Parlement fin 1989 afin « qu'un moyen de vivre, ou plutôt de survivre, soit garanti à ceux qui n'ont rien » (François Mitterrand), le RMI est destiné à des hommes et des femmes disposant de ressources inférieures à 2 000 francs mensuels.

Pour pouvoir bénéficier du RMI, ils doivent résider en France, être âgés de plus de 25 ans ou avoir un ou plusieurs enfants à charge.

Ils doivent s'engager à participer aux actions ou activités nécessaires à leur insertion sociale et professionnelle.

Le montant du RMI est actuellement fixé à 2 110 F pour une personne seule, un peu plus de 3 000 F pour un couple, plus de 600 F par enfant et 845 F à partir du troisième enfant.

Il est accordé pour trois mois sur décision du préfet, peut être renouvelé une première fois pour une durée allant de 3 mois à 1 an, au vu du projet d'insertion présenté. D'autres renouvellements de 3 mois à 1 an peuvent être prononcés par le préfet, après avis de la commission locale d'insertion.

Les versements mensuels sont effectués par les caisses d'allocations familiales qui vérifient les déclarations des bénéficiaires.

Les demandes doivent être effectuées auprès des mairies, des bureaux d'aide sociale ou des associations caritatives reconnues (Armée du Salut, Secours catholique...).

On estime qu'environ un million de personnes ont bénéficié du RMI depuis sa mise en œuvre début 1989.

Les bénéficiaires sont en grande majorité des personnes seules (74,9 %), parmi lesquelles 63,6 % n'ont pas d'enfant à charge. L'âge moyen est de 37,4 ans, dont 45,6 % de 25-34 ans. 80 % des allocataires sont des chômeurs non-indemnisés. 70 % n'ont pas de ressources ou ne perçoivent que des prestations familiales. Plus de 40 % des « RMistes » sont logés gratuitement, généralement chez leurs parents, 4 % sont des « sans domicile fixe » (SDF) et 1 % sont hébergés par des institutions.

Environ un tiers des bénéficiaires du RMI ont pu signer un contrat d'insertion (qu'il s'agisse de retour à l'emploi ou de stage). Le RMI est un élément important de la lutte contre la pauvreté ou l'exclusion. On estime, en effet, à quelque 350 000 ménages, rassemblant environ un million de personnes, le nombre de ceux qui serait « en situation de pauvreté ». Les chiffres paraissent donc coïncider : un million de « pauvres », un million de RMistes. Il serait cependant hasardeux d'affirmer que le RMI « a épuisé la pauvreté, que tous les publics ont été touchés et, qu'il n'existe pas des poches oubliées, voire ignorées.

ALAIN LEBAUBE
in *Le Monde*, 11 septembre 1990.

Dix-neuf mois en marge

Moi qui aurais pu rester employée de bureau et atteindre tranquillement le statut correspondant à dix-neuf ans d'ancienneté, mais qui, portant d'autres rêves, ai pris le risque de vivre, de suivre des études et d'exercer des fonctions sociales, par alternance...

Moi qui, à trente-six ans, propose sur le marché les richesses de douze ans d'expérience professionnelle (statut d'employée puis de cadre, deux employeurs) et de six ans d'études supérieures (trois diplômes)...

Moi encore, qui, après quatorze mois de chômage, ai commencé à avoir quelques difficultés pour présenter tous les symptômes d'un optimisme, d'un dynamisme et d'une motivation sans faille, pour le énième éventuel emploi, devant le énième recruteur...

Moi, suis-je responsable de mon chômage ? Après dix-huit ans de vie de salariée et assimilée, suis-je responsable de ma marginalisation ?

Après l'expédition de quatre cent treize lettres, après avoir satisfait à toutes les démarches repérées de documentation et de réflexion, à toutes les opérations proposées de recrutement — tests et examens sur table compris —, à tous les rendez-vous, suis-je responsable de mon chômage, de mon maintien au chômage ?

Sinon moi, qui ?

(...) Chacun des signataires des cent quatre-vingt-treize lettres reçues ? Chacun des deux cents qui n'ont pas répondu à mon courrier ?

Cette directrice d'école de travail social qui proposait un poste m'intéressant bougrement — et elle le savait — mais qui, hier soir, a décidé d'embaucher un candidat ayant « le même profil

exactement » que moi, parce qu'un homme lui a semblé, à elle, femme, être capable de faire preuve de plus d'autorité ?

Chacun de ces conseillers et de ces donneurs de leçons qui, affirmant que je pourrais peut-être m'y prendre autrement, a été incapable de me dire comment ?

(...) Sinon eux, qui ?

(...) Les logiques économiques ? Les structures sociales ? Les lourdeurs administratives, qui demandent trois mois pour conclure à l'inadéquation de mon CV[1] au profil recherché ? Les mentalités ?

Sinon ?

(...) D'où il résulte que, de toute façon, la répartition des richesses, le partage du travail et de l'argent, sont affaire d'hommes et de femmes.

À ce tarif-là, actuellement, je reçois 41,40 F par jour. Toute solidarité officielle mise en jeu. Je suis célibataire et — encore — locataire.

Qui est responsable de mon chômage ? Qui entendant la question, se sentira concerné ? Qui aidera à bousculer cette tristesse ? Moi ? D'autres ? Un jeu de circonstances favorables ? La providence ? Mais d'ici là ?

(...) Qui est responsable de ma marginalisation ?

Qui est responsable de mes dix-neuf mois de chômage ?

Extraits d'une lettre adressée
au journal *Le Monde*
publiée le 13 février 1985.
ANNIE RATOUIS
(Cergy)

---

(1) Curriculum vitae : ensemble des indications relatives à l'état civil, aux capacités, aux diplômes et aux activités passées d'une personne (dictionnaire *Petit Robert*).

Le déclin du syndicalisme

Affaiblis, divisés, incertains de leur identité, les syndicats sont à un tournant difficile de leur existence. S'ils venaient à le manquer, c'est leur survie qui serait en cause.

Après les dernières élections professionnelles auxquelles ont participé 45% des salariés, le déclin du syndicalisme, amorcé il y a plusieurs années, ne cesse de s'accentuer. Au cours de la décennie passée, les effectifs des syndicats français ont diminué de moitié, soit environ un million de personnes en moins. Le taux de syndicalisation en France, comparé à celui des autres pays occidentaux, a toujours été faible, mais l'écart s'est encore accru récemment. Ce taux est estimé actuellement à environ 10% de la population active, c'est-à-dire un peu plus de 2 millions de personnes. En 1988, les chiffres comparés étaient les suivants :

Europe des Douze	%
Espagne	17
Pays-Bas	30
Grèce	35
RFA	35
Grande-Bretagne	36
Italie	38
Luxembourg	49
Irlande	59
Portugal	60
Belgique	65
Danemark	80
Suède	85
États-Unis	17
Japon	26

Un syndicalisme affaibli

Ces données font apparaître que le syndicalisme en France est au niveau le plus bas parmi les pays industrialisés. Pourtant, au lendemain de la Seconde Guerre mondiale, les syndicats français comptaient 7 millions d'adhérents, soit 35% des actifs. À la fin des années soixante, ce pourcentage se situait entre 20 et 25% et, à la fin des années soixante-dix, il n'était déjà plus que de 15%.

Ces chiffres sont des chiffres «réels», c'est-à-dire résultant d'estimations fournies par les pouvoirs publics, les instituts d'opinions, les spécialistes des questions syndicales. Ils diffèrent sensiblement des chiffres «officiels» déclarés par les syndicats eux-mêmes et à l'évidence surévalués.

Ces derniers temps, cependant, la plupart des syndicats ont fini par reconnaître – après l'avoir longtemps niée – la chute de leurs effectifs. À ce phénomène, il faut ajouter l'érosion de leur audience. Elle se manifeste, en premier lieu, par la diminution du taux de participation aux élections professionnelles : en dix ans, il est passé de 71% à 45%. Tous les syndicats ont été touchés par ce taux record d'abstentions (55%) qui a amené certains observateurs à dire que le premier syndicat de France était désormais celui des abstentionnistes, fort de 6 millions de personnes.

Parallèlement, lors de récentes élections aux comités d'entreprise, on a constaté que les représentants des personnels non-syndiqués obtenaient désormais des pourcentages égaux et parfois même supérieurs à ceux des délégués des principaux syndicats représentatifs : CGT, CFDT, FO... Les non-syndiqués représentent actuellement environ le quart des personnels, ils étaient à peine 10% il y a une dizaine d'années (cf. tableau ci-dessous).

Les syndicats et leur audience		
	1988	**1979** *(rappel)*
CGT	26,7%	38,6%
CFDT	20,7%	20,4%
FO	13,7%	10 %
Non-syndiqués	23,5%	9,7%

De ce tableau il ressort que la CGT, qui était de loin le premier syndicat français, connaît la baisse la plus spectaculaire. Il est vrai que la CGT qui est dirigée par des syndicalistes qui sont également des responsables du Parti communiste, subit un déclin parallèle à celui du PC.

La CGT vient même de perdre la majorité chez Renault qui était pour elle, de longue date, un véritable bastion. Les autres syndicats sont stables, en légère hausse ou légère baisse, mais tous ont perdu en moyenne 50% de leurs adhérents. À cet affaiblissement quantitatif, il faut ajouter la dégradation de l'image des syndicats dans l'opinion publique. Diverses enquêtes ont montré, ces dernières années, que les Français ne font plus confiance aux syndicats pour défendre leurs intérêts ou traduire leurs aspirations, qu'ils dénoncent leur politisation ou ne les considèrent plus comme indispensables (en 1983, ils étaient encore 55% à les juger indispensables, en 1989, ils n'étaient plus que 48%).

Les raisons de la crise

Le syndicalisme français est indiscutablement en crise, une «crise d'identité et de légitimation»[1]. Celle-ci s'explique sans doute par divers facteurs, parmi lesquels on peut retenir :

– leur incapacité à proposer des solutions constructives pour remédier à la crise économique et pour faire face aux changements et restructurations en cours depuis quelques années ;

– l'évolution des comportements des salariés aux « aspirations axées plus sur l'individu (considération, respect, responsabilité, autonomie, carrière, place dans l'organisation...) que sur les grandes protections collectives (tout en restant vigilants sur le maintien de celles-ci) »[2] ;

– la mise en œuvre, par les entreprises de politiques sociales plus dynamiques (délégation des responsabilités, autonomisation, intéressement et participation...) ;

– enfin, le maintien d'un nombre très important de chômeurs pour qui les syndicats n'ont jamais pu – ou voulu – proposer de services spécifiques.

▨ S'adapter ou disparaître

Á l'évidence le syndicalisme français est à la croisée des chemins.
Il lui faut d'abord enrayer le processus de déclin dans lequel il est engagé depuis plusieurs années. La crise, les mutations technologiques (6,5 millions de postes de travail sont désormais informatisés), les restructurations industrielles, les politiques sociales libérales mises en œuvre depuis 1984 l'ont sérieusement affaibli. Il lui faut désormais s'adapter à un monde du travail dans lequel les « cols blancs » remplacent les « cols bleus ». Il lui faut, si possible, conforter ses positions dans le secteur public et progresser dans le secteur privé, notamment dans les PME (petites et moyennes entreprises) où il est parfois totalement absent. Il lui faut enfin accroître son audience auprès des employés et surtout des cadres. Confrontés aux transformations économiques et sociales de la société actuelle, les syndicats ont impérativement à s'interroger sur eux-mêmes, sur leur identité, sur leur pratique. De plus en plus perçus comme « conservateurs » ou défenseurs d'intérêts purement corporatifs, accusés de politisation excessive, divisés entre eux, incapables de se faire entendre des pouvoirs publics, souvent débordés par le « spontanéisme social » (Michel Noblecourt) apparu ces dernières années (rassemblement de syndiqués ou non-syndiqués dans des « coordinations » d'infirmières, de cheminots... ou de lycéens), les syndicats doivent choisir. Ou ils s'adaptent aux mutations du monde du travail (qualification accrue de la main-d'œuvre, automatisation, flexibilité...) et peuvent repartir sur de nouvelles bases en imaginant un nouveau type de syndicalisme pour le XXIᵉ siècle. Ou ils refusent la « modernité », se crispent et se replient sur leur acquis, et c'est alors non seulement leur déclin qui s'affirme, mais leur existence même qui est en question.

(1) NCS n° 343, 25 juin 1990.
(2) NCS, op. cit.

La protection sociale en danger?

La Sécurité sociale est de nouveau en crise. Entre la menace de la faillite et celle de la concurrence privée, n'y a-t-il pas une autre voie pour la protection sociale des Français?

En 1990, la Sécurité sociale a connu un déficit d'environ 9 milliards de francs, déficit qui, selon les prévisions des experts, devrait atteindre 16 milliards en 1991. Rude choc! Après plusieurs années excédentaires, la Sécurité sociale replonge dans la crise. Crise due aux problèmes de financement résultant d'une progression des dépenses supérieures à celle des recettes.

Entre libéralisme tempéré et socialisme modéré

Avant les élections de mars 1986, les partis de droite et les économistes libéraux affirmaient que notre système de protection sociale était voué à la faillite, car il coûtait plus d'argent qu'il n'en rapportait. Ils préconisaient donc la rupture avec ce système et, par delà divers projets inspirés notamment du «modèle américain», ils insistaient sur la nécessité de mettre en œuvre un système libéral (de libre choix) à côté de la Sécurité sociale traditionnelle. Certains suggéraient même d'organiser la concurrence entre les caisses de Sécurité sociale, les mutuelles et les compagnies d'assurance, notamment privées. Objectifs : obtenir le désengagement financier de l'État et susciter la création d'un véritable «*consumérisme*[1] de la santé».

L'«État-providence» était dénoncé, le monopole public condamné et le système de protection sociale accusé de mauvaise gestion et d'irresponsabilité !

Face à cette offensive libérale, la gauche mettait en garde les Français contre l'instauration d'une Sécurité sociale «à deux vitesses» qui avantagerait les assurés aisés au détriment des plus modestes.

Bien qu'ils jugent excessif le poids des cotisations sociales (tout comme celui de la fiscalité), nos compatriotes dans leur majorité paraissent attachés à ce système de protection qu'ils considèrent comme faisant partie des principaux acquis sociaux. Interrogés lors de sondages préélectoraux, ils firent connaître ce sentiment. La droite entendit le message et, revenue au pouvoir, décida de faire preuve de modération.

Le libéralisme «sauvage» prôné par certains se révéla à l'usage un libéralisme bien tempéré. De même, la gauche, à partir de 1988, s'efforça d'assurer une gestion mesurée de la Sécurité sociale, tout en essayant de faire face à ses difficultés.

C'est ainsi qu'en 1990, après être parvenu à un accord avec les partenaires sociaux sur le financement de la retraite à soixante ans, et avoir lancé un programme d'économies sur l'assurance-maladie, le gouvernement a fait adopter par le Parlement son projet de contribution sociale généralisée (CSG).

La contribution sociale généralisée (CSG)

Depuis les années 1970 où la Sécurité sociale a été étendue à l'ensemble des Français, son financement reposait principalement sur les revenus du travail et était assuré par les cotisations sociales.

Après plus de dix ans de réflexions et de travaux consacrés à la modernisation de la protection sociale, les pouvoirs publics ont décidé qu'à la généralisation des prestations devait correspondre la généralisation de la contribution. En d'autres termes, tous les revenus doivent contribuer afin de permettre une meilleure répartition de la charge.

La CSG répond donc à la nécessité d'un financement plus large de la Sécurité sociale, mais aussi à l'objectif de justice sociale affirmée par le gouvernement. Celui-ci a fait ressortir, en effet, que les charges pour la Sécurité sociale étaient d'autant plus lourdes que les revenus étaient bas. Si l'on en croit la brochure présentant la CSG et publiée par le Service d'information et de diffusion (SID) du Premier ministre[2], les personnes à revenus modestes payaient, par le jeu du système fiscal, des cotisations proportionnellement plus importantes que les personnes à revenus élevés. Ainsi, un salarié au SMIC versait des cotisations sociales représentant 13,6% de son salaire brut, alors qu'un cadre gagnant 40 000 F par mois ne cotisait que pour environ 8,5%. Ce qui revient à dire que les prélèvements obligatoires (cotisations sociales + impôts) sont injustes : la progressivité de l'impôt sur le revenu ne compensant pas l'inégalité des cotisations.

À l'inverse des cotisations sociales, la CSG ne sera pas déductible de l'impôt sur le revenu, ce qui, selon le Gouvernement, doit en assurer la progressivité en fonction du revenu imposable. Elle doit ainsi se substituer aux cotisations dégressives et améliorer la situation de 83% des salariés.

La CSG et les revenus

La mise en œuvre de la CSG doit se traduire par un gain annuel de 500 F pour un salarié à revenu moyen. Ce gain sera décroissant avec le salaire, mais doit rester positif jusqu'à 18 000 F brut (en 1991). Selon les chiffres officiels, un couple de salariés au SMIC verra son salaire annuel augmenter de 1 088 F, tandis qu'un cadre marié, avec deux enfants, gagnant 35 000 F par mois, verra le sien diminuer de 1 698 F. La CSG joue donc un rôle de redistribution, le gain de pouvoir d'achat correspondant à 1% au niveau du SMIC. Pour le cadre gagnant 30 000 F par mois, le prélèvement supplémentaire représente 0,4% du revenu disponible.

Les mécanismes de la CSG

Outre les « revenus d'activité », ou professionnels (salaires, primes, intéressement aux bénéfices des entreprises, mais aussi revenus non salariaux), les « revenus du patrimoine », ou du capital, contribuent à la CSG. Le taux de prélèvement de ces revenus est de 1,1%, ce qui représente environ 3 milliards de francs. Cela correspond aux revenus et plus-values des valeurs mobilières, aux revenus fonciers et plus-values immobilières, aux profits de toute nature. En revanche, les revenus de l'épargne populaire sont exonérés.

Contribuent également à la CSG, les « revenus de remplacement » (retraites et allocations chômage) à condition que leurs bénéficiaires (8% des chômeurs et 55% des retraités), soient soumis à l'impôt sur le revenu : les titulaires de prestations sociales[3], telles que le minimum vieillesse, l'allocation pour adulte handicapé et le RMI sont exonérés.

La CSG sera perçue à la source, c'est-à-dire sur les bulletins de paye pour les revenus d'activité. Pour les revenus du patrimoine, elle sera prélevée par l'administration des impôts sur les revenus de 1990. Le montant de ces prélèvements sera directement et intégralement affecté à la Caisse nationale d'allocations familiales qui, depuis 1978, verse les différentes prestations familiales à l'ensemble de la population.

La CSG ne doit pas entraîner une augmentation des prélèvements obligatoires. En contrepartie de ses 1,1%, l'impôt supplémentaire de 0,4% sur les revenus, créé en 1987, est supprimé et la cotisation vieillesse diminuée de 1,1%, auxquels s'ajoutent une remise forfaitaire de 42 F par mois sur cotisation.

Avec la suppression de ces 0,4% et la baisse de la cotisation-vieillesse de 1,1%, « l'opération sera, dans un premier temps, globalement « blanche », comme le souligne Jean-Michel Normand dans *Le Monde* (13 novembre 1990). Mais qu'adviendra-t-il par la suite ? Compte tenu qu'elle sera certainement amenée à combler les déficits prévisibles de la Sécurité sociale (et notamment de l'assurance-vieillesse), l'opération ne devrait pas rester « blanche ». Ce qui revient à dire que son taux risque fort d'augmenter dans les prochaines années.

De nombreuses interrogations demeurent donc quant à l'avenir de la CSG. Mais, peut-être, en faisant admettre aux contribuables français le principe du prélèvement à la source, ne constitue-t-elle qu'« une sorte de banc d'essai en vue d'une réforme plus large de la fiscalité » ? (J.-M. Normand).

▇ **E**ntre l'implosion et l'éclatement

À l'évidence, nul ne possède le remède miracle au mal dont souffre notre système de protection sociale. Il est possible de réaliser certaines économies, peut-être même de dégager de nouvelles recettes, en réduisant les dépenses de fonctionnement, en améliorant la gestion des caisses, et en révisant les modalités d'attribution de certaines prestations. Mais au-delà de ces aménagements « techniques », le problème du déficit endémique de la Sécurité sociale reste posé, et avec lui la question de l'intervention de l'État dans la vie sociale du pays. Les défenseurs de l'État « interventionniste » font ressortir que, dans la période de crise que vient de connaître la France, les revenus de transfert distribués par la Sécurité sociale ont permis aux ménages de maintenir leur pouvoir d'achat. Ils soulignent, d'autre part, que les mécanismes de protection sociale garantissent une certaine jus-

tice sociale. Ils assurent, en effet, une redistribution « horizontale » (des biens portants aux malades, de ceux qui ont un emploi aux chômeurs, des actifs aux retraités, des célibataires et des couples sans enfants aux familles nombreuses), et aussi, dans une moindre mesure, une redistribution « verticale » (des hauts revenus vers les bas revenus). Les détracteurs de l'« État-providence » mettent en cause toute la logique du système de protection sociale qui, à leurs yeux, réunit tous les défauts des monopoles publics. Pour eux, on ne sauvera pas la Sécurité sociale en augmentant les cotisations et en réduisant les remboursements, mais en l'ouvrant aux bienfaits de la concurrence.

De fait, il apparaît que notre protection sociale combine à la fois les défauts d'un système complètement public (comme en Grande-Bretagne) et totalement privé (comme aux États-Unis). En d'autres termes, le système français ne connaît ni vraie régulation ni véritables freins. Peut-il, dans ces conditions, fonctionner encore de manière satisfaisante ou bien risque-t-il de se bloquer définitivement ?

(1) Protection des intérêts du consommateur par des associations (définition du dictionnaire *Petit Robert*).
(2) *Lettre de Matignon*, supplément au n° 311, 31 octobre 1990.
(3) Cf. « Les chiffres des prestations familiales et sociales ».

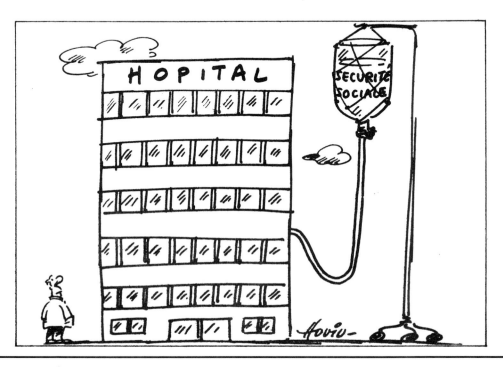

Organisation et fonctionnement de la protection sociale

• LA SÉCURITÉ SOCIALE

– Une mosaïque de régimes

La totalité de la population française bénéficie de la couverture sociale mais le système qui s'est progressivement mis en place est d'une extrême complexité : il n'est pas unifié et divers régimes spécifiques ont été maintenus.

On distingue ainsi :
– le régime général auquel sont affiliés les salariés de l'industrie et des services, les salariés agricoles, les fonctionnaires civils, les ouvriers de l'État ainsi que les étudiants ;
– les régimes spéciaux qui concernent les travailleurs des mines, de la RATP, de la SNCF, les marins, les agents d'EDF-GDF ;
– les régimes agricoles ;
– les régimes des travailleurs non salariés des professions non agricoles (artisans, commerçants, professions libérales).

– Le régime général

a) Les prestations

Pour percevoir les prestations sociales il faut être affilié à une caisse de Sécurité sociale. Cette affiliation est obligatoire et automatique pour tous les salariés et leur conjoint, les enfants ou personnes à charge, dès lors que l'employeur déclare, comme la loi l'y oblige, les travailleurs qu'il embauche. Les prestations sont dues en échange du versement d'une cotisation (principe de l'assurance) ; cependant en étendant les bénéfices de la protection sociale à des catégories qui n'ont pas de revenus (étudiants), le régime général verse aussi des prestations sans qu'il y ait eu paiement de cotisations (le principe de la solidarité se substitue alors à celui de l'assurance).

b) Les cotisations

Les cotisations sont prélevées sur les salaires, une partie est à la charge du salarié, une partie à la charge de l'employeur. Pour les risques « accidents du travail » et les allocations familiales, la totalité des cotisations est due par l'employeur. Les cotisations sont calculées en prenant pour base les salaires versés. Sauf dans le cas de la cotisation versée à la Caisse d'assurance maladie, les cotisations ne sont prélevées que sur la partie du salaire inférieure à un plafond (environ 8 000 F).

• LES AUTRES FORMES DE PROTECTION SOCIALE

– Les régimes complémentaires

D'abord institué (1947) pour les salariés cadres, le système de retraite complémentaire s'est généralisé à l'ensemble des salariés et a un caractère obligatoire depuis 1972. Pour bénéficier de ce complément de retraite, qui s'ajoute à l'assurance vieillesse versée par le régime général, il suffit d'être salarié et de bénéficier de cette assurance. L'affiliation à un régime de retraite complémentaire est obligatoire, mais le choix de la Caisse est laissé aux employeurs et salariés.

– Les mutuelles

Organismes fondés sur le principe de la libre adhésion, les mutuelles regroupent des personnes qui ont des affinités communes, professionnelles ou autres. Elles peuvent verser les prestations du régime général et assurent en partie le remboursement des frais non couverts par la Sécurité sociale (ticket modérateur[1]) ; elles gèrent par ailleurs des centres de soins, des œuvres sociales, des centres de loisirs. Elles comptent environ 26 millions d'adhérents.

– L'assurance chômage

Lors de sa création en 1958, l'assurance chômage n'a pas été rattachée au régime général. Une caisse spéciale a été créée au niveau national : l'Union nationale pour l'emploi dans l'industrie et le commerce (UNEDIC), ainsi que des associations pour l'emploi dans l'industrie et le commerce (ASSEDIC) au niveau local ou professionnel. Depuis 1979, ce sont les ASSEDIC qui prennent en charge l'intégralité des assurances chômage. Ces caisses sont gérées paritairement par des représentants du patronat et des salariés[2].

– L'aide sociale

À côté de ces mécanismes de protection sociale qui fonctionnent essentiellement sur le principe de l'assurance, il subsiste une aide sans contrepartie versée par les pouvoirs publics. Il s'agit d'une assistance portée aux plus démunis. Ce sont les bureaux d'aide sociale des mairies qui assurent la distribution de ces subsides.

• LES DIFFÉRENTS RISQUES COUVERTS ET LEUR FINANCEMENT

Les principaux risques couverts par la protection sociale sont, par ordre d'importance dans le total des prestations, la vieillesse, la santé, la famille/maternité, l'emploi et la formation professionnelle.

– Qui en bénéficie ?

Pour pouvoir bénéficier des prestations sociales, il faut être immatriculé (c'est-à-dire inscrit sur la liste des assurés sociaux avec un numéro d'immatriculation) et affilié à un régime d'assurance (c'est-à-dire rattaché à un centre de Sécurité sociale, généralement celui de sa résidence habituelle).
Le bénéfice des prestations est accordé à l'assuré social et à son conjoint, ses enfants à charge et éventuellement d'autres membres de la famille.

– Qui cotise ?

La plus grande partie du financement du régime général est assuré par des cotisations : celles-ci sont donc à la charge de l'employeur et du salarié. La part qui incombe aux salariés est prélevée par l'employeur sur le montant brut des rémunérations.
La part de l'employeur correspond à environ 35% et celle du salarié à 15%.

• LES PRESTATIONS REÇUES

☐ Prestations santé

Elles concernent les risques de maladie, invalidité/décès/veuvage, accident du travail, maladie professionnelle.

1) Maladie

Deux principaux types de prestations sont fournis :

– *Les prestations en nature* : elles consistent en un remboursement partiel ou intégral des services médicaux (consultations, visites, prescription de traitements paramédicaux, analyses, soins dentaires...), en la prise en charge des frais d'hospitalisation dans des établissements publics ou privés, conventionnés [2] ou non.
Les taux de remboursement varient entre 40% (pour les médicaments ordinaires ou « de confort ») et 100% (pour les médicaments spécialisés et très coûteux), avec une moyenne de 70% pour les médicaments courants. Les honoraires des médecins, dentistes, infirmiers sont remboursés à 75% et les frais d'hospitalisation et de chirurgie à 80% (ou 100% au-delà d'un mois et en cas d'opération grave), avec paiement d'un forfait journalier de 50 F.

– *Les prestations en espèces* : elles sont accordées pour compenser en partie la perte de salaire et ont ainsi un caractère de revenu de remplacement.
Ce système respecte les principes de la médecine libérale :
• l'assuré est libre de choisir son médecin, son pharmacien, son établissement de soins ;
• le praticien est libre de prescrire la thérapie de son choix, mais doit cependant s'efforcer à la plus stricte économie compatible avec l'efficacité du traitement ;
• le malade paie en général directement l'acte médical ou les médicaments prescrits, et se fait ensuite rembourser par la Sécurité sociale, sauf le montant du ticket modérateur. La prise en charge par la Sécurité sociale est parfois totale (maladie grave, personnes économiquement faibles).

2) *Invalidités, décès, veuvage*

En cas d'invalidité, une pension peut être versée à l'assuré en fonction du degré d'invalidité (qui doit être d'au moins 2/3 de sa capacité de travail).
En cas de décès, un capital décès peut être versé aux personnes qui étaient à charge de l'assuré.
Enfin, une allocation veuvage peut être versée au conjoint de l'assuré si celui-ci a cotisé à l'assurance veuvage (0,1% du salaire).

3) *Accidents du travail*

Les personnes victimes d'un accident du travail, d'un accident sur le trajet de leur travail ou d'une maladie professionnelle sont prises en charge par la Sécurité sociale au titre d'une assurance spécifique.
Aucune condition de durée d'activité ou d'immatriculation à la Sécurité sociale n'est exigée pour bénéficier de ces prestations.
La victime n'a pas à faire l'avance des frais de soins. L'indemnisation est faite à 100%. En cas d'hospitalisation, l'assuré n'a pas à acquitter le montant du forfait journalier.
Seuls les chefs d'entreprises paient la cotisation pour les accidents du travail. Elle varie suivant l'importance du risque dans chaque entreprise.

☐ Prestations famille

Les prestations familiales constituent un revenu de complément versé aux familles, en compensation des charges occasionnées par l'éducation des enfants. Toutes les familles à condition de résider en France y ont droit, quelle que soit leur activité professionnelle. On distingue parmi les prestations celles qui sont soumises à conditions de ressources et celles qui ne le sont pas.

1) Les prestations non soumises à conditions de ressources

Ce sont celles auxquelles toute famille peut prétendre quel que soit le montant de son revenu ; elles ont été instituées dans une optique de :

– politique familiale : aider les familles, assurer une solidarité entre ménages sans enfants et ménages avec enfants ;

– politique démographique : inciter les couples à procréer en leur assurant des revenus, afin d'augmenter la fécondité et éviter le vieillissement de la population ;

– politique de santé : assortir les prestations de contrôles obligatoires avant et après la naissance afin de dépister précocement les maladies et malformations. La baisse spectaculaire des taux de mortalité infantile au cours des vingt dernières années [4] peut être en partie attribuée à cet effort important de prévention.

a) Les allocations prénatales : la grossesse doit être déclarée dans les 15 premières semaines à un organisme de Sécurité sociale. La femme enceinte doit se soumettre à 4 examens médicaux au cours de la grossesse pour avoir droit au versement de l'allocation. Elle s'élève actuellement à environ 400 francs par mois.

b) L'assurance maternité : tous les frais médicaux, pharmaceutiques et hospitaliers nécessités par l'accouchement sont remboursés à 100%. Une indemnité journalière est versée pendant la durée de cessation d'activité. La période de congé est de 16 semaines (6 avant la date présumée de l'accouchement et 10 après) ; à partir du troisième enfant cette interruption est de 26 semaines.

c) L'allocation post-natale : toute femme résidant en France a droit à cette allocation, à condition de se soumettre elle-même et de soumettre l'enfant à 3 examens post-nataux. Son montant correspond à environ 700 francs par mois. Cette allocation est fortement majorée dans les cas de naissances multiples et à la naissance du troisième enfant ou d'un enfant de rang supérieur. Cette majoration est bien sûr destinée à encourager les couples à donner naissance à un troisième enfant.

d) Les allocations proprement dites : ces allocations sont versées à toutes les familles ayant au moins deux enfants à charge. Les prestations sont dues tant que l'enfant est soumis à l'obligation scolaire (16 ans). Cette limite peut être prolongée jusqu'à 20 ans lorsque l'enfant :

– est placé en apprentissage, en stage de préformation professionnelle,

– poursuit ses études,

– est dans l'incapacité totale d'exercer une activité professionnelle,

– est une jeune fille, et se consacre exclusivement aux travaux ménagers et à l'éducation d'enfants de moins de 14 ans.

Le montant des allocations familiales est d'environ 600 francs par mois pour deux enfants. On ajoute environ 800 francs par enfant supplémentaire.

Une majoration par enfant (à l'exclusion des aînés dans les familles de seulement 2 enfants) intervient à raison d'environ 170 francs pour les enfants de plus de 10 ans et d'environ 300 francs pour ceux de plus de 15 ans.

e) Autres allocations : peuvent également être versées des allocations spécifiques (allocation pour enfant orphelin, handicapé ou gravement malade).

2) Les allocations soumises à conditions de ressources

Ce sont les prestations versées seulement aux familles percevant de faibles revenus :

– *le complément familial* versé aux familles qui élèvent au moins trois enfants, ou un enfant de moins de 3 ans,

– *l'allocation parentale d'éducation*,

– *l'allocation de rentrée scolaire*,

– *les aides au logement*.

☐ Prestations vieillesse

Depuis le 1er avril 1983, tout assuré du régime général ayant 60 ans et 37,5 années de cotisation peut accéder à la retraite à taux plein. Néanmoins la retraite à 60 ans est un droit, non une obligation. Le salarié peut donc continuer à travailler jusqu'à 65 ans.

D'autre part, les problèmes actuels d'emploi ont amené les pouvoirs publics à mettre en place certaines dispositions visant à permettre une cessation anticipée d'activité ou pré-retraite.

Les prestations comprennent la retraite proprement dite et le minimum vieillesse.

La retraite à laquelle peuvent prétendre les salariés qui relèvent du régime général se compose de deux éléments :

– une retraite de base, servie par le régime général de la Sécurité sociale,

– une ou plusieurs retraites complémentaires.

Ils sont versés à l'assuré ou, partiellement, à son conjoint survivant.

1) La retraite de base

On peut donc en bénéficier à partir de 60 ans :

– à taux plein si on a cotisé 37,5 années,

– à taux réduit si l'on n'a pas cotisé pendant 37,5 années.

Le taux plein correspond à 50% du salaire moyen des 10 meilleures années.

2) Les retraites complémentaires

Elles sont déterminées par des « points de retraite » dont la valeur résulte d'une division entre le total des cotisations versées chaque année et le nombre total de points à verser.

Pour ceux qui ne disposent pas de retraite suffisante ou n'en ont aucune, il est prévu un « minimum vieillesse » attribué sans condition de versement de cotisation préalable mais sous condition de ressources.

Le minimum de ressources, pour une personne seule, doit correspondre à environ 60% du SMIC, soit 3 200 francs par mois.

☐ Assurance chômage

Le régime d'assurance chômage entré en vigueur au 1er avril 1984 fonctionne selon un double système d'indemnisation : d'une part un système d'assurance géré par les seuls partenaires sociaux et financé par les cotisations sur les salaires, d'autre part un système de solidarité pris en charge par l'État.

1) Les prestations

Elles sont fournies soit au titre de l'assurance chômage, soit au titre de la solidarité.

2) Le régime d'assurance chômage

Pour en bénéficier, il faut :
– avoir été licencié,
– avoir été affilié au régime de l'assurance chômage pendant un minimum de temps,
– être à la recherche d'un emploi, être apte à en exercer un, ne pas avoir atteint l'âge du départ à la retraite.

3) La durée d'indemnisation

Elle varie suivant :
– le type d'allocation : allocation de base[5] ou allocation de fin de droits[6],
– la durée d'affiliation au régime avant la rupture du contrat de travail,
– l'âge à la rupture du contrat de travail.

4) Le montant des indemnisations

Il se compose comme suit :
– l'allocation de base est constituée d'une partie proportionnelle au salaire d'activité et d'une partie fixe.

Cette allocation ne peut être inférieure à 95 francs par jour, ni supérieure à 75% du salaire de la période de référence qui porte généralement sur les 12 derniers mois. En cas de prolongation, l'allocation de base est réduite à 85 ou 95% de ce montant.

– l'allocation de fin de droits s'élève à 63 francs ou 88,15 francs par jour. Elle est majorée pour certains travailleurs âgés.

Lorsqu'un travailleur ne peut pas bénéficier de l'assurance chômage ou a épuisé les prolongations possibles de ses droits au titre de cette assurance, il peut être pris en charge, sous certaines conditions, par le régime de solidarité nationale.

5) Le régime de solidarité nationale

Deux principaux types d'allocations peuvent être versés au titre de la solidarité nationale :
– les allocations d'insertion : elles concernent essentiellement les jeunes et certaines femmes n'ayant pas encore travaillé. Elles varient entre 43,87 francs et 83,74 francs ;
– les allocations de solidarité : elles concernent essentiellement les chômeurs qui ne sont plus pris en charge par le régime d'assurance parce qu'ils ont épuisé les durées maximales d'indemnisation. Pour pouvoir en bénéficier, les chômeurs doivent remplir certaines conditions d'activités salariales antérieures et une condition de ressources maximales. Elles vont de 64,50 francs à 88,15 francs.

Quel que soit le régime (assurance chômage ou solidarité), la revalorisation des indemnités intervient deux fois par an.

---

(1) Part des dépenses qui reste à la charge de l'assuré malade.
(2) Cf. p. 79.
(3) C'est-à-dire ayant passé un accord avec la Sécurité sociale pour la détermination de leurs tarifs.
(4) De 23,5/1 000 à 8,5/1 000.
(5) Allocation de base : revenu de remplacement du salarié licencié privé d'emploi. Elle est payée pendant une période initiale et peut être renouvelée de 3 mois en 3 mois.
(6) Allocation de fin de droits : indemnité versée lorsque les possibilités de prolongation de l'allocation de base ne sont pas ou plus accordées. Ces indemnités sont accordées pendant une période initiale qui peut également donner lieu à prolongation.

Y a-t-il encore une « classe ouvrière » ?

Au cours des dix dernières années, un million d'emplois ouvriers ont été supprimés. Les plus touchés ont été les OS. Pourtant, de nouvelles catégories d'ouvriers sont apparues récemment. À l'évidence, la « classe ouvrière » change. Mais peut-on encore parler de « classe ouvrière » ?

Selon certains observateurs, la « classe ouvrière » a « éclaté » ou, comme le dit l'historienne Annie Kriegel, s'est « évaporée ». Explication : la crise générale de l'industrie et la disparition de secteurs industriels devenus obsolètes. Depuis 1975, l'industrie a perdu 1 250 000 emplois, dont un million d'emplois ouvriers, et, si l'on en croit les prévisions des experts, elle devrait en perdre encore un million au cours des dix prochaines années. Responsable de cette situation ? La révolution informatique qui remplace l'homme par la machine, l'ouvrier par le robot. Dans le même temps, « l'emploi tertiaire » (cadres, agents de maîtrise, contremaîtres, employés) ne cesse de s'accroître : 34% en 1946, 55% en 1980, 63% aujourd'hui.

De nouveaux ouvriers

Parmi les emplois ouvriers perdus, ceux d'OS[1] et de manœuvres sont les plus nombreux : 765 000 de moins entre 1975 et 1982. Ces travailleurs non qualifiés comptent dans leurs rangs un pourcentage de chômeurs supérieur à la moyenne nationale : 12,2% contre 9%. C'est également dans la catégorie des OS qu'ont été supprimés le plus d'emplois : 22% dans l'industrie automobile (contre 6% de l'ensemble des salariés), 34% (contre 26%) dans le textile, 29% (contre 5%) dans la construction électrique et 34% (contre 13%) dans le bâtiment et les travaux publics.

Le remplacement d'ouvriers non qualifiés, celui d'anciens ouvriers qualifiés (tourneurs, fraiseurs, etc.) par des techniciens en informatique modifie progressivement l'identité de la « classe ouvrière ». Ainsi, l'INSEE distingue-t-elle dans sa nouvelle nomenclature socioprofessionnelle les ouvriers qualifiés et non qualifiés, de type industriel et artisanal.

Les ouvriers de type industriel travaillent dans des entreprises de dimension importante où ils effectuent des tâches répétitives. Ils sont environ 3 millions.

Ceux de type artisanal sont environ 2 millions, dont 44% dans le secteur tertiaire (mécaniciens automobiles, réparateurs radio-télévision ou électro-ménager...) et 40% dans le bâtiment et les travaux publics. Les ouvriers de type artisanal travaillent généralement dans les grandes villes et – pour ceux d'entre eux qui sont qualifiés – possèdent un emploi stable. Chargés d'une tâche individuelle, ils ont une « conscience individualiste » là où leurs « camarades » du secteur industriel ont (ou avaient ?) une « conscience de classe ». Ils souhaitent avant tout réussir dans leur métier et, pour certains, s'établir à leur compte.

À ces millions d'ouvriers qui travaillent dans le secteur privé, il faut en ajouter 510 000 pour l'État ou les collectivités locales, 500 000 appartenant au secteur public et 529 000 chauffeurs routiers qui sont désormais inclus dans la catégorie des ouvriers.

Au total, un « groupe ouvrier » de plus en plus hétérogène et répondant de moins en moins à l'image traditionnelle du « prolétariat ». Aujourd'hui, environ un ménage ouvrier sur deux est propriétaire de son logement (contre un sur trois il y a trente ans), soit plus que les employés et presque autant que les cadres. « La tendance de l'évolution économique, note le sociologue Jacques Capdevielle, est à la diffusion croissante des petits patrimoines à travers des mesures d'aide à l'accession à la propriété. » En 1990, le patrimoine d'un foyer ouvrier était estimé à 270 000 francs, environ 120 000 francs de plus qu'en 1980.

▨ Les transformations de la « classe ouvrière »

En observant l'origine familiale des ouvriers, on constate que 58% d'entre eux sont enfants d'ouvriers, comme le sont aussi 25% des instituteurs, 26% des membres des professions médico-sociales, 27% de ceux des professions intermédiaires administratives de la fonction publique et 29% de celles des entreprises, 40% des techniciens et 30% des artisans. Parmi les chefs d'entreprise, on compte 14% de fils et 26% de filles d'ouvriers.
Le pourcentage d'ouvriers dans la population active est passé de 39,3% en 1968 à 29,5% aujourd'hui.
Les conséquences de ces phénomènes n'ont pas tardé à se faire sentir sur le plan politique. En 1978, 70% des ouvriers qualifiés apportaient leurs suffrages aux partis de gauche (dont 37% au PC) et 20% à ceux de droite. En 1988, lors de l'élection présidentielle, l'ensemble des ouvriers ne votait plus qu'à 60% pour la gauche (43% pour le PS et 17% pour le PC), 14% votaient pour la droite traditionnelle RPR-UDF et 16% pour l'extrême droite (Front national). C'est le Parti communiste qui a le plus souffert de cette désaffection des « voix ouvrières ». Pendant longtemps considéré comme le « parti des ouvriers », il ne peut revendiquer aujourd'hui qu'à peine un cinquième du « vote ouvrier », contre près de la moitié dans les années cinquante, époque durant laquelle il soutenait la thèse de la « paupérisation absolue de la classe ouvrière ».
Démographiquement, professionnellement, sociologiquement et politiquement, les ouvriers changent.
Ils sont de moins en moins nombreux, de plus en plus qualifiés, connaissent une certaine ascension sociale et votent de manière pluraliste. Devant cette profonde transformation de ce qu'il est convenu d'appeler la « classe ouvrière », une question se pose : les ouvriers ont-ils encore le sentiment d'appartenir à une « classe », avec ses traditions, ses rites, sa « conscience » ? Ce qui, en dernière instance, revient à se demander si, dans la France d'aujourd'hui, il existe encore une « classe ouvrière ».

(1) Ouvriers spécialisés, non qualifiés.

Du côté des fonctionnaires

Des « ronds de cuir » de Courteline aux énarques de la Vᵉ République, les fonctionnaires sont souvent mal aimés des Français. Boucs émissaires ou privilégiés, ils font en tout cas des envieux en période de chômage. Alors, des fonctionnaires, pour quoi faire ?

Selon le dictionnaire (*Petit Robert*), un fonctionnaire est une « personne qui remplit une fonction publique » ou « occupe, en qualité de titulaire, un emploi permanent dans les cadres d'une administration publique ». Dans son acception familière et péjorative, le fonctionnaire est défini comme « bureaucrate, rond-de-cuir ou budgétivore »... Suit cette définition de Balzac : « Où finit l'employé commence le fonctionnaire, où finit le fonctionnaire commence l'homme d'État ». Enfin quelques exemples d'emploi du mot sont donnés : « Révoquer, casser un fonctionnaire (...) grève de fonctionnaires (...) crimes et délits de fonctionnaires (exemple : forfaiture, concussion, détournement, exaction, prévarication, soustraction) (...) corruption de fonctionnaires ».
À l'évidence, le fonctionnaire n'a pas bonne presse, au moins chez les rédacteurs du *Petit Robert* ! Ils auraient d'ailleurs pu citer Jules Romains qui, dans son roman *Les Copains*, en donne ce peu flatteur portrait : « un peu d'embonpoint, un certain avachissement de la chair et de l'esprit, je ne sais quelle descente de la cervelle dans les fesses »...

Des mal aimés ?

Selon un sondage IFOP-*Le Nouvel Observateur* (10 au 16 octobre 1986), les trois qualificatifs qui, d'après les Français, s'appliquent le mieux aux fonctionnaires sont dans l'ordre : la lenteur, le manque de souplesse et, à égalité, le refus des responsabilités et l'indifférence. De Courteline, qui les dépeint avec verve et tru-

culence dans *Messieurs les Ronds-de-Cuir*, aux idéologues purs et durs du libéralisme qui voudraient sinon les supprimer, du moins en diminuer sensiblement le nombre[1], les fonctionnaires semblent faire l'unanimité contre eux. Sont-ils réellement ces « pelés », ces « galeux » d'où vient tout le mal ? Méritent-ils cet « excès d'indignité » ?

Des privilégiés ?

De fait, maints reproches qui leur sont adressés peuvent paraître justifiés. Leur manque de rapidité dans le travail, leur absence de courtoisie, voire leur incompétence, leur sont souvent reprochés. Mais aucune statistique ne

Chef de Bureau

permet d'affirmer que ces défauts sont plus répandus chez les fonctionnaires que parmi les autres catégories socioprofessionnelles. C'est seulement après la Seconde Guerre mondiale que les fonctionnaires ont acquis, avec le statut élaboré en 1946 par Maurice Thorez, ministre communiste du gouvernement du général de Gaulle, les garanties désormais offertes aux agents de l'État. Ce statut de la fonction publique établit des règles uniformes pour le recrutement et l'avancement des fonctionnaires, il assure leur égalité de traitement, leur indépendance politique, garantit leur emploi, fixe une grille des salaires. Système si parfaitement agencé qu'il se rigidifie et secrète une multitude de statuts particuliers : près de 1 400 sont actuellement dénombrés... Des salaires « hors indice » permettent d'échapper à la grille, des primes (officiellement « rémunérations annexes ») complètent avantageusement les salaires, l'embauche de personnels non titulaires « gonflent » les effectifs...

Le statut unique pour tous les fonctionnaires n'est donc plus qu'un mythe, la réminiscence d'une époque révolue ; il est désormais multiple, comme le sont les catégories de fonctionnaires.

▨ Qui sont-ils ? Que gagnent-ils ?

Globalement, on compte aujourd'hui plus de cinq millions de Français travaillant dans le service public (ils étaient environ un demi-million au début du siècle). Ils se répartissent en trois grandes catégories : agents de l'État (plus de 50%)[2], agents des collectivités locales (environ 18%), salariés des entreprises publiques et de la Sécurité sociale (plus de 30%). Ce spectaculaire accroissement du nombre des salariés du service public s'explique par le développement du rôle de l'État, notamment dans le domaine économique.

Les fonctionnaires *stricto sensu* sont regroupés dans quatre catégories hiérarchiques : 27% dans la catégorie A (personnel de conception recruté au niveau licence), 34% dans la catégorie B (application, niveau baccalauréat), 33% dans la catégorie C (exécution spécialisée, niveau Brevet des collèges ou Certificat d'aptitude professionnelle), 6% dans la catégorie D (exécution, « sans diplôme »).

Ils appartiennent à l'un des 900 corps de la fonction publique (corps des professeurs, des agents des impôts...), eux-mêmes subdivisés en plusieurs grades. Tous les corps avec leurs différents grades sont classés dans une grille indiciaire qui détermine l'éventail des « traitements, soldes et indemnités » des fonctionnaires. 98% d'entre eux sont rémunérés selon une grille dont l'éventail va de 1 à 3,7. Le salaire moyen des fonctionnaires en 1990 s'est élevé à 9 160 F par mois. Aux membres de la fonction publique regroupés sur « l'échelle indiciaire », il faut ajouter les fonctionnaires « hors échelle » répartis en sept groupes. Au sommet de la hiérarchie administrative, dans le groupe G, on compte vingt et une personnes, dont le secrétaire général du Gouvernement, le recteur de l'Université de Paris et le premier président de la Cour des comptes. Leur salaire s'élève à environ 36 000 F.

Dans l'enseignement, les salaires moyens s'échelonnent entre 8 000 F pour un instituteur et 20 000 F pour un professeur d'université. Cependant, à tous les salaires des fonctionnaires, il faut ajouter les « rémunérations annexes », plus connues sous le nom de primes ou indemnités. « Secret d'État », « mystère épais » ou « maquis inextricable », les « rémunérations annexes » représenteraient environ 10% des rémunérations des agents de l'État. Il y a quelques années, M. Jean Le Garrec, alors secrétaire d'État chargé de la fonction publique, avait fait diffuser un document qui distinguait trois types de primes : celles des enseignants (33%) qui sont « relativement peu développées », celles des fonctionnaires civils autres qu'enseignants (48%), qui représentent en moyenne une majoration d'un sixième de la rémunération principale, celles enfin des agents du ministère de la Défense qui équivalent au quart des rémunérations principales. Par nature, ces indemnités se répartissent en primes de rendement liées à la qualité du travail, en primes pour travaux supplémentaires et indemnités diverses. Le rapport parlementaire précisait que le pourcentage moyen des primes et indemnités représentait 18% du traitement de base pour un instituteur, 25% pour un commissaire de police, 47% pour un auditeur à la Cour des comptes, 62% pour un administrateur civil à la Direction générale des douanes, 84% pour un ingénieur des Ponts et Chaussées !

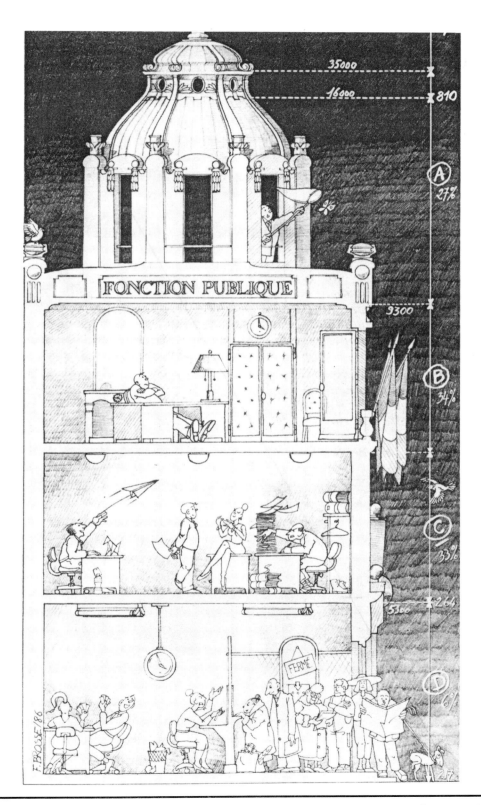

Outre ces « rémunérations annexes », les hauts fonctionnaires de l'État bénéficient d'avantages en nature : logement de fonction, voiture avec chauffeur, employé de maison, etc.

Si beaucoup de progrès ont été faits depuis 1924 où l'on comptait 483 échelles de traitements regroupant 1 776 catégories de personnels, avec des écarts de salaire d'environ 1 à 10 (1 à 3,7 aujourd'hui), il subsiste néanmoins d'importantes disparités, en raison notamment du système des primes. Depuis une vingtaine d'années, l'État s'est engagé dans un processus de négociations avec les partenaires sociaux qui, semble-t-il, a empêché que n'éclatent des conflits trop sévères. Il n'en reste pas moins que les traitements des fonctionnaires constituent une lourde charge pour le budget de l'État, mais en même temps qu'ils sont, pour les cadres supérieurs, inférieurs de 58% à ceux de leurs homologues du secteur privé ou semi-public (−23% et −21% pour les cadres moyens et les contremaîtres, par contre +6% pour les ouvriers).

▨ Des fonctionnaires, pour quoi faire ?

Un constat s'impose : les privilèges dont, selon certains, jouiraient les fonctionnaires ne résident pas dans le haut niveau de leurs traitements.

Le choix du secteur public est à l'évidence lié au problème de l'emploi, mais il peut être également motivé par la tradition familiale : 40% des membres des catégories A et B ont un parent dans l'administration. Enfin la fonction publique offre des possibilités de formation interne. Comme l'a observé Jean-François Kessler dans sa *Sociologie des fonctionnaires* [3], l'entrée dans la fonction publique est synonyme de promotion sociale pour des jeunes issus de milieux modestes (exemple : le fils de paysan devenant instituteur), tandis que les fonctionnaires de rang subalterne peuvent accéder au rang supérieur, et que leurs enfants pourront devenir, après des études à l'École nationale d'administration (ENA), de grands commis de l'État.

Il y a quelques années, *Le Monde de l'Éducation* proposait à ses lecteurs un dossier sous le titre (ironique ?) « Fonctionnaire : le beau métier », tandis que l'hebdomadaire *L'Événement du Jeudi* publiait un « grand dossier » intitulé « Fonctionnaires, je vous aime... » et sous-titré : « Pourquoi il ne faut pas les fusiller » (allusion probable à la question posée naguère par *Le Figaro Magazine* : « Faut-il fusiller les instituteurs ? »).

S'il ne paraît pas souhaitable en effet de recourir à ces extrémités, on peut néanmoins méditer ces propos : « Plus les fonctionnaires se mettent à la place du peuple, moins il y a de démocratie » (Saint-Just) et « La France est un pays d'une incroyable fécondité. On y plante des fonctionnaires, il y pousse des impôts » (Edmond et Jules de Goncourt).

---

(1) Dans un numéro des *Cahiers de 89*, publication d'un club de réflexion proche du RPR, on pouvait lire à la veille des élections de mars 1986 que la France « évolue vers une administration de pays sous-développé avec une armée de fonctionnaires inutiles ».
(2) Dont 40% à l'Éducation nationale.
(3) PUF, collection « Que sais-je ? », 1980.

Les agréments de l'emploi, ou les mœurs administratives. « Quatre heures. Départ des employés, oubli jusqu'au lendemain de toute affaire bureaucratique. » Caricature par Henri Monnier, « ex-employé au ministère de la Justice », 1828.

FAITS
DE SOCIÉTÉ

La question de l'immigration

Au-delà des « faits divers », des polémiques sur les chiffres, des controverses sur l'intégration, les Français s'interrogent et s'inquiètent à propos de ce problème complexe, mais capital, qu'est l'immigration.
C'est à l'évidence à ceux qui les gouvernent et les représentent de répondre à cette interrogation et cette inquiétude, mais le veulent-ils et surtout le peuvent-ils ?

Jusqu'au début de l'automne 1989, l'immigration, selon les sondages figurait au six ou septième rang parmi les préoccupations des Français. Depuis le printemps 1990, elle occupe le second rang. Que s'est-il passé durant cette période ? Comment expliquer cette progression ? La réponse tient en quelques mots : il y eut « l'affaire des foulards islamiques », ou, en d'autres termes, « l'effet tchador ». Pendant plusieurs semaines, cette « affaire » a occupé la « une » des quotidiens et des hebdomadaires, alimenté les éditoriaux et les commentaires des radios, nourri les débats des chaînes de télévision et agité les milieux politiques, intellectuels et associatifs. De quoi s'est-il s'agi ? En bref, du port par quelques jeunes filles musulmanes d'un voile, ou d'un fichu, à l'intérieur des établissements scolaires. Affaire en apparence minime, anecdotique et qui aurait dû être rapidement oubliée, mais qui a passionné les Français, car hautement symbolique et servant de révélateur à cet incontestable « fait de société » qu'est la question de l'immigration. Par-delà les discussions sur la laïcité, le respect des croyances ou l'intégrisme religieux, c'est en effet tout le problème de la présence en France d'une importante population immigrée, notamment maghrébine, et donc musulmane, qui est posé. Problème qui fut de longues années tabou, sauf pendant les périodes électorales, et ignoré le reste du temps par les divers gouvernements et responsables politiques, qui, à droite comme à gauche, ont pratiqué la « politique de l'autruche », laissant aux extrémistes, et notamment au Front national de Jean-Marie Le Pen, le monopole des questions « embarrassantes ».

La querelle des chiffres

Parmi ces questions, qu'entre 1984 et 1986 le Premier ministre d'alors, Laurent Fabius, avait qualifiées de « bonnes » (« L'Extrême-droite, avait-il dit, apporte de fausses réponses à de bonnes questions »), celle des chiffres. La France, en effet, ne possède pas de statistiques indiscutables relatives à la population étrangère présente sur son territoire. Les derniers chiffres officiels sont ceux du recensement de 1990 qui dénombre 3,6 millions d'étrangers tandis que d'autres sources, notamment proches du ministère de l'Intérieur font état de 4 à 4,5 millions. Dans les deux cas, ces chiffres sont contestés essentiellement pour des raisons « méthodologiques ». Dans le cas du recensement, il est évident que bon nombre d'étrangers ne répondent pas aux questionnaires qui leur sont adressés, soit parce qu'ils ont changé de domicile, soit parce que leur connaissance du français est insuffisante, soit encore parce qu'ils éprouvent quelque méfiance à l'égard de ce type d'enquête.

Dans le second cas, le ministère de l'Intérieur prend en compte les permis de séjour qu'il a délivrés, mais néglige les départs, faute, généralement, d'en être informé.

Autre estimation, celle de Philippe Bourcier de Carbon qui, dans le quatrième tome, récemment publié, de l'*Histoire de la population française* [1], écrit : «Il est donc raisonnable de considérer que le nombre réel des étrangers en France (clandestins compris) a approché 5 millions de personnes, soit 9% de l'ensemble de la population de la métropole vers 1985».

Quant à Jean-Claude Barreau, président de l'Office des migrations internationales (OMI) et de l'Institut national d'études démographiques (INED), il déclarait, le 10 octobre 1989 dans *Le Monde* : «Nous assistons depuis trois ou quatre ans à une forte poussée migratoire (...). La France accueille environ 120 000 immigrants officiels chaque année».

Qui sont ces immigrants, puisque officiellement la France n'accueille plus de nouveaux immigrés depuis plus de quinze ans (loi d'août 1974) ? Réponse : les travailleurs permanents qui ont obtenu un permis de séjour (13 000), les étudiants étrangers (12 500), les familles qui viennent rejoindre un travailleur immigré, en vertu du droit au «regroupement familial» (30 000 en 1988), les étrangers qui achètent des fonds de commerce (restaurants, épiceries), ceux recrutés par des entreprises ou par le ministère de l'Éducation nationale (dans des disciplines où les enseignants français ne sont plus assez nombreux, notamment en mathématiques et physique), «cela fait environ 50 000 à 60 000. (...), mais il y a aussi des détournements de procédure : des étudiants qui ne repartent pas chez eux à la fin de leurs études en France» [2].

Le statut de réfugiés

Sur ce dernier point, on dispose des chiffres fournis par l'Office français de protection des réfugiés et apatrides (OFPRA) qui a enregistré près de 35 000 demandes de statut de réfugiés en 1988, environ 60 000 en 1989 et qui en prévoyait près de 90 000 pour 1990. «Il est clair, que les trois-quarts de ces demandeurs viennent chez nous pour des raisons économiques et non pas politiques» [3]. Les flux les plus importants proviennent actuellement de Turquie et d'Afrique noire – Mali, Zaïre, Angola –, ils ont quadruplé en neuf mois. Le dépôt d'une demande d'asile politique, réglementé par la convention internationale de Genève de 1951, donne en effet automatiquement droit à un titre de séjour et à un permis de travail pour le demandeur et sa famille qui bénéficient également du régime de protection sociale. Il faut préciser que depuis deux ou trois ans seulement un quart environ des demandes d'asile sont acceptées (contre plus de la moitié

il y a quelques années), mais que sur dix demandes refusées, neuf font l'objet d'un recours. La procédure dure en moyenne deux à trois ans, période durant laquelle le demandeur «s'installe» en France. «Nous transformons ainsi chaque année des dizaines de milliers de ''refusés à l'asile'' en ''clandestins officiels''»[4]. S'il peut faire la preuve de trois ans de séjour continu, le demandeur obtient un titre de séjour définitif.

Aux 120 000 immigrants officiels, il faut ajouter les immigrés clandestins dont le nombre est estimé à 30 000 par an, soit un total variant, selon les estimations, entre 100 000 et un million. De ces chiffres, il faut bien sûr retrancher ceux des retours et des expulsions, mais ils sont sans commune mesure : respectivement 3 700 et 8 000 en 1988.

◼ Un constat : le flux d'étrangers augmente d'année en année

Ajoutons à ces chiffres les données rendues publiques fin 1990 par la direction de la Population et des Migrations auprès du ministre des Affaires sociales, données par conséquent tout à fait officielles. Elles montrent que : « 1989 est une année significative car tous les chiffres d'entrée d'étrangers sur le territoire augmentent » (*cf. tableau ci-dessous*).

L'entrée en France des immigrés				
Année	1988	1989	89/88 en N	89/88 en %
Travailleurs permanents	12 705	15 592	+ 2 887	+ 22,7
Autorisations provisoires de travail	1 889	3 054	+ 1 165	+ 61,7
Travailleurs saisonniers	70 547	61 868	− 8 679	− 12,3
Membres familles	29 345	34 594	+ 5 249	+ 17,9
Demandeurs d'asile	34 253	61 372	+ 27 119	+ 79,2

De ce tableau, il ressort bien que de 1988 à 1989, tous les chiffres d'entrée d'étrangers en France sont en augmentation (à l'exception de celui des travailleurs saisonniers), de + 17,9 % pour les membres des familles à 79,2 % pour les demandeurs d'asile.

En contrepartie de cet important flux, les sorties du territoire, c'est-à-dire le nombre d'étrangers qui rentrent définitivement dans leur pays, ont été relativement faibles : 669 travailleurs et 525 membres de leurs familles (trois fois moins qu'en 1988) ; 565 expulsions (contre 1 235 en 1988) ; 14 850 reconduites à la frontière, mais dont la moitié seulement ont été exécutées ; soit un total d'environ 9 200.

Au total, l'incertitude demeure quant au nombre exact d'étrangers présents en France, et laisse ainsi place à toutes les interprétations de ceux qui s'efforcent d'« exploiter » ces chiffres, en les minorant ou en les majorant.

◼ Intégration ou coexistence ?

Qu'il s'agisse de dédramatiser l'affaire des foulards, d'obtenir des statistiques incontestables ou d'envisager le problème de la construction de mosquées, (rappelons que celles-ci, lieux de prière pour les musulmans, étaient au nombre de 50 en 1974 et seraient plus d'un millier aujourd'hui)[5], chacune de ces questions devrait s'inscrire dans un grand débat national sur l'immigration. Celui-ci n'a pas eu véritablement lieu jusqu'à présent, malgré deux «tables rondes» organisées par le gouvernement et auxquelles étaient conviés tous les partis politiques, à l'exception du Front national, pourtant indiscutablement «partie prenante» en la matière ! Ceux qui auraient pu, ou dû, en être les instigateurs préférant le silence, choisissant de «laisser faire le temps» ou refusant toute politique spécifique. Au nom de l'anti-racisme, les pouvoirs publics ont permis le développement des discours extrêmes : «société multiculturelle» contre «préférence nationale», «droit du sol» dans tous les cas (tous les enfants nés en France de parents étrangers, seraient automatiquement français) contre «droit du sang» exclusivement (seuls seraient français, les enfants de parents français).

Refuser la réalité, ne pas dire la vérité − notamment celle des chiffres − c'est laisser la place à tous les excès et toutes les exclusions. « La France, à l'automne 1989, n'a pas de politique définie sur l'immigration. Elle n'a pas de politique du tout (...). Personne n'ose se prononcer, nulle part »[6].

L'opposition s'empresse de tirer profit de la situation. Elle remet en cause l'action du gouvernement, demande un renforcement du contrôle aux frontières et un examen de la situation des demandeurs d'asile ; pour certains de ses membres, c'est « l'idendité nationale » qui est en jeu et d'aucuns réclament un référendum sur ce thème.

Au sein même du gouvernement, des ministres se sont inquiétés : le ministre de la Santé, a parlé de « dérive du droit d'asile », Jean-Pierre Chevènement, ancien ministre de la Défense, a évoqué le spectre de la « libanisation » de la France, c'est-à-dire d'une guerre inter-ethnique à l'instar de celle du Liban. Pour sa part, Harlem Désir, président du mouvement SOS-Racisme,

a accusé le gouvernement de s'être « évertué à évacuer la question de l'immigration ».

Pourtant, depuis plusieurs années un large consensus semblait s'être établi, dans la plupart des secteurs de l'opinion, autour du thème de l'intégration. « Troisième voie » entre revendication, par une partie de la gauche, d'une société multiculturelle et le choix, par une fraction de la droite, de l'assimilation, l'intégration paraissait devoir réunir, sans heurts ni déchirements, la majorité des Français.

L'affaire des voiles islamiques aura fait éclater cette « belle unanimité », paraissant donner raison au Club de l'Horloge[7], qui affirmait en janvier 1988 : « L'intégration est un mot piège. Car une société est nécessairement uniculturelle ou multiculturelle. Il n'y a pas de voie moyenne ». On a pu assister ainsi, à propos de ce que J.-P. Chevènement a appelé « ces fichus fichus », à des prises de position radicalement opposées, à des affrontements très vigoureux entre tenants de la laïcité (principe de l'école de la République) et partisans de la tolérance

(à l'égard des signes d'appartenance religieuse), les unes comme les autres dépassant, contredisant les clivages politiques traditionnels. On a pu lire ainsi, sous la plume d'Alain de Benoist, chef de file de la Nouvelle Droite, (dont certains membres appartiennent aux instances dirigeantes du Front national) ces lignes : « Plaisant spectacle assurément de voir associés dans une même réprobation les tenants de l'idéologie du « bunker » national et les adeptes du « melting-potes »[8] républicain, ceux qui professent qu'on ne peut pas être en même temps musulman et français et ceux qui n'aiment que le « beur » pasteurisé, occidentalisé, porteur d'un islam de convenance (…), ceux qui croient qu'on peut défendre son identité en niant celle des autres et ceux qui n'admettent de différences culturelles que réduites à l'écart de folklore… ». Et il concluait sur cette adresse aux jeunes filles musulmanes porteuses de voile : « Chères Samira, Fatima, Leïla, Malika, Loubna et les autres, tenez bon ! »[9].

Non moins surprenant cet « appel aux profs »[10] lancé, au nom de « la laïcité qui est et demeure par principe une bataille, comme le sont l'école publique, la République et la liberté elle-même », par cinq « intellectuels de gauche » renommés (Élizabeth Badinter, Régis Debray, Alain Finkielkraut, E. de Fontenay, Catherine Kintzler) : « Tolérer le foulard islamique, ce n'est pas accueillir un être libre (en l'occurrence une jeune fille), c'est ouvrir la porte à ceux qui ont décidé, une fois pour toutes et sans discussion, de lui faire plier l'échine. Au lieu d'offrir à cette jeune fille un espace de liberté, vous lui signifiez qu'il n'y a pas de différence entre l'école et la maison de son père ». Pourtant, l'intégration demeure, semble-t-il, le maître mot. C'est le rôle que J.-P. Chevènement, qui fut ministre de l'Éducation nationale, assigne à l'école, c'est le thème d'une des deux « tables rondes » réunies au printemps 1990 par l'ancien Premier ministre, Michel Rocard. L'intégration implique une double démarche : celle de la société d'accueil et celle des immigrés. La majorité de ces derniers souhaite probablement s'intégrer, c'est-à-dire devenir des citoyens à part entière. Mais que faire à l'égard de ceux qui refusent de s'intégrer ? Michel Rocard, était certainement conscient de ce problème lorsqu'il évoquait dans un même discours, l'« intégration » et la « coexistence » des cultures. Peut-être

songeait-il à cette remarque de Claude Lévi-Strauss qui observait récemment : « Si les cultures ne communiquent pas, elles sont sclérosées, mais il ne faut pas qu'elles communiquent trop vite, pour se donner le temps d'assimiler ce qu'elles empruntent au-dehors »[11].

Mais le véritable débat est à l'évidence celui de l'immigration dans son ensemble, comme le souligne le président de l'association France-Plus, qui milite pour l'intégration et a fait élire plus de 500 jeunes franco-maghrébins (des « Beurs ») aux dernières élections municipales. « Quant à faire, dit-il, je souhaiterais qu'une session parlementaire complète soit consacrée à l'immigration et qu'on mette tout à plat : l'école, le logement, l'emploi, les clandestins, le droit d'asile… Peut-être faudra-t-il crever tous les abcès à la fois ».

■ Les Français face à l'immigration

Ce vœu est probablement aussi celui de l'ensemble des Français, car, ainsi qu'ils l'ont exprimé à travers de nombreux sondages, l'immigration est désormais pour eux une question majeure, un sujet d'importance nationale. Que pensent-ils ? Que disent-ils ?

Dans un sondage SOFRES-*Le Nouvel Observateur*[12], 67 % des Français déclarent qu'il faut empêcher l'entrée de nouveaux immigrés et 20 % qu'il faut renvoyer un grand nombre de travailleurs immigrés dans leur pays (11 % se prononcent pour l'ouverture des frontières). 51 % estiment que la plupart des immigrés ne pourront pas être intégrés dans la société française car ils sont trop différents (42 % sont d'avis contraire). Parmi les différences entre Français et immigrés qui rendent la cohabitation difficile, ils mentionnent : les coutumes (58 %), la religion (57 %), la langue (20 %), la couleur de la peau (5 %).

En ce qui concerne le droit de vote, pour les élections municipales, « aux immigrés qui ne possèdent pas la nationalité française, mais qui vivent depuis un certain temps en France », 75 % sont opposés, 20 % favorables. Enfin, invités à nommer les « personnalités qui proposent des solutions satisfaisantes aux problèmes de l'immigration, ils citent dans l'ordre : Jean-Marie Le Pen (17 %), Harlem Désir (15 %),

François Mitterrand (14%), Michel Rocard (13%), Simone Veil (8%). Selon un sondage IFOP, RTL, *La Vie*, *Le Monde* (30 novembre 1989) portant sur l'image de l'islam, 60% associent l'islam à la violence, 66% au retour en arrière, 76% à la soumission de la femme, 71% au fanatisme. Interrogés sur l'éventualité de l'élection en France d'un président de la République d'origine musulmane, 75% s'y déclarent hostiles, 63% se déclarent également hostiles à l'élection d'une personne d'origine musulmane comme maire de leur commune, 68% sont hostiles à l'existence de partis politiques ou de syndicats se référant à l'Islam.

Enfin, un sondage SOFRES/*Figaro* (décembre 1989) révèle que 68% des Français estiment que le « seuil de tolérance » est atteint, tandis que 84% considèrent que l'expulsion systématique des immigrés en situation irrégulière ou délinquants est une bonne solution pour résoudre le problème de l'immigration en France. 48% pensent que la bonne solution est le renvoi progressif d'une majorité de travailleurs immigrés ; 82% sont d'avis que c'est l'intégration des immigrés vivant déjà en France ; 69% affirment qu'ils ne se sentent pas en sécurité dans les quartiers où les immigrés sont nombreux ; 67% ne sont pas d'accord avec l'opinion qui consiste à dire que les immigrés sont une chance pour la France ; 74% sont plutôt d'accord pour admettre que « si on ne fait rien pour limiter le nombre d'étrangers, la France risque de perdre son identité ». Enfin, selon les Français, l'intégration serait la plus difficile pour les personnes originaires d'Afrique du Nord (50%), d'Afrique noire (19%), d'Asie (15%), d'Europe (2%).

À travers ces quelques sondages (choisis pour la diversité idéologique des journaux dans lesquels ils ont été publiés, mais il y en eut bien d'autres sur ce thème), force est bien de constater avec Robert Solé, spécialiste de l'immigration au *Monde*, qu'avec « l'affaire des foulards », « la France entière semble s'être emparée du dossier, exprimant tout haut pour la première fois ses convictions et ses craintes, ses revendications d'identité ou son désarroi »[13]. Son scepticisme, voire son pessimisme également, car, dans l'un de ces sondages, 48% estiment que le problème de l'immigration en France ne sera jamais résolu (44% sont d'un avis contraire).

Interrogé sur cette question à laquelle il a consacré un de ses derniers ouvrages[14], le grand économiste et démographe Alfred Sauvy, exprimait ses craintes concernant notamment l'intégration des populations d'origine musulmane dont, selon lui, « les lois ou coutumes vont souvent à l'encontre des nôtres ». Et, il rappelait, à cet égard, les propos de l'ancien président algérien Houari Boumedienne qui déclarait en 1976 : « Un jour des millions d'hommes quitteront les parties méridionales pauvres du monde pour faire irruption dans les espaces relativement accessibles de l'hémisphère Nord, à la recherche de leur propre survie ».

Au-delà des prises de position divergentes et des polémiques, une chose est sûre : la question de l'immigration est un enjeu majeur pour la société française. Entre ceux pour qui l'immigration est une catastrophe pour la France et ceux pour qui elle est une chance, il y a tous ceux qui désirent être pleinement et clairement informés, et ainsi à même de décider ce qui leur paraît souhaitable pour leur pays. Mais « le problème est délicat, il est même parfois explosif. Ce devrait être précisément la raison pour les hommes qui ont l'honneur de penser et de gouverner de le regarder en face »[15]

(1) PUF (1988).
(2) J.-C. Barreau, *art. cit.*
(3) *Ibid.*
(4) *Ibid.*
(5) Cf. *Les Banlieues de l'islam*, de Gilles Kepel (Le Seuil, 1987).
(6) Jean Daniel, in *Le Nouvel Observateur*, 9-15 novembre 1989.
(7) Club de réflexion proche de l'extrême droite.
(8) Jeu de mots sur l'expression américaine « melting-pot » (qu'on peut traduire par « creuset des races ») et l'argot français « pote » (= copain), remis au goût du jour par le slogan du mouvement « SOS-Racisme », « Touche pas à mon pote ».
(9) in *Le Monde*, 27 octobre 1989.
(10) « Profs ne capitulons pas ! » in *Le Nouvel Observateur*, 2 au 8 novembre 1989.
(11) in *Le Figaro-Magazine*, 3 septembre 1989.
(12) in *Le Nouvel Observateur*, 23 au 29 novembre 1989.
(13) in *Le Monde*, 8 novembre 1989.
(14) Alfred Sauvy, *L'Europe submergée*, Dunod, 1986.
(15) Jean Daniel, in *Le Nouvel Observateur*, op. cit.

Jeunes d'aujourd'hui

Après les événements, parfois violents, que la France a connus récemment, plusieurs questions se posent : Les jeunes se révoltent-ils contre la société ? Se préparent-ils à de nouveaux engagements politiques ? Sont-ils toujours frappés par le chômage ?
Autant d'interrogations qu'une seule, peut-être, résume : Où en est la jeunesse actuelle ?

Les émeutes dans des villes de la banlieue lyonnaise (Vaulx-en-Velin) et parisienne (Argenteuil), les manifestations lycéennes et les désordres qui les ont suivies ont, à l'automne dernier, de nouveau braqué les projecteurs de l'actualité sur les jeunes. Sur *les jeunes* et non sur *la jeunesse* car, selon la formule de Pierre Bourdieu, «la jeunesse n'est qu'un mot», et, plus encore, sur *des jeunes*, car tous n'ont pas pris part (ni même ne se sont sentis concernés) à cette «agitation» de la fin de l'année 1990.

Il n'est, bien sûr, pas question de revenir ici sur les faits – ils ont été abondamment relatés et commentés dans la presse – ni d'analyser «la crise du système éducatif» ou «le problème des banlieues» qui, tous les observateurs l'ont souligné, sont à l'origine de ces événements. À partir de ceux-ci, notre propos est de faire le point sur *les jeunes*, c'est-à-dire les garçons et les filles qui ont entre 16 et 25 ans. Pourquoi 16 ans ? Parce que c'est l'âge de la fin de la scolarité obligatoire. Pourquoi 25 ans ? Parce que c'est, en moyenne, l'âge de la fin des études supérieures. Que pensent ces jeunes ? Que disent-ils ? Que font-ils ?

▧ La réforme oui, la révolte non, mais...

Les réponses à ces questions s'appuieront notamment sur des sondages récents réalisés au moment ou immédiatement après les faits évoqués ci-dessus. Outre «l'imperfection» des sondages (cf. à ce sujet, le livre de Patrick Champagne *Faire l'opinion*[1]), il faut, bien entendu, tenir compte de cette proximité chronologique, les jeunes interrogés ayant à l'évidence répondu «à chaud», encore sous le choc de ces événements.

Premier sondage : celui effectué par la SOFRES pour *Le Nouvel Observateur*, fin septembre-début octobre 1990, auprès de 600 jeunes de 16 à 22 ans. Survenant après les émeutes de Vaulx-en-Velin (incendie et pillage des magasins, affrontements entre forces de l'ordre et jeunes après la mort accidentelle, mais dans des conditions troubles, de l'un d'entre eux), ce sondage était particulièrement axé sur les thèmes de la révolte et de la violence. Révolte, en particulier, contre les conditions de vie dans certaines banlieues où sont regroupées des populations immigrées, notamment maghrébines et africaines, qui constituent de véritables «ghettos» ; révolte pouvant déboucher, comme dans cette ville de l'agglomération de Lyon, sur de soudaines explosions de violence. Si 53% des jeunes se disent peu (35%) ou pas du tout (18%) révoltés, 37% se déclarent assez révoltés et 9% très révoltés. On note, sans surprise, que les plus révoltés (61%) se trouvent proches du Parti communiste et de l'extrême gauche, et, peut-être avec quelque étonnement, que ceux qui se réclament du Parti socialiste sont moins révoltés (41%) que ceux qui se situent à droite (46%)...

Dans leur vie quotidienne, 57% affirment être confrontés de temps en temps à des situations qui les révoltent, 21% souvent, 17% rarement et 4% jamais.

Dans la société actuelle, c'est le chômage qui les révolte le plus (58%), puis le racisme (57%) et la difficulté pour les jeunes d'entrer dans le monde du travail (57%), les inégalités sociales (45%), le fanatisme religieux (24%)... La dégradation des conditions d'études qui est apparue comme le détonateur des manifestations lycéennes ne « révolte » que 30% des « sondés ». Dans le monde, ce sont les guerres qui les révoltent le plus (68%) devant le trafic de la drogue (62%), l'exploitation des enfants (57%), les famines (55%), le Sida (41%)...

Pour manifester leur révolte, 72% sont prêts à signer une pétition, 55% à participer à des manifestations, 52% à faire grève, 32% à adhérer à une association, 32% à occuper des locaux...

Parmi les personnalités qui symbolisent le mieux l'idée qu'ils se font de la révolte, ils placent en tête Coluche (41%), suivi de Nelson Mandela (40%), Gandhi (34%), l'abbé Pierre (25%), le chanteur Renaud (16%)... Che Guevara, dont le « poster » ornait la chambre de nombre de « révoltés » de mai 68, ne recueille que 5% !

Enfin, les institutions contre lesquelles ils ont le plus envie de se révolter sont : les partis politiques (38%), la justice (31%), l'armée (25%), la prison (17%), la police (16%)...

Concernant la violence, 53% estiment qu'elle peut se justifier « dans certaines situations », et 44% qu'aucune situation ne peut la justifier.

Les plus nombreux à estimer qu'elle peut se justifier sont les chômeurs (59%), ils sont suivis des jeunes en activité (56%), des élèves des lycées techniques (55%) et des étudiants (40%). Questionnés, en guise de conclusion, sur la société dans laquelle ils vivent, 44% sont d'avis qu'elle doit être réformée sur plusieurs points, mais sans toucher à l'essentiel, 23% qu'elle doit être radicalement changée, 20% réformée sur l'essentiel et 10% laissée dans son état actuel.

▧ **D**ésengagement politique, engagement affectif

Selon un autre sondage, réalisé quelques semaines plus tard par CSA pour *L'Événement du jeudi*, auprès de jeunes également de 16 à 22 ans, 28% se disent conservateurs, 24% révoltés, 16% réformistes, 10% réactionnaires et 9% révolutionnaires. Politiquement, ils se sentent le plus proche des écologistes (19%), de la gauche (18%), de la droite (15%), du centre (10%), de l'extrême droite (2%) et de l'extrême gauche (2%)... mais 18% ne sont attirés par aucun parti politique et 8% choisissent le camp des abstentionnistes.

Ces chiffres sont à rapprocher d'une enquête menée, en 1989, par la SOFRES pour l'Observatoire interrégional du politique (OIP) et selon laquelle 69% des jeunes de 15 à 24 ans se désintéressent de la politique, tandis que la cote de confiance des partis se situe à 15% !

Interrogée par *L'Événement du jeudi* sur ces données, Anne Muxel, chargée de recherches au CNRS et au Centre d'études sur la vie politique française (CEVIPOF), affirme : « Le fait que les partis sont désertés ne signifie pas qu'il y a une dépolitisation des jeunes. Au contraire. Ils ont prouvé que, sur des problèmes qui les touchent, ils étaient capables de se mobiliser, de se défendre, de revendiquer, à condition que cela se fasse en dehors du jeu politique traditionnel [2]. Dépolitisés non, désenchantés oui. « À la fois très désenchantés et très informés », précise A. Muxel. La contradiction apparente entre les chiffres de l'enquête de l'OIP et les propos d'une spécialiste des rapports entre les jeunes et la politique peut s'expliquer ainsi : ce n'est pas la politique, au sens fort du terme, qui n'intéresse pas les jeunes, c'est la « politique politicienne », c'est-à-dire ce qu'en ont fait les hommes et les partis politiques. Ce sont ces derniers, la classe politique, que rejettent les jeunes dans leur immense majorité.

Il reste que l'engagement, sinon le militantisme, n'est plus du tout ce qu'il a été : du politique il se déplace de plus en plus vers le domaine « moral » ou « humanitaire », là où il est possible de manifester sa solidarité (SOS Racisme), de faire preuve de générosité (les « Restos du cœur »). Comme le fait observer Guy Lescanne, prêtre et psychosociologue, auteur, avec Thierry Vincent, de *15/19 ans, Des Jeunes à Découvert* [3] : « Cette génération a besoin de sentir pour adhérer, de s'émouvoir pour comprendre, d'être accroché pour agir. »

Un mal qui n'en finit pas

Si les jeunes ne font plus confiance aux hommes politiques c'est essentiellement parce que ceux-ci ne trouvent pas de solution aux problèmes qui les concernent, problèmes au premier rang desquels figure, depuis environ quinze ans, le chômage. Même s'il a quelque peu reculé, ces deux dernières années, il demeure, de loin, la préoccupation majeure des 16-25 ans (et celle d'ailleurs de l'ensemble des Français).

Après les manifestations lycéennes de l'automne 1990, comme après celles des étudiants de 1986, force est de reconnaître qu'au-delà de contestations circonstancielles (le refus d'un projet de réforme de l'Université en 1986, des revendications « matérielles » en 1990), la raison profonde de ces mouvements protestataires est l'inquiétude, voire l'angoisse, qu'éprouvent bon nombre de jeunes face à leur avenir professionnel.

Certes, les diverses formules visant à aider les demandeurs d'un premier emploi et mises en œuvre depuis 1976 (Travaux d'utilité collective, stages d'insertion à la vie professionnelle, Contrats emploi-solidarité...) ont « limité » le chômage des jeunes, mais elles ne sont pas parvenues à le faire spectaculairement régresser. De plus, les quelque 600 000 créations d'emploi de ces trois dernières années n'ont pas amélioré sensiblement la situation, car trop de jeunes n'ont pu répondre aux offres qui leur étaient faites, faute de qualification professionnelle ou parce que celle qu'ils possédaient était insuffisante ou inadaptée.

Bien sûr, le problème de l'emploi ne se pose pas dans les mêmes termes selon que garçons et filles aient quitté le collège à 16 ans, le lycée (d'enseignement général ou professionnel) à 18-19 ans ou l'université à 22-23 ans. Une chose est certaine : les jeunes de 16 à 25 ans sont deux fois plus touchés par le chômage que la moyenne des Français (20,5%, dont 24% pour les femmes et 17% pour les hommes, contre 9,5%).

En dépit de ces difficultés, une large majorité d'entre eux estiment que leurs conditions de vie personnelles sont satisfaisantes (40%) ou plutôt satisfaisantes (37%) contre 23% qui les jugent plutôt pas satisfaisantes (17%) ou pas satisfaisantes du tout (6%). Il est vrai que 72% vivent chez leurs parents, dont encore 24% à 24 ans... Il reste que cette poussée de « fièvre de la jeunesse » (qui, selon Bernanos, « maintient le monde à température ») peut être considérée comme « un véritable signal d'alarme » (Edgar Morin). Elle semble, en tout cas, être le signe évident d'une crise de société, ou, plus généralement, de ce que Péguy appelait une « crise de vie ».

(1) *Éditions de Minuit*, 1990.
(2) in *L'Événement du jeudi*, 8-14 novembre 1990.
(3) Éditions Le Cerf.

Le malaise des médecins

La France actuellement ne manque pas de médecins, mais une partie d'entre eux, en augmentation croissante, n'exerce pas.
Spécialisation de plus en plus poussée, concurrence des médecines « douces » ou « humanitaires », situation matérielle précaire, voire chômage, tels sont quelques-uns des maux dont souffre notre médecine. À son chevet, quels médecins et quels remèdes ?

Dans un livre paru récemment sous le titre *De quoi souffrez-vous, docteur ?*[1], Alain de Sédouy, à l'issue d'une longue enquête dans les milieux médicaux, dresse un bilan de santé plutôt alarmant de la médecine française. Celle-ci, selon lui, est victime d'un malaise généralisé dont il décrit les symptômes avec rigueur et lucidité.

Avant de passer en revue ces symptômes, il convient toutefois, pour la sûreté du diagnostic, de prendre connaissance du dossier du malade.

Des chiffres et des hommes

Le corps médical français compte aujourd'hui 180 000 médecins officiellement inscrits au Conseil de l'Ordre[2]. Leur nombre a doublé en dix ans et triplé en un quart de siècle. Avec un médecin pour quatre cent cinquante habitants, la France est l'un des pays les plus médicalisés du monde. Mais cette moyenne recouvre des disparités régionales importantes allant de un à cinq, par exemple entre la région parisienne et la Lozère (département le moins médicalisé). Sur l'ensemble du territoire, les régions où l'on trouve le plus de médecins se situent au sud d'une ligne Bordeaux-Lyon. Le soleil qui attire les personnes âgées attire aussi ceux qui les soignent... L'augmentation spectaculaire du nombre des praticiens, ces dernières années, s'est accompagnée d'une féminisation accrue. De 1976 à 1984, le pourcentage de femmes médecins a progressé de plus de 60%. Actuellement, plus de 30% des médecins sont des femmes.

Cette féminisation est allée de pair avec un important rajeunissement. Plus de la moitié des médecins en exercice ont obtenu leur diplôme il y a une dizaine d'années. Leur âge moyen est de 43 ans. 70% d'entre eux sont des médecins libéraux (c'est-à-dire qui exercent à titre privé dans un cabinet ou une clinique). Les autres travaillent à l'hôpital ou sont salariés (médecins de groupe).

99% des médecins libéraux sont «conventionnés», c'est-à-dire ont signé avec les caisses d'assurance-maladie de la Sécurité sociale une convention fixant leurs tarifs. 11% d'entre eux peuvent déterminer librement leurs honoraires et 9% (surtout des spécialistes) ont le droit de pratiquer un «dépassement permanent».

Les médecins généralistes représentent 57% de l'ensemble du corps médical contre 43% de spécialistes (nombre en augmentation).

Diagnostic réservé

Selon diverses enquêtes, 85% des généralistes estiment que leur métier se dévalorise ; 49% considèrent qu'il ne correspond pas à ce qu'ils attendaient ; 34% ne referaient pas des études de médecine ; 60% dissuaderaient leurs enfants d'en faire ; 26% seraient prêts à changer d'activité pour mieux gagner leur vie. Il y a donc incontestablement malaise. Quelles en sont les causes ? D'abord, la situation matérielle précaire de nombre d'entre eux, dont certains sont même au chômage. Des médecins chômeurs ? De fait, un millier sont inscrits à l'Agence nationale pour l'emploi (ANPE) et

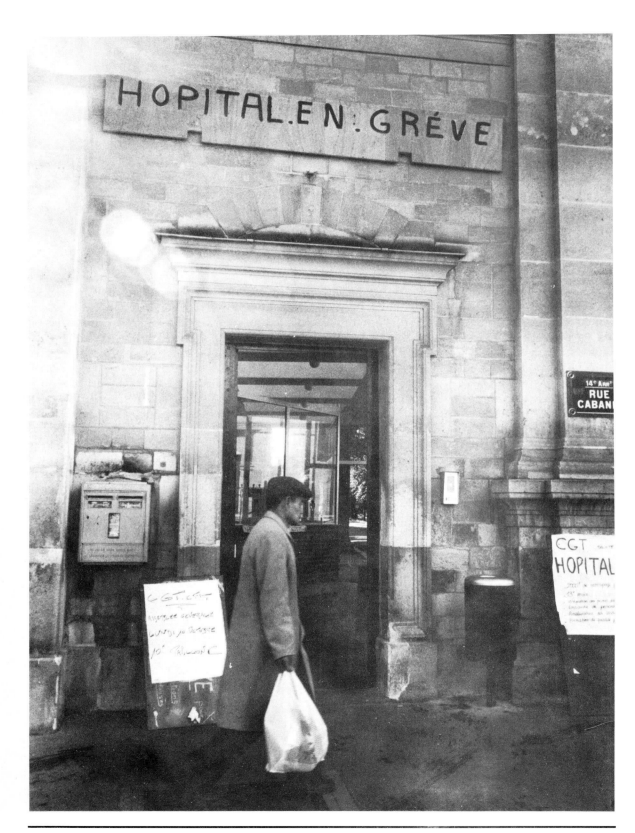

peuvent donc être considérés comme chômeurs à part entière. Mais l'on sait aussi que plus de 20 000 diplômés, inscrits à l'Ordre, n'ont ni cabinet libéral ni activité à temps plein, sans que l'on connaisse la portée exacte de cette situation. Selon un responsable de la Confédération des syndicats médicaux français (CSMF), principale organisation des praticiens libéraux : « Sur 100 000 médecins libéraux, environ 14% sont en situation ingérable ». Ceux-ci, pour la plupart généralistes, percevraient par an moins de 195 000 francs de recettes, ce qui, une fois payés les frais de fonctionnement de leur cabinet, ne leur assurerait aucun revenu. Certains médecins vont jusqu'à dire qu'un quart d'entre eux ont des revenus de l'ordre du SMIC[3].

Au-delà des chiffres, force est de constater que de nombreux praticiens connaissent effectivement une situation de précarité, incompatible avec l'exercice d'une profession à haut degré de responsabilité. Bien entendu, les difficultés financières et le chômage d'un certain nombre de médecins ne doivent pas amener à conclure que l'ensemble de la profession est touché. Selon certaines estimations, les honoraires annuels des généralistes s'échelonneraient entre 300 000 et 600 000 francs, avec un montant moyen de 480 000 francs ; 20% d'entre eux gagnant plus de 600 000 francs.

Les spécialistes ont généralement des revenus plus élevés, mais avec de très grandes différences : de 380 000 francs pour les pédiatres à 1,8 million pour les radiologues. Pour A. De Sédouy, ceux-ci font d'ailleurs partie, avec les biologistes, des personnages clés de la médecine d'aujourd'hui. Le radiologue est celui qui interprète les signes avec des appareils sophistiqués, qui sait « lire » le corps. Le biologiste, lui sait « lire » à l'intérieur du corps, il possède ce « pouvoir magique » qui, hier encore, était celui du chirurgien. Dorénavant, beaucoup d'interventions sont réalisées en collaboration par le biologiste et le radiologue, sans qu'il soit nécessaire d'avoir recours à la chirurgie. De même, c'est à ces deux spécialistes que les généralistes adressent désormais de plus en plus souvent leurs malades ; et ce transfert vers ceux qui mettent en œuvre les technologies médicales les plus avancées « dépossède » les « médecins de famille » d'une grande partie de leur « prestige » social. « Ils vivent une crise d'identité... une crise des valeurs. »

Les malades, en outre, ne croient plus aveuglément le « docteur » (même si 93% déclarent leur faire confiance), ils lui demandent de s'expliquer, ils consultent un confrère, parfois même ils mettent en cause son diagnostic ou sa thérapeutique. On estime actuellement à plus de deux mille le nombre de personnes qui portent plainte contre un médecin ou un chirurgien. Certes, trois quarts des procès intentés sont perdus par les plaignants, mais une cinquantaine de praticiens sont condamnés. Ce qui demeure infime par rapport aux 400 millions d'actes pratiqués chaque année, mais prouve néanmoins que l'attitude des Français à l'égard du « pouvoir médical » a changé : il n'est plus considéré comme infaillible ni inattaquable.

Cependant, ces mêmes Français vont chez le docteur comme naguère ils allaient à l'église pour se confesser auprès du curé. Le médecin est devenu en quelque sorte le confesseur des temps modernes, celui à qui on vient raconter ses difficultés, ses peines ou ses angoisses. De fait 70% de ceux qui « consultent » ne sont pas organiquement malades : ils sont « stressés », déprimés et « somatisent ». On assiste ainsi à un retour à l'irrationnel, à la « pensée magique ». À preuve le succès croissant des « médecines douces » (homéopathie, acupuncture, phytothérapie...) auxquelles recourent désormais 35% des Français (dont 2/3 pour l'homéopathie). Celles-ci concurrencent la médecine traditionnelle (allopathie) et, après avoir convaincu de nombreux malades, font de plus en plus d'adeptes parmi les praticiens.

Si l'on ajoute à ces « nouveaux » médecins tous ceux qui s'engagent dans des organisations médicales humanitaires, telles « Médecins sans frontières » (trois mille adhérents) ou « Médecins du monde » (mille huit cents adhérents), et les quelque vingt mille qui n'exercent pas, on comprend mieux qu'il puisse être fait état du malaise de la profession.

■ Se reconvertir... ou s'adapter

Pour ne plus vivre ce malaise, nombre de médecins se reconvertissent, la plupart dans des emplois relevant du monde de la santé, mais « en dehors des soins », selon la formule de la CSMF. Ainsi, la Faculté de médecine de Tours propose aux étudiants ayant validé le deuxième cycle, un troisième cycle diversifié, ouvrant sur des carrières spécifiques, «médicalisées» mais non médicales (pharmacie, équipement médical, information médicale de la collectivité…). D'autres facultés seraient d'ores et déjà prêtes à adopter ce type de formations, ce qui constituerait pour la CSMF, un des «grands tournants de la formation médicale».

De son côté, le ministère de la Santé réfléchit à la possibilité d'apporter une aide financière aux médecins qui accepteraient de s'installer dans les régions à faible densité médicale.

Cependant, certains médecins préfèrent se reconvertir dans des domaines complètement différents. Ainsi, deux exemples cités par Jean Ménanteau dans un article du *Monde* (1er juin 1989) : l'un, rhumatologue depuis dix-huit ans, est devenu conseiller financier ; l'autre, chirurgien renommé, professeur agrégé, est désormais éditeur d'art.

«Marginaux ou symptomatiques ces deux cas ? s'interroge le journaliste. «Exemplaires dans le contexte de l'emploi», répond la CSMF. Pour lui, il est impératif de reconvertir la vingtaine de milliers de médecins qui n'exercent pas. En outre, il faut faire en sorte d'empêcher, comme cela se produit actuellement, que certains praticiens, pour des raisons financières, multiplient les actes (consultations et visites). D'aucuns, en effet, en effectuent jusqu'à cinquante, voire soixante, par jour (moyenne nationale : 16), ce qui ne peut qu'être nuisible à la qualité de la médecine ainsi pratiquée. Pour remédier à ce malaise du corps médical français (qui demeure néanmoins, selon les experts, un des meilleurs au monde)[4] A. de Sédouy estime qu'il faut d'abord rétablir l'équilibre financier entre les spécialistes et les généralistes, mais aussi faire revenir ces derniers à l'hôpital pour qu'ils retrouvent le véritable contact avec les malades. Enfin, il reprend à son compte ce mot d'un de nos plus grands «patrons»[5], le professeur Milliez, selon lequel les médecins doivent être des «savants au grand cœur».

Montesquieu disait : «Ce n'est pas les médecins qui nous manquent c'est la médecine». À l'heure où «triomphe la médecine», comme Jules Romains l'avait prophétisé dans son immortel *Knock*, il serait pour le moins paradoxal que ce soit les médecins qui viennent à nous manquer.

(1) Éditions Olivier Orban.
(2) Pour avoir le droit de s'installer, les nouveaux médecins doivent obligatoirement s'inscrire au Conseil de l'Ordre. Son rôle est de « veiller au maintien des principes de moralité, de priorité et de dévouement indispensables à l'exercice de la médecine et à l'observation des règles édictées par le code de déontologie ».
(3) Salaire minimum interprofessionnel garanti (5 500 francs par mois).
(4) Il faut aussi rappeler que 65% des Français considèrent que leurs médecins sont plus compétents qu'il y a vingt ans et 90% s'en déclarent satisfaits.
(5) Dans le vocabulaire médical, professeur, responsable d'un service hospitalier.

Les Français, l'environnement et les écologistes

Plusieurs sondages récents[1] *permettent de connaître l'opinion des Français sur les problèmes de l'environnement et le rôle des écologistes.*

La plupart des Français (83%) se disent « très » ou « plutôt » concernés par les problèmes d'environnement. Ils les placent au quatrième rang de leurs préoccupations (deuxième rang pour les écologistes, cinquième pour les électeurs de gauche et septième pour ceux de droite). La pollution se situe en quatrième position (39%), parmi les « risques » les plus redoutés, après la drogue (54%), le chômage (49%), le Sida (46%).

C'est la pollution de l'air qui est considérée comme la question la plus préoccupante, tant dans leur cadre de vie quotidien (47%) qu'au niveau mondial (59%). Viennent ensuite, au quotidien, la propreté de la mer et des rivières (40%), les décharges publiques ou sauvages (36%), la maladie des arbres (29%), le bruit (27%), la qualité de l'eau du robinet (24%), l'enlaidissement du paysage (20%), le manque d'espaces verts (19%) et l'urbanisme sauvage

(16%). Au niveau mondial, ce sont les déchets toxiques qui sont placés en seconde position (57%), devant la diminution de la couche d'ozone (56%), la disparition des forêts (55%), la pollution de l'eau des rivières et des lacs (46%), celle des mers et des plages (41%), l'utilisation des produits chimiques dans l'agriculture (39%), les centrales nucléaires (33%), etc. À l'exception de la pollution de l'air, on constate donc de sensibles différences dans les préoccupations des Français, selon qu'elles se rapportent au niveau de vie quotidien ou au niveau mondial.

Pour eux, les principaux responsables de la pollution de l'air sont les entreprises (48%) et les accidents (26%).

■ Une sensibilité nouvelle

La sensibilité écologiste qui s'expliquait jusqu'à maintenant par des considérations locales (ouverture d'autoroute, projet de barrage ou d'usine d'incinération des déchets...), ou géographiques (l'Alsace et les phosphates, la Bretagne et le nitrate...) trouve également son origine dans la désaffection des Français à l'égard de la vie politique[2]. Ceux-ci ne font plus confiance à la classe politique (les partis et leurs dirigeants, la «représentation nationale», autrement dit les députés, les sénateurs, mais aussi le gouvernement...). Le politologue Olivier Duhamel observe ainsi : «L'impression d'une sorte de crise et le constat du repli gestionnaire des socialistes suscitent une nouvelle demande de valeurs, à laquelle la dimension utopique de l'écologie offre une réponse»[3]. De fait, 64% estiment qu'un électeur écologiste se prononce pour les Verts afin de manifester son intérêt pour les questions d'environnement et 22% pour exprimer sa défiance à l'égard des formations politiques traditionnelles.

Dans leurs prédictions pour l'an 2000, 20% de nos compatriotes se disent convaincus qu'à ce moment-là le mouvement écologiste arrivera en seconde position derrière le PS (30%), le RPR (9%), le FN (7%), l'UDF (6%).

Un projet pour notre pays, notre avenir et celui de nos enfants

Il faut reconquérir la qualité de notre milieu de vie et nous libérer du risque nucléaire.

Il est urgent d'épanouir nos identités régionales et de démocratiser la société française.

Nous devons fonder une stratégie de paix sur le développement et non sur les armes.

Nous pouvons libérer la société française du chômage par la solidarité.

Avec nous, renforcez la démocratie, choisissez la vie.

Extrait du Programme des Verts pour l'élection présidentielle du 24 avril 1988.

Quant au programme des Verts, il est jugé réaliste par 48% et utopique par 38%. Les Verts paraissent, également pour 48%, plus « proches du monde de demain » que « de la façon de vivre d'autrefois » (34%).

Un vote possible

Après les élections municipales de 1989, 28% des personnes interrogées déclaraient envisager de voter à l'avenir pour les écologistes ; ils s'ajoutaient aux 14% qui disaient avoir déjà voté pour eux. Mais, ces 42% d'électeurs potentiels ne se sont retrouvés qu'environ 10% aux élections européennes de juin[4].
C'est pourquoi il faut considérer comme des indications bien plus que comme des intentions de vote, et a fortiori des choix arrêtés, les chiffres d'une enquête d'octobre 1989 (Louis Harris, *L'Express*) qui donne comme vote « certain » pour des candidats écologistes : 7% à l'élection présidentielle et 5% aux municipales ; et comme vote « certain » ou « probable » : 42% à l'élection présidentielle, 50% aux législatives et 56% aux municipales. De même, 53% disent souhaiter que les écologistes créent leur propre parti (34% sont contre), ce qui tend à prouver qu'ils ne considèrent pas l'actuel mouvement des Verts comme un véritable parti politique. 75% en effet, estiment que les Verts se préoccupent essentiellement des problèmes de défense de l'environnement et non de ceux de l'ensemble de la société française. Sans doute, les Français rejoignent-ils sur ce point le sentiment du politologue François Goguel qui observait récemment : « Je redoute l'existence d'une force politique qui, n'ayant qu'une idée en tête, serait incapable d'exercer le pouvoir, et qui est en outre inapte à contribuer à une éducation politique globale du citoyen »[5]. Opinion partagée également, semble-t-il, par Michel Rocard, pour qui « il y a dans la montée des partis verts un risque pour l'écologie de se limiter à un groupe de pression, au lieu de devenir une nouvelle manière de penser la gestion publique. C'est dans tous les partis qu'il faut une pensée verte »[6].

Des responsabilités certaines

Pour défendre l'environnement, les Français font d'abord confiance aux municipalités (49%), puis aux associations de défense de l'environnement (46%), à l'initiative de chacun (38%) et, pour 20% seulement, au Secrétariat d'État à l'Environnement, pour 11% au gouvernement, 7% aux parlementaires et 3% aux partis politiques... Chiffres qui ne font que confirmer le discrédit dont souffre l'ensemble de la classe politique.
Enfin, l'environnement est considéré, parmi six grands domaines d'action, comme le seul où « l'échelon local » représente (pour 62% des Français) la plus grande efficacité potentielle. Cette large majorité se répartit ainsi : 31% pour la commune, 20% pour la région et 11% pour le département. 22% estiment que l'Europe est la mieux placée et 15% continuent de faire confiance à l'État. Pour conclure, sur une note plus « personnalisée », on peut signaler que, parmi ceux auxquels les Français font le plus confiance pour défendre l'environnement, c'est le commandant Cousteau, officier de marine, océanographe et cinéaste, qui arrive largement en tête, avec 54% des suffrages. Il devance le géologue et volcanologue Haroun Tazieff (14%), l'actuel chef de file des Verts Antoine Waechter (12%) et le Secrétaire d'État à l'Environnement, lui-même ancien « leader » écologiste, Brice Lalonde (5%).

Le commandant Cousteau   Haroun Tazieff

(1) SOFRES, *Le Figaro-Europe 1*, mars 1989 : « Percée des écologistes : l'opinion des Français ». IPSOS, *Le Point*, mars 1989 : « Le fond de l'air est vert ». Louis-Harris, *L'Express*, mars 1989 : « Quel avenir pour les Verts ? » IFOP-RTL, *Le Monde*, juin 1989 : « L'éclatement de l'électorat de F. Mitterrand et le centrisme secret des Verts ». SOFRES, *Le Figaro-Europe 1*, décembre 1989 : « Les prédictions des Français pour l'an 2000 ».
(2) Cf. *Échos* n° 57, pp. 2-3.
(3) Cf. *Échos* n° 53-54, pp. 5-10.
(4) Cf. *Échos* n° 55, pp. 8-9.
(5) Cité par *Le Point*, 3 avril 1989.
(6) In *L'Express*, 12 août 1989.

Le sport, en forme?

Les Français sont de plus en plus sportifs. Quels sports pratiquent-ils, comment et pour quoi faire ?
Entre loisir, compétition et spectacle, amateurisme et professionnalisme, le sport est un fait de société majeur.
Mais la France est-elle vraiment une nation sportive ?

Après les Jeux Olympiques de Séoul qui ont vu la France se comporter honorablement, se classant au 9ᵉ rang mondial et au 2ᵉ rang européen, avec 16 médailles (6 d'or, 4 d'argent et 6 de bronze), on peut se réjouir, se désoler ou se contenter de ces résultats. Mais, dans tous les cas, ce bilan ne concerne qu'une infime minorité de sportifs français, l'élite de l'élite, en l'occurrence moins de 250 personnes. En revanche, si l'on considère, au vu des médias, presse écrite et, plus encore, télévision, que le sport est désormais un véritable phénomène de société, on peut s'interroger sur sa place et son rôle dans la vie des Français.

Une nation sportive

Plusieurs éléments de réponse à cette interrogation ont été récemment donnés par trois chercheurs à l'Institut national du sport et de l'éducation physique (INSEP), qui ont effectué une «enquête nationale sur les usagers sportifs du temps libéré ». Derrière cette formulation quelque peu teintée de jargon sociologique, il faut comprendre que Catherine Louveau, Michèle Métoudi et Paul Irlinger ont observé et analysé les pratiques physiques et sportives des Français.
Leur travail vient heureusement actualiser une enquête similaire publiée en 1981 par le Service d'études et de recherches du ministère de la Culture. Cette enquête, qui portait sur la période 1973-1981, faisait ressortir que plus de 45% de nos compatriotes (52% des hommes et 40% des femmes) exerçaient une activité physi-

que. En 1985-1986, on estimait, à partir de chiffres fournis par les fédérations sportives, que ce pourcentage atteignait 50%.
Aujourd'hui, si l'on en croit les données de l'enquête de l'INSEP, 75% des Français pratiquent un sport. Lorsqu'on compare ce dernier pourcentage, particulièrement important, au nombre assez modeste de médailles remportées par la France à Séoul, on peut s'étonner qu'une nation aussi sportive n'obtienne pas de meilleurs résultats dans les grandes compétitions internationales.
L'explication réside peut-être dans les chiffres relatifs à la natation que, selon l'INSEP, pratiqueraient 22,5% des Français. Chiffres surprenants que les taux de fréquentation des piscines ne laissaient pas entrevoir. Mais, comme le fait observer le journaliste sportif Alain Giraudo, «nombre des 3 000 personnes interrogées pour les besoins de l'enquête ont sans doute estimé que baignade équivalait à natation »[1].
Pourtant, lorsque cette même enquête indique que 10% des Français pratiquent le ski (7,5% en 1981), ce pourcentage coïncide parfaitement avec les 5 millions de personnes accueillies dans les stations de sports d'hiver.
De même, les 6,8% de Français qui déclarent jouer au football recouvrent bien les 3,5 millions de joueurs licenciés et non licenciés, recensés par les responsables de ce sport.
Autre exemple, les véliplanchistes représentent 4% de la population sportive, ce qui correspond exactement au parc existant de 500 000 planches à voile.
Il n'en est toutefois pas de même pour l'ensemble des activités sportives. On dénombre ainsi

7 millions de pratiquants de « jogging » (2,5 millions en 1981) pour seulement 100 000 licenciés à la Fédération française d'athlétisme ; 1,4 million de joueurs de ping-pong et 110 000 licenciés ; 696 000 motards et 12 000 licenciés ; 400 000 pratiquants de ski nautique et 8 000 licenciés, etc.

Les écarts, souvent énormes, existant entre ces chiffres, illustrent bien la différence entre ceux qui pratiquent un sport comme loisir (dans tous les lieux où cela est possible : rues, prés, pour les « joggers » ; plages pour les volleyeurs ; mers, lacs, étangs, pour les skieurs nautiques...) et ceux qui le pratiquent en compétition (sur piste, en salle, sur des plans d'eau...).

En revanche, le golf, sport apparemment en plein essor, compte 100 000 licenciés (55 000 pratiquants en 1981) mais ne figure pas parmi les trente-six sports les plus pratiqués en France. À ces divers sports auxquels s'adonnent les Français, qu'ils soient ou non licenciés à une Fédération, il faut ajouter les pratiques qui ressortent davantage de l'activité physique individuelle : gymnastique (26,3%, contre 10% en 1981) ; marche (24,9%, 18% en 1981) ; natation (22,5%, 14,7% en 1981) ; vélo (15,4%, 7,8% en 1981)...

Le nombre d'habitants de l'Hexagone pratiquant un sport individuel ne cesse de croître : ils sont aujourd'hui environ 50% (contre 32% en 1981 et 25% en 1973) parmi lesquels de plus en plus de femmes, désormais presque aussi nombreuses que les hommes.

Si des sports, implantés depuis déjà longtemps, comme les arts martiaux d'origine extrême-orientale (judo, karaté, aïkido...) ou le squash n'ont que 0,6% de pratiquants, d'autres, plus proches de l'aventure, font chaque jour davantage d'adeptes : qu'il s'agisse de l'alpinisme, de l'escalade à mains nues, du deltaplane, du parapente ou du « rafting »... Ici, l'individu est souvent seul face à la nature, dont l'hostilité est parfois plus difficile à vaincre que l'adversaire (sinon soi-même) affronté dans une compétition.

Tous sports confondus, on constate, dans les villes comme dans les villages, que les associations sportives sont de loin les plus nombreuses et celles qui comptent le plus d'adhérents (plus de 8 millions, contre moins de 4 millions pour les syndicats ou organisations professionnelles, 2,7 millions pour les associations culturelles ou musicales et 2,2 millions pour les associations de parents d'élèves)[2].

▪ **A**mateurs et professionnels

Si, désormais, trois Français sur quatre ont une activité sportive, il faut conclure non seulement à une véritable « explosion des pratiques »[3] – des plus jeunes (les « poussins ») aux plus anciens (les « vétérans »), le sport concerne tous les âges de la vie – mais aussi à une authentique démocratisation.

Ainsi, selon les chercheurs de l'INSEP, l'écart constaté, par exemple, entre la pratique sportive des agriculteurs et celles des membres des professions libérales s'est nettement réduit.

Toutefois, des inégalités demeurent : les cadres habitant les grandes villes constituent toujours la catégorie sociale professionnelle la plus « sportive », et c'est entre les femmes des villes et les femmes des campagnes que la différence est la plus sensible.

Une chose est sûre : quelle que soit leur appartenance socioprofessionnelle, l'immense majorité de la population « sportive » est constituée d'amateurs, c'est-à-dire d'hommes et de femmes qui pratiquent des activités physiques pour se divertir, et non pour réaliser des performances, ou pour développer leur corps, l'épanouir, être en forme, se sentir « bien dans sa peau, lutter contre le vieillissement »…

Pour leur part, les sportifs professionnels, semi-professionnels ou « amateurs marrons »[4] sont estimés à 40 000, dont 10 000 de « haut niveau ». Ils vivent totalement ou partiellement du sport qu'ils pratiquent, payés par leur club, aidés par leur fédération ou, de plus en plus, par des entreprises privées qui les parrainent ou, parfois, les emploient.

Des sportifs connus ont ainsi été recrutés par des sociétés qui leur dispensent une formation, leur donnent un emploi et leur accordent des facilités pour s'entraîner, leur permettant de mener leur carrière sportive tout en préparant leur reconversion. Situation avantageuse pour le sportif, publicité non négligeable pour l'entreprise dont l'image de marque est ainsi « dynamisée ». On peut compléter ce panorama de la France sportive avec tous ceux qui, sans être pratiquants, s'intéressent au sport. Car le sport, on le sait, est devenu un spectacle, et l'un des plus prisés, notamment grâce à la télévision. Les reportages sportifs sont, après les films, les émissions les plus suivies : 75,8 % des pratiquants les regardent, mais aussi 58,1 % des non-pratiquants (cependant 19 % des hommes et 39 % des femmes ne les regardent jamais). Les hommes préfèrent le football (55 %) et le tennis (53 %), les femmes le patinage artistique (54 %) et la gymnastique (49 %).

À l'heure où journalistes, politologues, sociologues parlent du divorce entre le pouvoir politique et la société civile, force n'est-il pas de constater, lorsqu'on met en regard les millions de pratiquants et le très faible engagement de l'État (0,22 % du budget), que ce divorce est particulièrement évident en matière de sport ?

(1) *Le Monde*, 29 avril 1988.
(2) Sur la vie associative, cf. *Économie et Statistique*, n° 208, mars 1988.
(3) A. Giraudo, *op. cit.*
(4) Qui reçoivent de l'argent en sous-main.

Le football comme cérémonie religieuse

... Ma passion pour le football (...) prend corps et s'exprime essentiellement dans les stades. Je les fréquente depuis toujours. Je pourrais vous parler de dizaines d'entre eux. Là, derrière les buts, (...) j'ai vu des centaines de matches. Là, j'ai eu peur. Je me suis tu et réjoui. J'ai crié. Il m'est arrivé d'insulter des arbitres. Toute passion ronge de l'intérieur.

(...) À Londres (ô ces lieux de recueillement rare, d'où s'élèvent hymnes et cantiques !), à Bruxelles, Amsterdam, à Milan et à Rome ; tout comme à Valenciennes, Lens, Nœux-les-Mines et à Saint-Ouen, j'ai participé à des cérémonies tantôt païennes, tantôt religieuses, dont je ne suis jamais sorti indemne. Le football m'a usé, disais-je. Il me semble qu'en même temps il m'a vivifié. Pour lui, j'aurais pu me battre. Dans chacun des stades que j'ai fréquentés, j'ai balbutié d'étranges et bien naïves prières, des vœux, des menaces aussi. J'y ai ri. Il m'est arrivé d'y pleurer.

(...) Je ne prie plus. Je crois pouvoir me permettre d'écrire que je hais les prêtres. Mais je possède encore en moi la conviction profonde — divine peut-être — que cette démarche, cette ritualisation, peuvent, malgré tout, aider à renverser le sort du combat à venir.

(...) Ma passion perdue. Je lui parle et « tiens auberge avec elle ». Nous cheminons ensemble vers ce lieu du dedans, là-bas, le stade, là-bas, regardez, déjà les lumières des pylônes s'allument.

FRANK VENAILLE
La tentation de la sainteté
Éd. Flammarion, coll. Textes.

La passion automobile des Français

L'automobile fascine toujours.
Lente à démarrer au début de ce siècle, elle a ensuite rapidement conquis tous les Français. Ils lui vouent une véritable passion, malgré son coût et ses dangers. C'est avec elle qu'ils entreront dans le XXIe siècle.

« Je crois que l'automobile est aujourd'hui l'équivalent assez exact des grandes cathédrales gothiques. Je veux dire une grande création d'époque, conçue passionnément par des artistes inconnus, consommée dans son image, sinon dans son usage, par un peuple entier qui s'approprie en elle un objet parfaitement magique [1]. » Cette « croyance » de Roland Barthes en l'automobile comme équivalent des grandes cathédrales, peut aujourd'hui paraître très excessive ; en revanche, on peut estimer qu'elle est encore, pour beaucoup de nos contemporains, un « objet parfaitement magique ». Cette magie, toutefois, n'est pas de l'ordre du mystère – la voiture est un objet ordinaire, connu, de sa conception initiale au produit fini – mais de l'ordre de la fascination. Hommes et femmes, jeunes et moins jeunes, à revenus élevés ou modestes, demeurent fascinés par cette « création », comme en témoigne le nombre toujours croissant de visiteurs qui se pressent à chaque Salon de l'auto [2].

Fou du volant

Un lent démarrage

Pour Barthes, la voiture est le symbole même de la « promotion petite-bourgeoise ». De fait, jusqu'à la veille de la Seconde Guerre mondiale, elle reste l'apanage des milieux aisés, et « sa possession conserve une haute valeur de différenciation sociale » [3].
En 1895, dans une France qui est au premier rang des pays où cette invention a vu le jour, on dénombre 350 automobiles. Aux États-Unis, les premières voitures – une douzaine – sont construites en 1896. Le comte Albert de Dion, fondateur de l'Automobile Club de France, est alors le premier constructeur mondial de voitures à essence. Cependant, lorsqu'éclate le conflit de 1914, les États-Unis produisent déjà dix fois plus de véhicules que la France – pourtant toujours en tête en Europe – et comptent une voiture pour 77 habitants contre une pour 318 dans notre pays. En 1927, la population américaine est déjà très largement motorisée, avec une voiture pour 5,3 habitants, quand la France n'en possède qu'une pour 44. Le prix d'une automobile correspond alors à 400 journées de travail d'un ouvrier français, contre 25 d'un ouvrier américain.
Réalité incontestable aux États-Unis, dès les lendemains de la Première Guerre mondiale, la démocratisation de la voiture ne s'accomplira en France que beaucoup plus tard.
En 1949, 2% seulement des acheteurs de voitures sont des ouvriers ; ils seront 7% en 1955. À la même époque, il n'y a guère plus d'un ménage sur cinq qui possède une voiture ; on en compte aujourd'hui environ quatre sur cinq.

▓ Une brusque accélération

Au cours des vingt dernières années, les taux d'équipement automobile des catégories socioprofessionnelles les plus modestes (salariés agricoles, ouvriers, employés) se sont très sensiblement rapprochés de ceux des couches plus aisées (cadres moyens, cadres supérieurs et professions libérales) : un peu moins de 90% pour le premier groupe, un peu plus de 95% pour le second. Ce processus de « banalisation du bien automobile »[4] s'est même étendu à la multi-possession (deux voitures ou plus par ménage) qui, pendant longtemps, était apparue comme l'un des critères les plus déterminants de la différenciation sociale. Depuis 1973, le taux de multi-équipement des ménages ouvriers a triplé et celui des agriculteurs et employés a doublé, augmentations très supérieures à celles observées chez les cadres et professions libérales. Ces derniers restent cependant les plus nombreux « multi-possesseurs », avec environ 50% des ménages propriétaires de deux voitures.

Sur l'ensemble de la population, toutes catégories sociales confondues, on constate qu'il n'existe pour ainsi dire plus de ménages sans automobile, en dehors des personnes seules et des personnes âgées. Comme le notait récemment un chercheur de l'Institut national de la statistique et des études économiques (INSEE) : « Il est possible que la possession d'une automobile soit vécue comme une norme à laquelle on ne peut se soustraire sous peine de laisser paraître une situation de dénuement ressentie comme dévalorisante[5]. »

▓ La « préférence automobile »

Outre la multi-possession, le choix du modèle automobile, sa marque, sa puissance constituent également des indices d'écart social. « Comme tous les biens de consommation, mais d'autant plus qu'il s'agit d'un bien durable et viable, de l'extérieur, l'automobile a, outre sa valeur d'usage, une valeur symbolique. Celle-ci intervient comme élément constitutif d'un style de vie, lequel fonctionne comme signe d'occupation d'une position dans l'espace[6]. » Au-delà des difficultés liées à la crise économique de ces dernières années (augmentation du prix de l'essence et des voitures, restriction du crédit, etc.), on observe la « persistance d'une préférence automobile »[7], qui s'accompagne d'un processus d'« indifférenciation croissante du bien automobile »[8]. Dans la possession de l'automobile, comme dans celle d'autres « biens de consommation durables » (réfrigérateur, télévision, machine à laver…), l'écart social n'est pas aboli, mais il s'amenuise.

Ajoutés aux chocs pétroliers de 1973-1979 et à leurs conséquences, un certain nombre de facteurs paraissent devoir affaiblir l'automobile durant les années soixante-dix.

En premier lieu, elle est responsable de l'encombrement et de l'asphyxie progressive des agglomérations et des villes. Ensuite, coûtant de plus en plus cher à l'achat, et consommant un carburant qui atteint des chiffres record, elle est désormais au troisième rang des dépenses des Français et grève sérieusement leur budget.

Enfin, et surtout, avec l'accroissement de sa puissance et donc de sa vitesse, elle est la cause d'une mortalité que l'Organisation mondiale de la santé définissait en 1982 comme le « problème épidémique le plus grave des pays industrialisés », et l'historien Jean-Claude Chesnais, spécialiste de la violence, comme un véritable « holocauste »[9].

Insignifiante au début du siècle où elle ne représente que 0,30% de la mortalité accidentelle, elle est multipliée par 80 à la fin des années soixante où elle avoisine un taux de 26%. Dès lors, la mortalité par l'automobile se classe au troisième rang des causes de décès en France, après les maladies cardio-vasculaires et le cancer. Selon les statistiques de 1972, où l'on a enregistré le chiffre record de 17 000 morts, l'automobile tue – à distance égale – 44 fois plus que le train et 6 fois plus que l'avion. Actuellement, on enregistre une moyenne de 10 000 tués par an, ce qui, compte tenu de l'augmentation du trafic routier, est considéré comme très encourageant…

On dénombre environ 23 millions de voitures, soit 40 pour cent habitants. Les Français gardent leur voiture environ six ans, ils parcourent en moyenne 13 000 km par an et dépensent 32 000 F par ménage.

L'attachement à la voiture ainsi manifesté par les Français s'apparente à une véritable passion, une passion de plus en plus exclusive, si l'on en croit les chiffres de la circulation automobile : des centaines de milliards de passagers au kilomètre par an contre des dizaines seulement pour le train ou l'avion. La différence entre celle-ci et ceux-là, surtout le chemin de fer, ne cesse de s'accroître.

■ Un espace de liberté individuelle

Pourtant, chacun s'accorde à reconnaître que la voiture est moins rapide, moins confortable et plus dangereuse que le train ou l'avion. Mais ceux-ci sont des espaces de « contraintes collectives »[10] (lieux, heures de départ et d'arrivée, arrêts, déroulement du voyage, type de conduite ou de pilotage... sont imposés), alors que l'automobile est un espace de liberté individuelle. En voiture, les contraintes sont supprimées pour le conducteur et atténuées pour les passagers (ils peuvent discuter, voire décider, avec celui qui les conduit). À la « révolution de la mobilité » qu'a constitué le chemin de fer, a succédé, en la transformant par l'« individualisation », l'« accès privé à la mobilité dans l'espace public »[11] que représente l'automobile. Ce phénomène participe pleinement du processus d'individualisation qui est en cours, depuis quelques années déjà, dans notre société et qui constitue un des traits marquants de ce qu'on appelle aujourd'hui la « modernité ». Outre l'individualisation, le « fait » automobile revêt, à l'évidence, un caractère de masse : production et consommation de masse.

Cette double caractéristique peut sembler contradictoire, elle est en tout cas partie intégrante d'une société démocratique telle que la nôtre. « La préférence automobile exprimée après-guerre, observe Paul Yonnet, traduit et signale la reprise du processus d'approfondissement démocratique, elle suppose la liquidation de pans entiers de la vieille société... (Elle) constitue l'arête centrale du passage de la France à la démocratie, sa manifestation positive – elle substitue l'individualisme de masse (...) à l'individualisme d'élite (passage de la mobilité de quelques-uns à la mobilité de tous)...[12] »

■ La voiture du XXIe siècle

Dans un rapport sur « La prospective de la consommation d'énergie », un groupe de travail pour le Huitième Plan (1981-1985), ayant pris acte de l'attachement (passion ?) des Français à l'automobile, suggérait « une politique plus rigoureuse au niveau de l'usage ». En d'autres termes, cela signifiait : permettre l'achat de voitures en abaissant leur prix, tout en limitant leur usage par des augmentations du prix de l'essence. Cette suggestion pour le moins paradoxale, prenait certes en compte la « préférence automobile » de nos compatriotes, mais ignorait la question fondamentale de l'avenir de notre « société automobile ». Celle-ci saura-t-elle réguler le flot toujours croissant de ses véhicules ou périra-t-elle asphyxiée dans un terrifiant cauchemar motorisé ?

La réponse à cette question réside sans doute dans les recherches en cours sur les « systèmes de communication multiples ». Ceux-ci devraient pouvoir indiquer aux automobilistes les itinéraires à emprunter en cas d'embouteillage ou d'accident, leur transmettre des informations sur la météo et l'état des routes, leur permettre de communiquer avec d'autres véhicules...

Avec l'électronique pour l'équipement et l'assistance à la conduite, c'est la voiture du XXIe siècle qui s'inscrit dans les programmes des ordinateurs des grands constructeurs mondiaux. PROMETHEUS[13] est le nom du plus ambitieux de ces programmes.

(1) Roland Barthes, *Mythologies*, Le Seuil, 1957, 1970.
(2) Le premier Salon organisé à Paris, aux Tuileries, en 1898, a reçu 140 000 visiteurs. Les derniers ont accueilli près d'un million de personnes.
(3) Paul Yonnet, dans *Le Débat*, n° 31, septembre 1984.
(4) P. Yonnet, *art. cit.*
(5) Olivier Choquet, dans *Données sociales*, INSEE, 1984.
(6) O. Choquet, *op. cit.*
(7) P. Yonnet, *art. cit.*
(8) *Ibid.*
(9) J.-C. Chesnais, *Histoire de la violence*, Laffont, 1981 et « Les morts violentes en France depuis 1826 » dans *Cahiers de l'INED*, n° 75, PUF, 1976.
(10) P. Yonnet, *op. cit.*
(11) *Ibid.*
(12) *Art. cit.*
(13) Program for a European Traffic with Highest Efficiency and Unprecedented Safety.

« Un jour, je me suis trouvé possesseur d'une 6 CV Renault... »

« ... Un jour, je me suis trouvé possesseur d'une 6 CV Renault, du type "tous temps". Expliquons-nous : c'était un modèle hors série, très perfectionné, d'une conception audacieuse. Grâce à un ingénieux système de glaces mobiles et de boulons, vous aviez une voiture découverte à la bonne saison et une conduite intérieure pour les grands froids. En somme, deux voitures dans une. Trois personnes, en se serrant, y tenaient « en trèfle » – encore un de ces raffinements dont on ne saurait se faire une idée aujourd'hui. Je me suis vite complu à ses formes originales, changeantes, et déjà un peu hors de mode : haute sur roues, comme montée en graine ; elle tenait encore de la victoria et du coupé. Sa couleur réséda n'était pas du tout banale. Quant au moteur à deux cylindres, il n'était pas trop usé.

On me l'a livrée à ma porte. J'ai tenu à en faire l'essai sur-le-champ et j'ai invité mon père à cette petite fête. Elle a démarré brusquement, un peu contre mon gré ; j'avais dû heurter une manette. Le vendeur m'avait prévenu : elle était nerveuse. Nous roulions de plus en plus vite car la rue Serpollet est en pente. Je me suis rendu compte que j'avais oublié tout ce que l'on m'avait enseigné à l'école des chauffeurs. Certes, j'avais mon permis en poche, mais il me manquait sûrement de la pratique. Arrivé au bas de la descente, je ne me rappelais toujours pas ce qu'il convenait de faire pour arrêter ce véhicule. Mon père avait l'air anormalement nerveux. Par bonheur, je savais très bien tourner ; c'est ce que j'ai fait, à plusieurs reprises, sur la place, tout autour du monument sculpté à la mémoire de Serpollet l'inventeur, comme on sait, de la voiture à vapeur. J'ai su attendre l'instant où elle s'est immobilisée d'elle-même, tout près de l'entrée d'un garage. Il est possible que les spectateurs de cette ronde involontaire l'aient prise pour une manière d'hommage tardif rendu par l'apprenti au pionnier.

Après ces débuts, j'ai causé une suite d'accidents, plus ou moins notables. Mais, fort heureusement, c'était, ainsi que me l'avait affirmé le vendeur, "de la petite voiture solide". J'ai réussi à la casser quand même, assez rapidement. »

HENRI CALET
Les grandes largeurs,
Gallimard, 1951.

La mode dans le miroir

Née au XIXe siècle, la mode s'est très rapidement développée. Elle a pris une grande importance culturelle et économique puis elle s'est internationalisée et démocratisée. Avant de s'adapter à l'individualisme de la société actuelle. Qu'en sera-t-il demain ?

Phénomène majeur de notre temps, la mode s'articule sur deux axes principaux : une création de luxe et sur mesure, la haute couture, et une production de masse, bon marché, la confection industrielle. Celle-ci imite plus ou moins les modèles « griffés » de la haute couture. La mode est un système différencié (par ses techniques, ses prix, ses finalités, ses publics…) qui correspond à une société où coexistent des hommes et des femmes aux styles et aux comportements les plus divers.

En dépit des développements relativement récents et importants de la mode masculine, la mode demeure un phénomène essentiellement féminin. Rien de vraiment comparable pour les hommes à la haute couture, avec ses « maisons » prestigieuses, ses défilés saisonniers, ses mannequins vedettes et, bien sûr, ses « grands couturiers ». La mode féminine vise deux catégories de femmes bien distinctes, alors que son homologue masculine est plus égalitaire.

Naissance et développement de la haute-couture

Sous l'enseigne « *Robes et manteaux confectionnés, soieries, hautes nouveautés* », Charles-Frédéric Worth, un Britannique établi en France, crée la première maison de haute couture, à l'automne 1851, rue de la Paix à Paris.

Les premiers mannequins, alors appelés « sosies », présentent aux clientes fortunées des modèles inédits qui seront ensuite exécutés à leur mesure.

L'élan est donné : des dizaines de maisons apparaissent au cours des décennies suivantes. À l'exposition universelle de 1900, elles sont vingt, auxquelles viennent s'ajouter Lanvin en 1909, Chanel et Patou en 1919. On en compte soixante-douze à l'exposition des Arts décoratifs de 1925. Elles emploient de cent à deux mille personnes, mais la taille de leurs effectifs ne saurait rendre compte du poids qu'elles représentent dans l'économie du pays. Grâce à cette industrie de luxe qu'est la haute couture, l'exportation de vêtements, dans les années vingt, occupe la deuxième place du commerce extérieur français. Les seules ventes de produits de haute couture représentaient 15% de l'ensemble des exportations françaises[1].

Les saisons de la mode

Dès l'origine, la haute couture se différencie de la mode « ordinaire » qu'elle régularise plus qu'elle ne lui donne de nouvelles impulsions. La mode, qui vit sur un rythme élevé, est très liée à l'actualité, d'où une indéniable spontanéité, voire un certain désordre.

La haute couture conduit et institutionnalise le renouvellement : les présentations sont d'abord bi-annuelles (fin janvier : collection d'hiver, début août : collection d'été), puis quadriannuelles, avec les « demi-saisons » (avril : collection de printemps, et novembre : collection d'automne). Souvent, les collections de demi-saisons ne font qu'annoncer les caractéristiques des modes d'hiver et d'été. Une « normalisation du changement » a progressivement remplacé une « logique fortuite de l'innovation »[2].

Internationalisation et démocratisation de la mode

Si la mode a longtemps conservé des caractéristiques nationales, la haute couture puis la confection ont contribué à lui faire abandonner son « nationalisme », en lançant sur le marché des modèles originaux et des copies identiques pour tous les pays. « La mode moderne, fût-elle sous l'autorité luxueuse de la haute couture, apparaît ainsi comme la première manifestation d'une consommation de masse, homogène, standardisée, indifférente aux frontières »[3].

L'hégémonie de la haute couture parisienne a débouché sur une homogénéisation mondiale. Les costumes nationaux ou régionaux, les vêtements propres à telle ou telle couche sociale ont peu à peu disparu, au profit d'un habillement confectionné industriellement, selon une standardisation de masse. La mode s'internationalise et se démocratise. Mais elle n'est pas synonyme d'uniformisation (ou « égalisation du paraître ») car des signes subtils de différenciation demeurent (coupes, griffes...) et continuent à « assurer les fonctions de distinction et d'excellence sociale »[4]. La distance sociale se réduit et de nouveaux critères apparaissent : la jeunesse, la liberté et l'épanouissement corporels, le confort, etc. Simplicité et individualité vont de pair, « ensemble ils désignent le passage de la mode d'un stade aristocratique où l'affirmation du rang est prépondérante au stade démocratique-individualiste où la reconnaissance sociale est tributaire de l'affirmation de la personnalité singulière »[5].

Ce dernier type de mode se caractérise par un style spécifique (« sportif », « jeune cadre dynamique », « bon chic, bon genre »...) qui ne remet pas en cause l'homogénéisation presque générale, mais qui institue la coexistence de styles différents sinon opposés. Cette démocratisation de la mode a eu pour corollaire le développement, puis la généralisation du « désir de mode ». Le goût de la nouveauté s'est répandu dans toutes les couches de la société, l'accès aux « frivolités » est devenue une aspiration égalitaire. Être « à la mode » est un nouvel impératif social, paraître « démodé » devient un « interdit de masse ». Le droit à la mode s'est mué en devoir de mode. Toutefois, au cours des années 1960, la mode, sous l'impulsion de créateurs dynamiques et originaux, est (re)devenue véritablement plurielle.

La mode et l'individualisme

La haute couture a individualisé la mode, mais elle l'a aussi « psychologisée » en créant des modèles correspondant à des types de personnalités, de caractère, d'affectivité. La mode peut être jeune, gaie, sportive, romantique, insolente, sophistiquée, décontractée… Reflet, naguère, des différences sociales, elle est aujourd'hui essentiellement l'expression de libertés individuelles. La haute couture elle-même est tributaire de ses choix personnels : elle « lance » une mode, mais ignore ce qu'elle deviendra en fin de compte, lorsque le public l'aura adoptée et adaptée à son goût. « Le couturier propose, la femme dispose », dit-on… Sans l'imposer, la haute couture programme la mode, la conçoit et, en offrant un large éventail de choix, prend en compte « les goûts et les couleurs » du public.

▨ **V**êtements, mode et look

Si l'habillement s'inscrit dans l'ensemble des « techniques du corps », ainsi que le faisait remarquer naguère l'anthropologue Marcel Mauss[7], il est indissociable des soins esthétiques et des pratiques sportives. Cette observation de Nicolas Herpin, dans un article d'*Économie et statistique* sur « l'habillement et le corps »,[8] met l'accent sur une caractéristique qu'à tort ou à raison l'on prête souvent aux Français(es) : la *coquetterie*. Ce « souci de plaire », ce « goût de la toilette » ont été mesurés à l'aide d'une série d'indicateurs portant sur diverses pratiques (maquillage, parfum, coiffeur, régime alimentaire, soins de beauté…).

Selon ces indicateurs, 10% des femmes et 8% des hommes appartiennent au groupe des « coquettes » et des « coquets ». Les « coquettes » de moins de 45 ans dépensent deux fois plus que la moyenne des femmes de cette classe d'âge, tandis que les « coquets » dépensent 36% de plus que la moyenne des hommes de leur génération. On constate également que la coquetterie n'est pas une caractéristique des habitants des villes et même des grandes villes, qu'elle n'est pas propre aux plus jeunes et ne disparaît pas chez les plus âgés. Géographiquement, les régions les plus « coquettes » sont celles du sud de la France (Sud-Ouest et côte méditerranéenne).

Si coquetterie et sport ne sont pas liés chez la femme comme ils le sont chez l'homme, la pratique sportive n'en influe pas moins très directement sur les dépenses d'habillement. Comme l'écrit N. Herpin, « les loisirs en général et le sport en particulier ont bouleversé la structure des garde-robes ». Les survêtements de « jogging », les tenues de tennis (chemisette, short, chaussures…) ou de sports d'hiver (blouson, anorak, pantalon, fuseau…) se substituent de plus en plus souvent aux vêtements plus classiques (veste, imperméable, manteau…).

Les dépenses d'habillement des « sportifs », hommes et femmes, sont supérieures de 50% à celles de la moyenne des adultes de moins de 45 ans. Ils sont donc bien, avec les « coquets », les plus gros « consommateurs » de vêtements. Les « coquets », les « sportifs », mais aussi les jeunes. Ceux-ci, en effet, s'étant « emparés de la mode (…) sont devenus les plus gros consommateurs de vêtements » (Paul Yonnet)[9]. Au cours des vingt dernières années, les jeunes ont eu *leurs* modes qui furent, successivement ou simultanément : « pop », « hippie », « baba », « punk », « new wave », « fun » ou « minet », « BCBG », « branchée » ou « câblée ». À toutes ces modes ont correspondu autant de démarches de consommation. En dépit de la crise du chômage qui les frappe, les jeunes d'aujourd'hui sont bien de gros consommateurs de vêtements. Selon l'INSEE, ils disposaient en 1985 d'une revenu mensuel moyen de 2 195 F, soit au moins le double de leurs aînés de 1965.

▨ **M**ode et styles de vie

Ces trois catégories (coquets, sportifs, jeunes) ne sont toutefois pas les seules à s'intéresser à la mode et à acheter des vêtements. Les experts en « styles de vie » du Centre de communication avancée (CCA)[10] distinguent quatre grandes catégories ou familles : les « décalés », les « rigoristes », les « activistes » et les « frimeurs ».

Les « décalés », soit 20% des Français, (issus des couches moyennes ou aisées de la société, ayant souvent effectué des études supérieures et vivant généralement en ville) se veulent anticonformistes. « Ils peuvent porter des vêtements d'hiver l'été, des vêtements d'été l'hiver, vêtements qu'ils conserveront aussi bien trois ans que huit jours. Ils aiment acheter de bric et de broc et fixent leur propre look en mixant leurs tenues (...). Ils adorent détourner un vêtement de sa fonction : le jean sous le manteau de fourrure, la chemise en soie sous la salopette (...). Ils n'ont pas un style, ils ont un look qu'ils se composent[11]. »

« Les ''rigoristes'' (20% également des Français, âgés de moins de 35 ans, issus des milieux aisés, souvent diplômés de l'Université et habitant les villes) sont des conservateurs qui n'hésitent pas à s'affirmer comme tels. ''Réalistes, travailleurs, bons gestionnaires'', ils se prononcent pour le ''classique indémodable'' : tailleur pied-de-poule, jupes plissées pour les femmes, costumes trois-pièces prince de Galles, blazers pour les hommes. ''Ils aiment les matières épaisses, denses, solides, chaudes, bien architecturées'', des produits qui doivent ''traver-

ser le temps sans s'user ni se démoder''. »[12] Les « activistes » (14% des Français, la quarantaine, cadres ou membres des professions libérales), « des gens qui veulent être à la mode, sans retard ni avance ». Leurs tenues de travail sont élégantes, mais fonctionnelles ; sportifs (jogging, tennis...), ils portent des vêtements de sport durant leur temps de loisir ; lorsqu'ils sortent, ils sont fidèles à des vêtements de coupe classique. « Ils achètent beaucoup par impulsion, dépensent énormément en mode »[13].

Les « frimeurs » (6 à 7% des jeunes Français qui n'ont pas fait d'études supérieures et sont souvent à la recherche d'un emploi), ce sont « les cousins pauvres des décalés, (...) ; consommer du look est leur seule manière d'exister socialement, à la condition de prix à leur

portée. Ils lancent des modes (le noir et blanc), se vêtent d'uniformes provocants sur le modèle de telle ou telle «star» du «show-biz». Leur mode est essentiellement «made in USA».
Diversité des styles de vie, diversité des modes. La mode est désormais plurielle, les modes cohabitent. Ce pluralisme de la mode est à l'image de celui de notre société. La mode vestimentaire est le reflet d'une société, «plus que toute autre forme de mode, (elle) informe sur l'époque, sur les mouvements économiques et culturels qui la secouent »[14].
«Industrie dont la raison d'être est de créer de la nouveauté», selon le couturier Paul Poiret (1879-1944), la haute couture, comme le cinéma, est également un art, une permanente innovation esthétique. Sans nier son rôle dans la recherche de la «distinction sociale»[6] la haute couture semble actuellement surtout liée à l'idéologie individualiste qui affirme la primauté de l'individu sur la collectivité sociale. Les progrès et les succès de la haute couture n'ont, à l'évidence, pas été sans répercussion économique, mais ils restent essentiellement dus à la liberté et à l'originalité des créateurs.
Si elle maintient la tradition aristocratique de la mode avec ses aspects luxueux, la haute couture s'oriente également vers une production diversifiée, conforme à l'individualisme de la société actuelle. N'est-ce qu'une étape ou bien la dernière phase de son évolution?

(1) Actuellement, le chiffre est d'environ 0,15% sur un total d'environ 2% pour l'ensemble des articles d'habillement.
(2) Gilles Lipovetsky, «La mode de cent ans» dans *Le Débat* n° 31, septembre 1984.
(3) *Ibid.*
(4) *Ibid.*
(5) *Ibid.*
(6) Cf. Pierre Bourdieu, *La Distinction*, Éd. de Minuit, 1979.
(7) In *Sociologie et anthropologie* (PUF, 1950), cité par N. Herpin.
(8) *Économie et statistique*, n° 196, février 1987 (INSEE).
(9) In *Jeux, modes et masses*, Gallimard, 1985.
(10) Service de recherche du groupe Havas qui, depuis 1970, analyse la société française à travers les «styles de vie», c'est-à-dire les comportements et les mentalités des Français.
(11) In *Le Nouvel Observateur*, 9-15 octobre 1987.
(12) *Ibid.*
(13) *Ibid.*
(14) *Ibid.*

La haute couture et le prêt-à-porter

La haute couture se compose actuellement de 22 maisons. Ces maisons sont des entreprises qui créent chaque saison des modèles originaux destinés à être reproduits aux mesures de leurs clientes. Pour bénéficier de cette appellation « haute couture », qui est juridiquement protégée, elles doivent remplir les critères suivants :
– employer au minimum vingt personnes à la production dans leurs propres ateliers ;
– présenter à la presse chaque saison de printemps-été et d'automne-hiver, une collection d'au moins soixante-quinze modèles (cette présentation doit se dérouler à Paris) ;
– présenter à la clientèle cette collection sur trois mannequins vivants et au minimum quarante-cinq fois par an.

Chaque année, la haute couture présente en janvier les collections printemps-été et en juillet les collections automne-hiver.
Les modèles présentés sont soit reproduits par l'entreprise elle-même aux mesures des clientes, soit vendus sous forme de patrons en papier ou de toiles à des acheteurs français et étrangers ayant un droit de reproduction.
La haute couture compte environ trois mille clientes particulières dans le monde, dont un très grand nombre de clientes étrangères.
Quant aux acheteurs, ils sont également étrangers dans leur grande majorité.
La haute couture constitue un laboratoire de recherches et un vecteur promotionnel exceptionnel, puisque, chaque saison, plus de mille deux

cents pages rédactionnelles lui sont consacrées dans la presse du monde entier, ainsi que plusieurs émissions de télévision et que les collections attirent à Paris, à chaque présentation, plus de sept cents journalistes français et étrangers.

Le phénomène de la haute couture est exceptionnel, non seulement du fait de la créativité et de la qualité de ses fabrications, mais également du fait des nombreux effets induits qu'elle génère. Elle est, en effet, le moteur de multiples activités, qu'il s'agisse du textile, du prêt-à-porter, de la fourrure, de la lingerie, des accessoires divers (joaillerie, maroquinerie, foulards...), de la parfumerie.

Ambassadrice d'une tradition française de qualité, elle renforce l'image de marque des produits français et favorise, de ce fait, l'exportation d'autres productions plus standardisées et plus mécanisées. Il n'est pas rare, en effet, que l'on fasse appel à la renommée internationale des griffes des couturiers pour « promotionner » des produits industriels sans rapport direct avec la mode. Conscients de l'importance de la haute couture au regard de leur image de marque, les couturiers ont su la maintenir à son meilleur niveau, tout en diversifiant leur activité afin de s'adapter à l'évolution du style de vie et à la modification de la structure de leur clientèle.

Ils ont tous, à l'heure actuelle, développé, parallèlement à cette activité, la création d'accessoires et un secteur « prêt-à-porter .

Ils ont été rejoints par des créateurs de mode qui eux se consacrent exclusivement au prêt-à-porter, mais dont l'image de marque dans ce domaine s'apparente à celle des couturiers.

Les couturiers ou les créateurs soit fabriquent eux-mêmes leurs modèles de prêt-à-porter dans des ateliers ou des établissements leur appartenant, soit réalisent le prototype, mais en confient la reproduction à des façonniers auxquels ils fournissent la toile ou le patron ainsi que la matière première.

Dans ces deux cas, le couturier ou le créateur assure ensuite lui-même la distribution de ses produits par l'intermédiaire de boutiques exclusives gérées en direct, de boutiques en franchise, ou bien de détaillants ou dépositaires de la marque.

Ils peuvent aussi réaliser uniquement le prototype et confier entièrement la fabrication des modèles à des entreprises de confection avec lesquelles ils concluent un contrat de licence. Dans ce dernier cas, le couturier ou le créateur peut, soit assurer lui-même la diffusion des articles portant sa griffe par l'intermédiaire de ses propres services commerciaux, soit concéder également au fabricant la distribution du produit.

Le système du contrat de licence est très largement utilisé sur les marchés étrangers. Un des principaux soucis du concédant est d'être en mesure de contrôler l'utilisation de sa griffe, afin qu'il ne soit pas porté atteinte à son image de marque. C'est la raison pour laquelle ces contrats comportent en général des clauses relatives au maintien du prestige de la marque et au contrôle des articles fabriqués et des opérations promotionnelles les concernant.

Un des problèmes majeurs que rencontrent actuellement les couturiers et les créateurs de mode, en particulier à l'étranger, est la contrefaçon de leur marque. Si ce phénomène est, comme on le dit trop souvent, la rançon de la gloire, il n'en constitue pas moins une menace pour l'économie française dans la mesure où, d'une part, il freine nos exportations et nos rentrées de devises et où, d'autre part, il amène les entreprises à engager de gros frais pour la surveillance et la défense de leur marque dans le monde entier.

En outre, la qualité plus que souvent médiocre des produits sur lesquels sont apposées frauduleusement les marques, ternit la réputation du créateur et compromet l'introduction de ses produits sur certains marchés internationaux.

La haute couture et les activités qui en découlent constituent une réalité économique qui contribue notamment à l'équilibre de la balance commerciale française. Les chiffres en témoignent.

Pour l'année 1989, le chiffre d'affaires direct pour la France et l'exportation s'établit à 3 500 000 000 francs se décomposant de la façon suivante :

- Haute couture 9,50%
- Prêt-à-porter féminin . . . . 32 %
- Prêt-à-porter masculin . . . . 21 %
- Accessoires 37,50%

Le montant des exportations s'est élevé à 2 350 000 000 francs (ce qui représente 67% du chiffre d'affaires direct).

Le chiffre d'affaires induit (c'est-à-dire le chiffre réalisé sous la marque dans le monde avec les filiales et les licenciés) atteint, pour sa part, 20 000 000 000 francs.

Si l'on ajoute à ces chiffres les activités des créateurs de mode, on obtient pour l'ensemble du secteur haute couture, prêt-à-porter des couturiers et des créateurs de mode les résultats suivants :

- Chiffre d'affaires direct France et Exportation : 5 200 000 000 F.

D'après un document de la Fédération française de la couture, du prêt-à-porter, des couturiers et des créateurs de mode.

7

ACTUALITÉ DES MÉDIAS

Le paysage audiovisuel.

Presse : des hauts et des bas.

Le paysage audiovisuel

Bien que régi par un organisme officiel, l'espace télévisuel français n'est pas moins traversé de turbulences. Partagé entre un secteur public affaibli et un secteur privé dominateur, il est l'objet de perceptions différentes. Sans doute contraint de se diversifier, il doit en tout cas, savoir séduire les téléspectateurs.

Depuis deux ans, l'audiovisuel en France est régi par un *Conseil supérieur de l'audiovisuel (CSA)*, instance de régulation chargée d'« organiser son bon fonctionnement, d'assurer son équilibre, son pluralisme et de garantir son autonomie vis-à-vis du pouvoir politique ».
Le CSA reprend à son compte les idées-forces qui avaient présidé à la création des instances précédentes, la Haute Autorité en 1982 et la Commission nationale de la communication et des libertés (CNCL) en 1986, à savoir *indépendance et pluralisme*.
Le CSA, comme ses prédécesseurs, comprend neuf membres âgés de moins de 65 ans : trois sont nommés par le président de la République, trois par le président du Sénat et trois par le président de l'Assemblée nationale.

Le rôle du CSA

Selon ses instigateurs, le ministre de la Culture, Jack Lang, et son secrétaire d'État chargé de la communication, le CSA a pour mission de poursuivre la tâche entreprise par la Haute Autorité et la CNCL, mais avec plus de pouvoirs et plus de rigueur. Il doit en particulier :
– réglementer d'une manière plus stricte les règles de la déontologie publicitaire (depuis juillet 1989, une seule coupure de publicité est autorisée dans les téléfilms et les feuilletons) et du *parrainage* (de nombreuses émissions sont désormais parrainées par des marques diverses) ;
– répartir l'argent de la redevance (la taxe annuelle que doit payer tout possesseur d'un poste de télévision ; elle est actuellement de 560 F) entre les diverses sociétés publiques (cf. plus loin) ;
– établir des contrats d'objectifs annuels ou pluri-annuels entre les chaînes publiques et l'État ;
– enfin, et surtout, le CSA peut adresser des observations, des injonctions, des sanctions en cas de non-respect du Cahier des charges (temps consacré à la publicité, quota de films étrangers non respecté, etc.). Ces sanctions peuvent aller de la simple mise en demeure au retrait de l'autorisation d'émettre (momentanément ou définitivement), en passant par des amendes (1 à 5% du chiffre d'affaires). Au cours des deux années écoulées, certaines chaînes, publiques et privées, ont soit été rappelées à l'ordre soit sanctionnées financièrement !
Outre cette fonction « répressive », le CSA, depuis sa création, doit faire face à des dossiers complexes comme ceux du câble, du satellite ou des radios locales.

Des chaînes publiques et privées

L'apparition justement des réseaux câblés et la diffusion par satellite, s'ajoutant à la multiplication récente des chaînes, offrent aux téléspectateurs une grande variété d'images françaises et étrangères. Cette situation nouvelle définit et délimite l'espace télévisuel d'aujourd'hui.
Celui-ci comprend sept chaînes, dont six « généralistes » et une à vocation culturelle et européenne. Trois de ces chaînes appartiennent au

secteur public : Antenne 2 (A2), France Régions 3 (FR3) et la Sept ; quatre sont des chaînes privées : Télévision Française 1 (TF1), Canal +, la Cinq et Métropole 6 (M6).

Longtemps monopole d'État, la télévision française s'est profondément transformée depuis 1984, année où est née la quatrième chaîne privée à péage, Canal +, mais surtout depuis 1987, avec la création de deux nouvelles chaînes privées, la Cinq et TV6 (qui deviendra ultérieurement M6) et la privatisation de la plus ancienne, TF1. On est ainsi passé, en quelques années, du monopole absolu de l'État (TF1, A2, FR3) à un surnombre des chaînes privées par rapport aux chaînes publiques. Si l'on précise que la Sept, chaîne culturelle, ne peut être captée que par les téléspectateurs reliés au réseau câblé (soit, actuellement, environ 500 000 personnes), on comprend que s'accentue le déséquilibre entre secteurs public et privé. Ce déséquilibre est née de la très forte prééminence de TF1 qui détient à elle seule entre 40 et 45% des parts d'audience de l'ensemble des chaînes (cf. tableau ci-après).

Part d'audience (%)	Chaîne	Durée d'écoute
43	TF1	86 minutes
21	A2	45 " "
13	la Cinq	26 " "
10	FR3	20 " "
7	M6	14 " "
4	Canal +	9 " "

Avec moins d'un tiers de l'audience, le secteur public est donc largement distancé par le privé, qui bénéficie ainsi de la plus grande part des ressources publicitaires. Celles-ci sont déterminantes, car elles peuvent apporter aux différentes chaînes d'importants moyens financiers. Dans le cas des chaînes publiques, elles constituent même, avec le produit de la redevance, la seule source de financement.

La résistance du secteur public

Pour tenter de remédier à l'affaiblissement du secteur public, le CSA a pris la décision, en 1989, de nommer un président, commun à A2 et FR3, Philippe Guilhaume, en lui assignant pour objectif de déterminer une stratégie susceptible de faire face à la concurrence du privé. Comment ? En harmonisant les programmes de ces deux chaînes, qui ne devraient donc plus se comporter en rivales, diffusant des émissions du même type aux mêmes heures, mais agir en complémentarité. Début 1990 ont été ainsi mises en place de nouvelles grilles de programme sur A2 et FR3, qui accordent notamment une plus grande place aux magazines de reportage.

En dépit de ces efforts, la situation des deux chaînes ne s'est pas améliorée : sur le plan de l'audience, si FR3 a regagné quelques points, A2 est restée stationnaire ; mais, surtout, sur le plan financier, les ressources publicitaires demeurant insuffisantes, le déficit s'est alourdi, atteignant 600 millions de francs. C'est pour ces raisons, et d'autres aussi peut-être plus « politiques », que P. Guilhaume a démissionné, après seulement un an et demi d'exercice. Le CSA a aussitôt nommé à sa place Hervé Bourges, ancien directeur de Radio France internationale et président de TF1 de 1983 à 1987. La tâche de ce dernier est difficile : outre la recherche de l'indispensable équilibre financier, il lui faut « remonter » l'audience des chaînes publiques, au moindre coût. En d'autres termes, peut-on envisager une « télévision publique avec les programmes culturels de la Sept et l'audience de TF1 » ?[1]. Toute la question est là, en effet, résumant toute la difficulté du « parti » du nouveau PDG d'A2 et FR3. Celui-ci, si l'on en croit ses premières déclarations, semble s'orienter vers une véritable synergie entre les deux chaînes. Il souhaite qu'A2 soit une chaîne généraliste, grand public, de divertissement, plus «haut de gamme» que TF1, tandis que FR3 serait une chaîne régionale et européenne, s'adressant à un public plus exigeant sur le plan culturel. Sans pour autant concurrencer la Sept, chaîne culturelle née en 1989, franco-allemande à vocation européenne depuis le 1er janvier 1991, la Sept est une idée ambitieuse, mais elle ne devrait pas se sentir prisonnière d'une logique commerciale soumise aux impératifs de l'audience. Diffusée par le satellite TDF1 et le réseau câblé, elle est d'ores et déjà bien reçue à l'étranger (notamment en Allemagne, Belgique, Danemark, Suisse, en Europe de l'Est et, bientôt, en Espagne, Norvège et Suède), et, paradoxalement, peu captée en France, du fait, on l'a vu, du petit nombre de foyers câblés [2]. Il faut toutefois préciser que si seulement 3% des Français sont actuellement en mesure de recevoir la Sept, ils peuvent la regarder une fois par semaine sur FR3 qui diffuse ses programmes tous les samedis.

▨ Diversification et qualité ?

Cette «coopération» entre les deux chaînes amène certains à suggérer que la Sept devienne la véritable troisième chaîne du service public, susceptible, par sa vocation culturelle et européenne, de permettre la diversification souhaitée récemment par le secrétaire d'État à la Communication. En effet, la réussite du service public réside dans sa «capacité à être différent : privilégier la production audiovisuelle et l'enrichissement des programmes pour répondre à la diversité des téléspectateurs ».

Ce point de vue, cependant n'est pas unanimement partagé. Ainsi Dominique Wolton, sociologue et spécialiste de la télévision, s'oppose-t-il dans son dernier livre *Éloge du grand public : une théorie critique de la télévision* [3], au principe des chaînes thématiques, qu'elles soient culturelles ou non. Il défend la télévision «généraliste» parce qu'elle constitue, à ses yeux, un lien social indispensable dans une société où se développent de plus en plus les processus d'individualisation et de segmentation. Les chaînes thématiques risquent, estime-t-il, de créer des «télévisions de ghettos» et la disparition des chaînes généralistes, d'entraîner une «télévision à deux vitesses ».

Au-delà de ces conceptions diverses, sinon opposées, de la télévision, demeure la question de la concurrence entre secteur public et secteur privé, mais d'abord — en tout cas pour les téléspectateurs français — celle de la qualité des programmes. Ceux-ci bien sûr, dépendent des moyens financiers mis en œuvre, mais, avant tout, de la capacité d'invention et de création de ceux (producteurs, réalisateurs, animateurs...) qui «font» la télévision.

(1) in *Le Nouvel Observateur*, 27 décembre 1990.
(2) À défaut d'être relié au câble, on peut recevoir la Sept en disposant d'un équipement sophistiqué (antenne parabolique, démodulateur...) et coûteux.
(3) Flammarion, 1990.

Presse: des hauts et des bas

La presse française a changé. Depuis la fin de la guerre, elle a perdu la moitié de ses quotidiens, mais a donné naissance à une foule de magazines aussi séduisants que divers.
Dans un univers médiatique de plus en plus dominé par quelques groupes tout-puissants, réussiront-ils à assurer l'avenir de la presse ?

Face à la concurrence de la radio puis de la télévision, la presse écrite a dû opérer une importante reconversion. Longtemps axée sur des quotidiens nationaux et régionaux d'information générale, elle s'est progressivement spécialisée en créant des magazines destinés à des publics spécifiques. Alternant succès et échecs, elle a changé de visage, présentant, pour les plus réussis de ses titres, un « *look* » qui a su séduire de nouveaux lecteurs.

Cette reconversion cependant n'a pu s'opérer que dans le cadre de puissants groupes de presse[1]. La « montée en puissance » de ces groupes, en accentuant les phénomènes de concentration, pourrait, si elle n'était pas limitée, faire craindre l'instauration de véritables monopoles et, à terme, constituer une menace pour le pluralisme de la presse.

Le déclin de la presse quotidienne

En 1945, on dénombrait 26 quotidiens nationaux[2], représentant un tirage total de 4,6 millions d'exemplaires, et 153 quotidiens régionaux et locaux totalisant 7,5 millions d'exemplaires.

Aujourd'hui, on ne compte plus que 10 quotidiens nationaux (tirage : environ 2,6 millions) et 70 quotidiens régionaux (7,5 millions).

Ces chiffres situent la France dans le bas de l'échelle en Europe, notamment quant au nombre d'exemplaires de quotidiens nationaux pour 1 000 habitants (ce qu'en terme de presse on nomme « la pénétration »). Avec 52 exemplaires

pour 1 000 habitants, la France est largement devancée par la Grande-Bretagne (590), l'Autriche (197), les pays scandinaves (180 en moyenne) et ceux du Benelux (entre 140 et 120). Seules l'Italie et l'Espagne ont des « pénétrations inférieures ».

Autre indice de ce déclin régulier de la presse quotidienne nationale : la diminution de son « audience » (personnes déclarant lire et non acheter un journal). On estime actuellement que seulement un Français sur deux lit un quotidien (environ 10% au moins un quotidien national et 45% un quotidien régional), on en comptait près de deux sur trois il y a vingt ans. Au cours des dix dernières années, l'audience est passée de 7,5 millions de lecteurs à 5,5 millions, soit une baisse d'environ 25%. Tous les quotidiens ont été affectés par cette chute de l'audience, mais à des degrés divers. Les plus touchés ont été les journaux « populaires » : *Le Parisien libéré* a perdu près de 60% de ses lecteurs, *France-Soir* plus de 50% ; *L'Humanité*, le journal du parti communiste, environ 20%. Une des raisons de ces spectaculaires pertes d'audience réside peut-être dans l'augmentation continue du prix des journaux, au cours des décennies passées ? En vingt ans, le prix des quotidiens a été multiplié par treize ! Parmi les nouveaux titres apparus ces dernières années, seul *Libération* a sensiblement progressé depuis son véritable lancement en 1981. *Le Matin de Paris* et *Le Quotidien de Paris*, respectivement créés en 1977 et 1980, ont connu des fortunes diverses : *Le Matin* après avoir changé plusieurs fois de direction et de rédaction sans parvenir à enrayer la chute de sa diffusion, a fini par disparaître ; *Le Quotidien*, s'il n'a pas remplacé son responsable, a modifié plusieurs fois sa formule rédactionnelle, sans jamais atteindre la diffusion qu'il s'était fixée. Les journaux plus anciens, *Le Figaro* et *Le Monde*, après avoir vu, comme leurs confrères, leur diffusion diminuer très sensiblement, ont su réagir et remonter la pente. *Le Figaro* – d'abord, grâce à une politique de luxueux suppléments hebdomadaires – *Le Figaro-Magazine*, puis *Madame Figaro* et, depuis février 1987, *Le Figaro T. V. Magazine* – vendus le samedi avec le quotidien, mais aussi grâce à une amélioration constante de son contenu rédactionnel. *Le Monde*, plus récemment, à la suite du « recentrage » du journal et de ses objectifs. Malgré les progrès continus de *Libération* et la remontée du *Figaro* et du *Monde*, la presse quotidienne nationale n'en demeure pas moins aux prises avec de sérieuses difficultés (diminution du nombre d'acheteurs et de lecteurs, recettes publicitaires insuffisantes et, bien sûr, concurrence des médias audiovisuels), en dépit des subventions que lui accorde l'État et des dispositions fiscales avantageuses dont elle bénéficie.

Les quotidiens régionaux sont dans l'ensemble en meilleure santé. L'un d'entre eux, *Ouest-France*, possède même la meilleure diffusion de toute la presse quotidienne française, et plusieurs titres ont des tirages égaux ou supérieurs à ceux des journaux édités à Paris. Le succès (relatif) de ces quotidiens de province est sans doute dû à la place qu'ils réservent aux informations non seulement régionales, mais locales (vie agricole ou maritime, manifestations sportives, festivités en tout genre, etc.), mais aussi peut-être à leur « apolitisme », ou du moins à leur « centrisme », à légère dominante de gauche ou de droite...

La presse quotidienne d'opinion est en effet quasiment inexistante en province. À Paris, les grands quotidiens nationaux ont leur « coloration » et leurs engagements propres, mais aucun, à l'exception de *L'Humanité*, n'est le journal d'un parti politique. Il est cependant de notoriété publique que *Le Figaro*, *Le Quotidien de Paris*, *France-Soir* et, dans une certaine mesure, *Le Parisien*, se situent plutôt à droite... ; tandis que *L'Humanité* à l'évidence, et *Libération*, de manière beaucoup nuancée, sont des journaux de gauche ; *Le Monde* et *La Croix*, journal catholique, adoptant généralement une position plus « centriste ».

Diffusion des principaux quotidiens en 1989	
1. Ouest-France	736 000
2. Le Parisien	402 000
3. Le Figaro	401 000
4. La Voix du Nord	352 000
5. Sud-Ouest	350 000
6. Le Progrès de Lyon	347 000
7. Le Monde	311 000
8. Le Dauphiné libéré	286 000
9. La Nouvelle République du Centre-Ouest	264 000
10. France-Soir	256 000

▨ **D**es magazines en forme

À l'atonie de la presse quotidienne considérée globalement répond le dynamisme général de la presse magazine. Certes, ici comme là, il y a des progrès et des reculs, des réussites et des faillites, mais dans l'ensemble les magazines se portent bien. Il n'est que de voir les devantures des kiosques à journaux ou les rayons des libraires : c'est une explosion de titres et de couleurs. Tous les domaines (on dit aujourd'hui les « créneaux ») ont désormais leur(s) magazine(s) : hebdomadaires, bimensuels, mensuels, trimestriels... De A comme *Auto journal* à Z comme *Zoom*. Selon leurs goûts, leurs intérêts, leurs besoins, les Français peuvent trouver des magazines qui traitent de politique, d'économie, de littérature, d'histoire ou de musique (rock, jazz, classique)... Il y a ceux consacrés au cinéma, au théâtre, à la chanson, aux beaux-arts, à la cuisine, à la décoration, au jardinage, à l'informatique, à la photo et bien sûr à la télévision. Il y a des magazines sportifs, médicaux, scientifiques, touristiques et érotiques. Il y a enfin les magazines féminins et masculins, pour les jeunes et pour les parents, les chasseurs et les pêcheurs, les instituteurs et les anciens combattants, les philatélistes, les joueurs de golf, les passionnés de planche à voile ou les amis des bêtes...

Cet inventaire à la manière de Jacques Prévert n'est pas exhaustif. Au total, la presse magazine comprend plusieurs milliers de titres.

Hebdomadaires d'actualité ou « *news magazines* », certains sont déjà anciens (*Paris Match, L'Express, Le Nouvel Observateur*) ou fort connus (*Le Point, Le Figaro-Magazine*), d'autres sont plus récents (*VSD, L'Événement du jeudi*). Leur diffusion s'étage entre 880 000 exemplaires (*Paris Match*) et 113 000 (*L'Événement du jeudi*). Ce ne sont pas des chiffres très élevés, mais les professionnels de la presse estiment qu'un exemplaire d'un magazine d'actualité générale est lu par plusieurs personnes. Ainsi, *Paris Match* aurait plus de 5 millions de lecteurs, *Le Figaro Magazine* 3 millions, *L'Express* 2,3 millions, *Le Point* 2,1 millions, etc. Toutefois, d'autres magazines ont des diffusions très supérieures, notamment les hebdomadaires de télévision (de 400 000 exemplaires à 3 millions pour *Télé 7 jours*, la plus forte vente de la presse française) et les maga-

zines féminins (1,8 million pour *Femme actuelle*, 1,4 million pour *Prima*...). Enfin, de nombreux magazines spécialisés, souvent des mensuels, vendent entre 100 000 et 500 000 exemplaires, ce qui, avec l'appoint de recettes publicitaires importantes, leur permet de proposer à un public très diversifié (« ciblé » disent les spécialistes) des « produits » fort attrayants. On peut notamment citer *Géo* pour le tourisme et les voyages (450 000 ex.), *Première* pour le cinéma (400 000), *Science et Vie* (350 000), *Action automobile* (385 000), *Onze* pour le football (210 000), *Photo* (170 000), *Rock Magazine* (150 000), *Lire*, le magazine de Bernard Pivot, l'ancien animateur d'« Apostrophes »[3], qui propose des extraits de livres (142 000), etc. À côté de valeurs sûres, de créations réussies, de nouveautés à succès, la presse magazine, parfois victime de phénomènes de mode (existera-t-il encore, dans quelques mois ou quelques années, des magazines consacrés à la planche à voile ou au micro-ordinateur ?), perd chaque année un certain nombre de titres. Dans d'autres « créneaux », avec des « cibles » différentes, ils sont très vite remplacés.

▨ **Q**uel avenir ?

L'univers des magazines est animé d'un perpétuel mouvement, c'est un monde de création continue, effervescent, bouillonnant d'idées, d'imagination et de talents.

C'est aussi un monde qui réussit assez souvent à échapper à l'emprise des grands groupes de presse. Dépendant essentiellement de l'apport financier de leurs investisseurs et de leurs annonceurs publicitaires, les magazines n'ont que leurs lecteurs pour juger de leur qualité, et donc décider de leur développement, de leur survie ou de leur mort.

Peut-être est-ce d'abord par les magazines que passera l'avenir de la presse française ?

(1) Deux groupes sont particulièrement « dominants » : le groupe de M. Robert Hersant qui contrôle 38% du marché des quotidiens nationaux et 20% du marché des quotidiens régionaux, et le groupe Hachette qui détient notamment 20% du marché de l'édition, 28% de la distribution des livres et possède une trentaine de journaux et magazines...
(2) Il s'agit de journaux édités à Paris.
(3) Cf. « Les Français lisent-ils ? », p. 197.

Des journalistes parlent...

JEAN-MICHEL CROISSANDEAU : « Tout journaliste est au centre d'un système de chantage. »

ALAIN KIMMEL : *Comment expliquez-vous que seulement 10% des journalistes actuels ont été élèves des écoles de journalisme ?*

JEAN-MICHEL CROISSANDEAU[4] : *Je dirais qu'il y a d'abord une question de génération. La majorité des journalistes en activité ont entre 30 et 45 ans, c'est-à-dire qu'ils sont dans le métier depuis au moins une dizaine d'années. À cette époque, les journalistes qui avaient suivi des études spécifiques étaient encore moins nombreux qu'aujourd'hui. Ce qu'apprécient les patrons de presse maintenant, c'est que les jeunes sortis des écoles professionnelles sont plus rapidement opérationnels que les licenciés en lettres ou les diplômés de Sciences Po., peut-être plus cultivés mais qui ignorent tout du journalisme.*

A.K. : *Donc, en dépit des chiffres, pour devenir journaliste aujourd'hui, mieux vaut sortir d'une école professionnelle ?*

J.-M. C. : *Je crois qu'il faut surtout posséder le tempérament ad hoc. L'important est d'abord la personnalité de l'individu, et son niveau de motivation en fonction de l'image qu'il se fait du journalisme. La motivation est vraiment la qualité dominante qu'il faut développer. Outre l'investissement psychologique, il est préférable d'être extraverti et, bien sûr, indispensable d'être actif, curieux, débrouillard !*

A.L. : *Selon l'enquête réalisée par la Commission de la Carte, la proportion de rédacteurs en chef, directeurs de la rédaction ou autres chefs de service semble élevée par rapport à celle de l'ensemble des journalistes, qu'en pensez-vous ?*

J.-M. C. : *Compte tenu qu'il existe dans tout journal une structure hiérarchique, il ne me paraît pas anormal qu'il y ait environ 15%, je crois, de rédacteurs en chef... Par contre, ce qui est plus choquant à mes yeux, c'est que le journaliste parvenu à un tel poste cesse en quelque sorte de faire du journalisme ; il se produit comme une stérilisation. Le journalisme est une profession dans laquelle il y a peu de mobilité, et en tout cas pas de mobilité descendante : un chef ne redescend jamais à la base.*

A.K. : *Il existe une Charte des journalistes qui date de 1918 et une Déclaration européenne des droits et des devoirs des journalistes qui a été adoptée en 1970, mais il n'y a pas à proprement parler de code de déontologie, trouvez-vous cela normal ?*

J.-M. C. : *Je pense que les textes auxquels vous faites allusion sont tout à fait suffisants. Vous savez, le journalisme ne s'exerce pas en dehors des lois. Il ne peut y avoir de pratique irrespon-*

sable ou indécente de ce métier, à tout moment survient le contrôle des lecteurs. C'est pour eux qu'écrit le journaliste et non pour ses sources d'information. Il faut cependant reconnaître que certains journalistes ont tendance à écrire pour leurs sources : ministères, entreprises, institutions diverses... De toute manière, tous les journalistes sont au centre d'un système de chantage : on attend d'eux qu'ils servent tel ou tel pouvoir, tel ou tel groupe de pression et, à cet égard, il faut souligner le rôle déterminant des attachés de presse... Pour certains représentants de ces pouvoirs, le bon journaliste est celui qui leur renvoie l'image qu'ils souhaitent que l'on ait d'eux ! Pour ma part, j'estime qu'il doit se produire une régulation naturelle que le journaliste ne peut trouver qu'en lui-même. Cela étant, il faut tenir compte du fait que les journaux sont des entreprises commerciales et donc que la sanction économique est toujours possible. C'est pourquoi certains professionnels hésitent ou même renoncent à prendre des risques, et servent une information aseptisée qui leur permet d'avoir un lectorat[5] *plus important ou, tout simplement, de survivre. Il y a incontestablement dans la presse de ce pays une rétention de l'information. Quant aux journalistes, ils sont très dépendants des journaux dans lesquels ils travaillent.*

A.K. : *En France, un journaliste ne peut donc être indépendant ?*
J.-M. C. : *Pour qu'un journaliste soit indépendant, il faut qu'il soit très compétent et, à l'heure actuelle, il ne peut être très compétent que s'il est très spécialisé. Autrement dit, pour résumer : la spécialisation fonde la compétence qui fonde l'indépendance.*

A.K. : *Êtes-vous d'accord avec les Français qui, dans leur majorité, estiment que les journalistes sont courageux ?*

J.-M. C. : *C'est très gentil et très flatteur, mais je ne crois pas que les journalistes soient plus courageux que les autres. Comme beaucoup, ils effectuent une mission de service public et, à ce titre, je n'ai pas le sentiment qu'ils prennent des risques sensiblement plus élevés.*

A.K. : *Pourquoi les journalistes ne font-ils pas davantage d'enquêtes ? Le journalisme d'investigation est-il une exclusivité anglo-saxonne ?*
J.-M. C. : *Premièrement, les journalistes ne sont pas des policiers ! Deuxièmement, et plus sérieusement, je dirais que l'investigation se réduit trop souvent à la recherche du scandale, et ce n'est pas là le but du vrai journalisme. Il est cependant certain qu'il n'existe pas en France de véritable journalisme d'enquête et on peut le déplorer.*

A.K. : *À quoi cela tient-il ?*
J.-M. C. : *Je crois que cela tient à la structure de la presse française. Celle-ci subit des pressions de tous ordres et les journalistes doivent supporter ces pressions. Si elles sont plus rares dans une structure indépendante que dans un journal politique ou militant, elles ne sont pas pour autant inexistantes. En outre, les journalistes doivent préserver leurs sources d'information et ils ne peuvent pas toujours aller jusqu'où ils le voudraient. Il faut être lucide : comme dans la plupart des métiers, la liberté du journaliste a ses limites.*

(4) Ancien rédacteur en chef du *Monde de l'Éducation*, actuellement chargé de la diffusion au *Monde*.
(5) Ensemble de lecteurs.

FRANÇOIS D'ORCIVAL : « Le journaliste est à la fois un metteur en scène et un juge d'instruction. »

ALAIN KIMMEL : *Pouvez-vous nous dire en quoi consiste le rôle de directeur général des rédactions d'un hebdomadaire d'informations générales comme* Valeurs Actuelles *?*

FRANÇOIS D'ORCIVAL : *Pour moi, c'est un rôle à trois dimensions. Premièrement, c'est être responsable, y compris, le cas échéant, devant les tribunaux, de tout ce qui paraît dans le journal.*
Deuxièmement, c'est être le premier lecteur du journal, et donc celui qui se met à la place du lecteur.
Troisièmement, c'est être l'animateur du journal, c'est-à-dire celui qui lui donne une âme, un souffle. C'est aussi celui qui fait « sortir » les idées et qui les rassemble.

A.K. : *Qu'est-ce pour vous qu'être journaliste aujourd'hui ?*

F. d'O : *C'est d'abord être un metteur en scène. Les faits sont donnés et s'imposent au journaliste. Son rôle est de raconter, pour un certain type de public, ce qu'il a vu ou entendu. Avec le matériau ainsi recueilli, il agit comme un réalisateur avec un scénario et il produit une œuvre originale. Mais à partir des mêmes faits, des mêmes données, la « réalisation » aura ses caractéristiques propres. Pour prendre une comparaison avec le théâtre, je dirais qu'il y a la même différence entre un même événement vu par tel ou tel journal qu'entre une pièce de Molière mise en scène par Pierre Dux* [6] *ou par Antoine Vitez* [7].
Être journaliste c'est ensuite, selon moi, être juge d'instruction. Comme ce dernier, le journaliste a devant lui plusieurs vérités et des témoignages contradictoires et doit donc, dans son journal, en faire la synthèse. Il doit tirer le fil d'Ariane, mais sans jamais posséder aucun droit de sanction.

A.K. : *Que diriez-vous de vos rapports avec les pouvoirs, et notamment le pouvoir politique ?*

F. d'O. : *Je dirais qu'ils sont dans l'ensemble relativement bons et transparents. Bien sûr, les manipulations peuvent exister, mais elles demeurent, à ma connaissance, plutôt rares. Le pouvoir politique n'exerce pas de pression directe sur nous, mais il peut le faire de manière indirecte, en particulier par le biais de la publicité. S'il y a chantage, il n'est pas très valide et on peut y répondre assez facilement. Vous savez, il est quand même difficile de boycotter un titre ! En règle générale, nous décidons ce que nous voulons faire après avoir évalué le rapport de forces.*

A.K. : *Faut-il être courageux pour être journaliste ?*

F. d'O. : *Je pense que la question n'est pas là. Ce dont il s'agit essentiellement, c'est d'avoir envie de faire ce métier. Ici, la vocation demeure une réalité bien vivante. Mais il est vrai que l'on trouve dans la profession une grande masse de routiniers...*

A.K. : *Les journalistes sont-ils honnêtes ?*

F. d'O. : *La grande majorité d'entre eux, oui ! Ce qui est relativement facile, car nous ne vivons pas dans une société de bakchich* [8]. *Évidemment, ils recueillent parfois des informations qu'ils ne publient pas parce que certains moyens de persuasion sont mis en œuvre ; mais, la plupart du temps, ces pressions sont fondées.*

A.K. : *Disent-ils la vérité ?*

F. d'O. : *Comme les personnages de Pirandello, ils disent ce qu'ils croient être la vérité, mais ce n'est qu'une vérité. Je crois qu'ils disent ce qu'on leur dit et donc qu'ils n'inventent pas, qu'ils ne fabulent pas.*

A.K. : *Si vous reveniez en arrière, choisiriez-vous à nouveau d'être journaliste ?*

F. d'O. : *Oui absolument. Dès l'âge de douze ans, et à la lecture des aventures de Tintin reporter, j'avais décidé de faire ce métier.*

A.K. : *Le conseilleriez-vous à vos enfants ?*

F. d'O. : *Même réponse !*

---

(6) Metteur en scène, notamment à la Comédie française, à la manière très classique.
(7) Metteur en scène, notamment au Théâtre de Chaillot, au « modernisme » parfois contesté.
(8) Mot persan qui signifie pourboire et, par extension, pot-de-vin dans certains pays d'Orient.

SYSTÈME
ÉDUCATIF

Les problèmes de l'école.

La planète des « profs ».

Les problèmes de l'école

Acteurs et observateurs s'accordent sur le diagnostic : le système éducatif ne va pas bien. Pour remédier aux divers maux qui l'affectent, le plus large consensus est nécessaire. S'il paraît réalisé sur les objectifs, il ne l'est pas aussi évidemment sur les moyens. Mais une chose est sûre : l'éducation est plus que jamais une priorité nationale.

Depuis environ vingt-cinq ans, jamais la société française n'a été aussi ébranlée qu'à l'occasion de crises ayant pour cause, directe ou indirecte, le système éducatif. 1968 (les événements de mai), 1984 (la bataille de l'enseignement privé), 1986 (la révolte des lycéens et des étudiants) et, fin 1990, les manifestations de lycéens protestant contre l'insalubrité et l'insécurité de nombreux établissements secondaires, autant de dates et de faits qui ont marqué notre histoire récente.

De fait, comme le soulignait, il y a déjà une dizaine d'années, le sociologue Michel Crozier, «peu de problèmes nous touchent aussi profondément que ceux de l'école. C'est de notre avenir qu'il s'agit, de notre avenir en tant que société, mais aussi de l'avenir de nos enfants, ou en tout cas de nos proches et de notre milieu »[1].

Cette sensibilité aux problèmes de l'école explique sans doute les crises de société qu'ils ont suscitées. Nul d'ailleurs ne peut s'en étonner lorsqu'on songe que l'Éducation nationale concerne 14 millions d'élèves et étudiants, un million de fonctionnaires (dont environ 700 000 enseignants) et des millions de parents d'élèves.

■ Un système en crise?

Ces derniers sont d'ailleurs peut-être les plus sensibles aux difficultés et aux défauts de notre système éducatif. Une récente enquête du Centre de recherches pour l'étude et l'observation des conditions de vie (CREDOC) montrait que près de 60% des Français estiment que l'enseignement secondaire ne répond pas aux objectifs qui leur paraissent prioritaires (notamment la préparation à la vie professionnelle). Majoritairement insatisfaits, ils donnent comme raisons de leur mécontentement : la surcharge des classes, la lourdeur des programmes, le manque de discipline et la qualité insuffisante des enseignants. Depuis longtemps déjà, le « malaise des enseignants » est une donnée constante du monde de l'éducation, et, au-delà, de la société française, mais nul ne peut nier qu'il s'est particulièrement aggravé (ou, du moins, a été ressenti plus durement) ces dernières années.

Interrogé, il y a quelque temps, par le mensuel *Le Monde de l'éducation*, le président du Centre national du patronat français (CNPF), avait sévèrement critiqué notre enseignement, déclarant notamment : « Les méthodes pédagogiques

du système éducatif n'apprennent pas aux jeunes les attitudes mentales dont ils ont besoin ». Ce système, poursuivait-il, est « abstrait, intellectuel, individualiste, égoïste ». Avant de conclure : les entreprises ont besoin de « gens qui savent lire, écrire, juger ». [2]

Le constat est effectivement sévère, mais il avait déjà été établi (avec des nuances et parfois sur d'autres points), notamment par le mathématicien Laurent Schwartz (rapport sur l'enseignement dans le cadre de la « commission du bilan » chargée de décrire « l'état de la France en mai 1981 ») ; par une cinquantaine de professeurs du Collège de France dans un rapport sur « les principes fondamentaux de l'enseignement de l'avenir » demandé par François Mitterrand et

rédigé par le sociologue Pierre Bourdieu en 1984 ; par l'économiste et professeur à l'École des Arts et Métiers, Jacques Lesourne, dans un rapport intitulé « Éducation et société demain », remis en 1988 au ministre de l'Éducation ; enfin, par le rapport de la commission « Éducation, formation, recherche » du Xe Plan (1989-1992). Si l'on ajoute à ces textes « officiels » quelques-uns des livres innombrables parus récemment, on ne peut qu'en déduire que la question de l'école est véritablement une question-clé. Question d'ailleurs qui fait l'objet de débats, de controverses, voire de polémiques, car ne pouvant demeurer à l'écart des choix politiques ou des options idéologiques.

Enfin le consensus ?

Pourtant, les diverses réflexions émises « présentent d'évidentes convergences, au moins sur l'analyse de la situation, et s'accordent sur la nécessité de transformer profondément un système éducatif qui n'a pas été conçu pour l'enseignement de masse et que l'évolution scientifique, technique, sociale, de la fin du XXe siècle déstabilise » [3].

Ainsi, à partir de 1984, les différents gouvernements ont tous fait leur l'objectif des 80% de bacheliers. Autrement dit, il s'agit, d'ici à l'an 2000, de conduire 80% de chaque classe d'âge au niveau du baccalauréat — ce qui ne signifie pas 80% de bacheliers. L'objectif est néanmoins très ambitieux, car le pourcentage atteint en 1990 n'était que de 44% (contre 40% en 1989), ce qui représentait 73% de bacheliers (contre 67% en 1984). Il faut également préciser que le baccalauréat n'est pas un diplôme « unique », il existe, en fait, cinquante « bacs » différents : six bacs généraux, dix-neuf bacs technologiques et vingt-cinq bacs professionnels.

Le projet du Xe Plan (1989-1992) reprend à son compte cet objectif, en l'assortissant, à la demande du ministre de l'Éducation, de ce complément : « Tout jeune sort du système éducatif avec un niveau de formation reconnu (de type CAP/BEP) [4]. À l'horizon 1992 cela signifie : « Diminuer au moins de moitié le taux d'exclusion (...), conduire 3 élèves sur 5 au niveau du baccalauréat ».

Si « l'objectif des 80% » semble faire l'objet d'un large consensus, il n'en pose pas moins divers problèmes, parmi lesquels : la construction de nouveaux lycées ou la rénovation des plus anciens (impératif prioritaire après les manifestations de 1990), l'accueil des « techniciens » en entreprises et, surtout, celui des étudiants dans les universités, car tout bachelier peut — et souhaite le plus souvent — « s'inscrire en Fac ».

Bien sûr, la résolution de ces problèmes (et de quelques autres, dont celui, essentiel des enseignants) passe par l'octroi de moyens financiers importants. Déjà premier budget de l'État, avec 248 milliards (dont 91% pour les salaires) pour 1991, le budget de l'Éducation nationale a bénéficié de 4,5 milliards supplémentaires accordés en urgence après l'explosion lycéenne de l'automne 1990.

◼ L'École pour quoi faire?

Mais l'augmentation des crédits, si importante soit-elle, ne saurait constituer la seule réponse aux interrogations que suscite le système éducatif, au premier rang desquelles figure celle de ses finalités. En d'autres termes : à quoi sert l'école ?

Pour l'enseignement primaire, tout le monde s'accorde à peu près sur les objectifs essentiels : lire, écrire, compter, sans négliger pour autant « le développement du corps, de l'habileté manuelle, du sens artistique, de l'imagination et la socialisation de l'enfant »[5].

En revanche, les incertitudes existent et sont parfois vives en ce qui concerne l'enseignement secondaire. Elles sont dues, pour une bonne part, à ce que l'on a appelé « l'explosion scolaire », c'est-à-dire l'entrée massive dans les collèges et les lycées d'élèves d'origines sociales et de niveaux scolaires très différents. L'hétérogénéité qui s'en est suivie est sans doute une des raisons majeures des difficultés actuelles de l'école. S'y ajoute une certaine contradiction entre les valeurs de la société et celles de l'école. D'un côté (la société) on exalte la liberté, l'absence de contraintes, le primat du plaisir ; de l'autre (l'école), on prône le sérieux, le travail, l'effort. « Entre ces deux discours, écrit Antoine Prost, dans son *Éloge des pédagogues*[6], la contradiction est impossible à assurer : on ne peut inculquer dans et par l'école d'autres valeurs que celles de la société même, et il est vain d'espérer faire contrepoids, par l'école, aux tendances d'une société. Entreprendre de restaurer dans l'école des valeurs dont on se gausse au-dehors n'est pas rétablir un équilibre ; c'est exaspérer une contradiction ».

Enfin, il faut rappeler, même si cela a été souvent dénoncé, la « concurrence » que les médias, et d'abord la télévision, font peser sur l'école, détournant les jeunes de la lecture donc de la réflexion, au profit de l'image, c'est-à-dire de l'immédiat et de l'éphémère. D'où cet avertissement (peut-être exagérément pessimiste, mais non dénué de lucidité) du philosophe Alain Finkielkraut : « Une école qui se suicide »[7].

Si l'enseignement secondaire est (souvent) générateur de difficultés pour les élèves, de malaise pour les enseignants et de mécontentement pour les parents, que dire alors de l'enseignement professionnel ? Celui-ci « est aujourd'hui déva-lorisé et déprécié par les familles, par la société et même par le reste du monde enseignant »[8]. Constat sévère mais qu'on ne peut contester, même si, « ce discrédit et ce dédain sont loin d'être justifiés car les lycées professionnels offrent des chances réelles à des élèves en perdition scolaire qui y trouvent une pédagogie différente et peuvent redécouvrir dans le travail d'atelier le goût d'apprendre et le chemin du succès »[9].

Pour trop d'élèves, cependant, l'enseignement professionnel n'est que l'issue de ceux qui ne peuvent demeurer dans l'enseignement général, et cette « orientation-sanction » est souvent synonyme d'échec. Chaque année encore, plus de 100 000 jeunes quittent l'école sans aucune qualification professionnelle et viennent grossir les rangs des jeunes chômeurs ? Il y a eu, pourtant, ces dernières années, la création de bacs professionnels qui a paru faire l'unanimité ; le risque, toutefois, est qu'ils deviennent rapidement dépassés (compte tenu de l'évolution des techniques) ou n'offrent plus de débouchés. On cite ainsi le cas du bac de carrosserie, créé en 1986 et qui serait d'ores et déjà saturé.

▨ Quel avenir ?

Entre l'objectif des 80% au niveau du bac et celui du niveau CAP/BEP pour tous, l'avenir du système éducatif, et ainsi, celui des jeunes Français, peut paraître assuré. Mais ces objectifs sont-ils réalistes et surtout réalisables ? Nul ne saurait l'affirmer, sans crainte d'être démenti par les faits.

L'Éducation nationale, on le sait, est une énorme machine qui, pour certains, étouffe toute initiative, et donc tout progrès. Ceux-là (ils sont plutôt dans l'opposition de droite) ne voient le salut du système que dans une profonde décentralisation. D'autres, au contraire, et c'est à peu près l'attitude du gouvernement actuel, refusent cette décentralisation qui, selon eux, reviendrait à « multiplier les inégalités géographiques » qui ne feraient que s'ajouter aux inégalités sociologiques. Sans vouloir systématiquement rechercher une « troisième voie », toujours problématique, on peut cependant penser qu'entre la centralisation jacobine « pure et dure » et la décentralisation (et la privatisation qui l'accompagne souvent) à l'américaine, il existe un juste milieu.

Une chose paraît certaine : l'école de Jules Ferry est bel et bien morte. Son « élitisme républicain », pour reprendre l'expression d'un ancien ministre de l'Éducation (Jean-Pierre Chevènement, de 1984 à 1986) n'est sans doute plus au goût du jour, ni peut-être même de mise.

Il n'en reste pas moins qu'« une transformation profonde du système actuel » apparaît indispensable. Elle implique de mieux connaître les jeunes qui arrivent aujourd'hui dans les collèges et les lycées, d'« analyser leurs origines, leurs milieux de vie. (...) Il faut accepter que leurs rythmes d'apprentissage ne soient pas uniformes, qu'ils puissent emprunter des parcours différents »[10]. Il faut aussi cesser, comme c'est la tradition en France, de traiter en parents pauvres les activités artistiques, manuelles et sportives...

En d'autres termes, il semble qu'il faille, comme le recommandait le rapport du Collège de France sur « l'enseignement de l'avenir », « diversifier les formes d'excellence », « multiplier les chances » (« en multipliant les filières et les passages entre les filières »), promouvoir une « éducation ininterrompue et alternée » et ouvrir l'école « dans et par l'autonomie ».

Si ces conditions étaient remplies, si les problèmes de l'école étaient résolus, alors peut-être « l'enseignement de l'avenir » assurerait l'avenir de la France.

(1) Préface à *Douze Collèges de France*, par D. Paty, La Documentation française, 1980.
(2) octobre 1988.
(3) Pierre de Larminat, in *Regards sur l'actualité*, n° 149, mars 1989, La Documentation française.
(4) Certificat d'aptitude professionnelle/Brevet d'études professionnelles.
(5) P. de Larminat, *op. cit.*
(6) Seuil, 1985.
(7) in *La Vie*, 19 janvier 1989.
(8) in P. de Larminat.
(9) *Ibid.*
(10) P. de Larminat, *op. cit.*

La planète des «profs»

Depuis plusieurs années déjà, il n'est question, ici ou là, que du «malaise des enseignants». Une chose est sûre : le métier de «prof» présente des avantages et des inconvénients. Pour beaucoup, les seconds excèdent les premiers et certains le supportent mal.
Pour donner ou redonner le goût et le plaisir d'enseigner, il paraît urgent de revaloriser ce métier sur tous les plans.

Ces dernières années, nombre de livres sont parus pour témoigner de la crise de l'enseignement – reflet évident d'une crise de société – et jeter un cri d'alarme avant qu'il ne soit trop tard[1].

Réfléchir sur la crise d'un système éducatif, c'est notamment s'interroger sur ses principaux acteurs, c'est-à-dire les enseignants. Selon certains auteurs, un «formidable soupçon» pèserait sur eux[2], pour d'autres ils seraient «persécutés»[3], d'aucuns se sont demandé où ils allaient[4] et même à quoi ils servaient[5], on ne compte plus enfin les dossiers ou articles sur le «malaise des enseignants». Qu'en est-il vraiment ? Peut-on admettre, en paraphrasant La Fontaine que «s'ils ne meurent pas tous, tous sont frappés» ?[6] Tous, c'est-à-dire les quelque 730 000 instituteurs, professeurs de collège, de lycée et d'université qui composent ce qu'on appelait naguère le «corps professoral».

Le malaise des enseignants

À l'évidence, ce malaise est une réalité toujours très actuelle. Il est la conséquence de la dévalorisation – sociale, économique, culturelle – de la fonction enseignante dans la société d'aujourd'hui. Les «maîtres» occupent désormais un rang inférieur dans la hiérarchie sociale, leur situation matérielle est médiocre et ils ne possèdent plus le monopole de la transmission du savoir.

Sous la IIIe et la IVe République, instituteurs et professeurs faisaient partie des notables, de ceux que l'on respectait. Ils avaient progressé dans la hiérarchie sociale par rapport à leur milieu d'origine et enseignaient aux enfants de ce même milieu. L'instituteur de «la communale», le «hussard noir de la République», instruisait les enfants «du peuple» dont il était lui-même issu ; le professeur de lycée enseignait aux enfants de la bourgeoisie au sein de laquelle il avait été élevé. Chacun était donc en relation avec des enfants (et des parents) qui, socialement parlant, ne lui étaient pas étrangers et «par qui il pouvait se sentir valorisé» (P. Ranjard)[7]. Aujourd'hui, cette situation a complètement changé. Les enseignants sont, pour la plupart, issus des couches moyennes, y compris les instituteurs, autrefois recrutés parmi les meilleurs éléments des familles ouvrières et paysannes. Choisir ce métier n'est plus un facteur de promotion sociale. Au cours des vingt dernières années, il s'est lentement «embourgeoisé». En 1960-1961, les Écoles normales d'instituteurs accueillaient 22,6% d'enfants ouvriers : ils n'étaient plus que 13,7% en 1977-1978 et 9,2% en 1982 (moins de 5% d'enfants d'agriculteurs). Cette dernière année, 16,7% des autres normaliens avaient des parents cadres moyens, 14% des parents enseignants et 12,2% des parents cadres supérieurs ou membres des professions libérales. Conscients de leur stagnation, voire de leur recul, dans la hiérarchie sociale, les enseignants ne se sentent, en outre, plus «reconnus» – bien au contraire –

par les parents de leurs élèves. Il y a effritement de leur statut social, voire même déclassement. En 1910, la valeur marchande des enseignants était relativement élevée : un professeur débutant touchait 63% de son traitement de fin de carrière. Actuellement, un agrégé en début de carrière perçoit environ 45% de sa rémunération terminale.

Cette « déchéance » salariale s'accompagne d'une « déchéance » professionnelle. L'image de l'enseignant se dégrade aux yeux d'une opinion qui juge les individus sur leur bulletin de paye, c'est-à-dire au « standing » de leur appartement, à la cylindrée de leur voiture ou au choix de leur lieu de vacances. Ne se conformant pas aux comportements et aux modes de vie majoritaires, l'enseignant est marginalisé, sinon méprisé. Il perçoit donc le monde extérieur comme hostile et se sent agressé, rejeté, « persécuté ».

Dépourvu de son pouvoir institutionnel, l'enseignant est également dépossédé de son monopole culturel. Il n'est plus exclusivement celui qui transmet les connaissances et les valeurs. Il doit faire face à la concurrence des médias (la télévision, le cinéma, la presse, la bande dessinée, etc.) et la partie est rude... Une barrière culturelle le sépare souvent de ses élèves, ses goûts, ses références leur sont étrangers. Sa culture se voit opposer une contre-culture qui n'est pour lui, la plupart du temps, qu'une sous-culture. D'où son malaise, son « mal être » qui le rend aigri et agressif à l'égard des élèves, mais aussi des parents, de l'administration, bref de la société tout entière.

▨ Les responsabilités du système éducatif

En porte-à-faux, au sein de la société civile, les enseignants le sont aussi à l'intérieur du système éducatif, même si, fréquemment, ils s'y replient comme dans un cocon protecteur. L'enseignement actuel, en effet, se caractérise essentiellement par sa très grande hétérogénéité. Hétérogénéité des élèves, des conditions de travail, des situations pédagogiques et... des maîtres. Elle est le produit de la démocratisation institutionnalisée à partir des années soixante. Avec la prolongation de la scolarité obligatoire jusqu'à seize ans et l'instauration du collège uni-

que en 1976-1977, on est passé d'un enseignement structurellement élitiste à un enseignement de masse où tous les enfants se retrouvent ensemble, quel que soit leur niveau. Conséquence : les niveaux sont tellement différents « qu'il est impossible de faire travailler toute une classe en même temps »[8].

L'hétérogénéité des maîtres n'est pas moins grande que celle des élèves. Le corps enseignant est un des groupes socioprofessionnels les plus hiérarchisés qui soit. De l'instituteur au professeur d'université, en passant par le professeur de collège (PEGC), le professeur de l'enseignement technique, le certifié, l'agrégé..., la formation, les horaires de travail, les salaires sont sans commune mesure. Deux exemples : l'instituteur et le professeur agrégé. Le premier a fait de deux (pour les plus anciens) à quatre ans d'études (pour les plus jeunes) après le bac, assure vingt-sept heures de cours par semaine et gagne entre 6 500 et 10 500 F par mois ; le second a passé un concours très difficile au bout d'un minimum de cinq ans d'études supérieures, il « doit » quinze heures de cours hebdomadaires, son traitement mensuel s'échelonne entre 8 000 F et 17 000 F.

« Un drôle de monde, observe la journaliste Danièle Granet, où se retrouvent ceux qui ont choisi, faute de mieux, le métier d'enseignant et ceux qui y ont vu un refuge ; une société désenchantée qui a perdu la reconnaissance des Français »[9]. Interrogés sur la principale difficulté de leur métier, 75 % des enseignants ont répondu : « la tension nerveuse qu'il exige ». « Tension nerveuse, précise P. Ranjard, qu'implique la poursuite impossible des objectifs d'autrefois dans les conditions d'aujourd'hui »[10].

▓ Inconvénients et avantages du métier

Autre facteur de malaise pour les enseignants : leur temps de travail. Tous ont dû subir quelques plaisanteries bien senties sur leurs horaires, leurs vacances, etc.
De fait, on ne possède actuellement aucune indication sérieuse sur le temps de travail réel des enseignants. On admet simplement qu'il se divise en un temps imposé (de durée connue et qui se déroule dans l'établissement d'enseignement) et en un temps choisi (de durée inconnue et qui se passe hors de l'établissement). L'enseignant peut travailler chez lui, quand et comme il l'entend. C'est là son incontestable privilège sur les autres salariés.
C'est aussi ce qui explique la féminisation croissante de la profession. Nombreuses sont les femmes qui l'ont embrassée pour les avantages du temps choisi (possibilité de conduire et d'aller chercher ses enfants à l'école, de faire ses courses en dehors des heures d'affluence, etc.). Elles représentent ainsi environ 55 % des enseignants du secondaire et 80 % du primaire.
Les enseignantes, notamment les institutrices, considèrent souvent leur traitement comme un salaire d'appoint. Elles apprécient également — et sont de plus en plus nombreuses, du fait des facilités récemment offertes par le législateur — de pouvoir ne travailler qu'à temps partiel ou à mi-temps.
À ces « avantages acquis » — mais que les enseignants craignent sans cesse de voir remis en question — s'ajoutent ceux de la sécurité. Sécurité de l'emploi : un enseignant ne peut être révoqué que pour une cause extrêmement grave (attentat aux mœurs, voies de fait, etc.). Sécurité du poste : une fois titulaire de son poste,

il est, s'il le souhaite, inamovible. Sécurité de carrière : il progresse d'échelon en échelon, dans le pire des cas à l'ancienneté… Autres avantages : ceux qu'offre le vaste réseau d'institutions mutualistes, créées par les enseignants eux-mêmes et qui leur permettent d'assurer leur voiture et leurs biens à des conditions défiant toute concurrence, de bénéficier d'une assurance sociale complémentaire et de centres de soins et de repos, d'obtenir un complément de retraite, de pouvoir emprunter de l'argent à des taux très intéressants, de faire des achats par correspondance…

▓ Profs, et après…

Et pourtant ce super « État-providence » ne leur apporte pas la quiétude et la joie de vivre. Nombre d'entre eux ont effectivement le sentiment d'être « persécutés » : par l'administration (notamment les inspecteurs), par les élèves (inintéressés, inattentifs, et parfois hostiles), par les parents d'élèves (présents dans les conseils de classe ou d'établissement)…
Alors, pour fuir ces « persécutions », beaucoup se replient sur eux-mêmes et se retirent dans « quelque lointain exil intérieur »[11].
Certains se consacrent à une activité militante, syndicale ou politique. Il y a quelques années, 75 % d'entre eux étaient syndiqués (dont 65 % aux différentes organisations affiliées à la puissante Fédération de l'Éducation nationale). À l'Assemblée nationale issue des élections de 1981, on dénombrait 160 enseignants, dont 134 pour le seul Parti socialiste. 45 % des membres du comité directeur du PS, 30 % de ses militants actifs et 15 % de ses adhérents sont des enseignants.
Analysant les raisons de ce militantisme syndical ou politique, l'historien Paul Gerbod[12] estime qu'il constitue pour les enseignants « un moyen d'évasion hors d'un milieu de vie jugé étroit et contraignant », qu'il « estompe le désenchantement professionnel » et qu'il les « mêle au monde des adultes », leur évitant ainsi « l'infantilisation » permanente et la marginalisation socioculturelle. Il faut cependant signaler que ces dernières années, les enseignants, comme les autres catégories socioprofessionnelles, se sont en grand nombre désengagés de toute action militante, renonçant même, pour

environ 20% d'entre eux, à toute adhésion, syndicale ou politique. Ceux qui ne militent pas ou plus, se « désinvestissent » souvent (temps partiel), se mettent hors-jeu (absence de longue durée) ou fuient (démissions). Enfin, il y a ceux qui « craquent » ; car la tension nerveuse, l'angoisse ont été trop fortes.

▨ **L**e plaisir d'enseigner

À des hommes et des femmes qui ne choisissent plus ce métier par vocation, mais pour les horaires de travail, les vacances, la sécurité de l'emploi, la peur « inavouée » du monde des adultes ou simplement faute de mieux, il est beaucoup demandé. L'État, les familles, attendent d'eux qu'ils instruisent les enfants et les adolescents, mais aussi qu'ils les éduquent, les éveillent, les épanouissent... N'est-ce pas trop exiger d'eux ?

Bien sûr, il existe des enseignants qui n'éprouvent aucun « malaise », qui ne se sentent ni culpabilisés ni frustrés, qui sont compétents, efficaces, appréciés de tous (élèves, parents, administration), bref qui réussissent et sont – pourquoi pas ? – heureux. Qu'ils ne soient qu'une minorité ne fait malheureusement guère de doute. Il est non moins certain qu'il importe de redonner aux autres, avec la place qui leur est due dans la société, le goût et la fierté de leur métier.

(1) Cf. bibliographie, p. 222.
(2) *Tant qu'il y aura des profs*, de Hervé Hamon et Patrick Rotman (Le Seuil, 1984).
(3) *Les Enseignants persécutés*, de Patrick Ranjard (Éd. Robert Jauze, 1984).
(4) *Où vont les professeurs ?* de Lucien Klausner (Casterman « E 3 », 1979).
(5) *Pourquoi les professeurs ?* de Georges Gusdorf (Payot, 1963).
(6) Cf. « Les animaux malades de la peste », Jean de La Fontaine, *Fables*.
(7) *Les Enseignants persécutés (op. cit.).*
(8) P. Ranjard, *op. cit.*
(9) *Paradoxes*, n° 48-49.
(10) *Op. cit.*
(11) Maurice T. Maschino, *Vos enfants ne m'intéressent plus* (Hachette, 1983).
(12) *Les Enseignants et la politique* (PUF, 1976).

LETTRE

Ne dites pas à ma mère que je suis professeur !

À propos de la situation des professeurs et de la réforme Jospin, un de nos lecteurs nous adresse la lettre suivante, que nous publions tant elle nous paraît décrire excellemment la situation injuste faite par l'État aux professeurs des enseignements secondaires.

Monsieur le Directeur,

Puis-je proposer aux lecteurs de *Commentaire* de démontrer par un exemple le titre qui précède...

Ma femme est normalienne, agrégée, professeur de biologie en lycée, passée par la recherche.

Dommage pour elle, c'était une bonne élève.

J'observe.

J'observe son salaire. Je le rapporte à dix mois d'activité par an, pour tenir compte du supplément de vacances dont elle dispose par rapport à moi. Agrégée débutante, elle gagnerait, en salaire ainsi rectifié, de l'ordre de 10 000 F bruts par mois ; aux alentours de la trentaine, de l'ordre de 14 000 F (comme un centralien – débutant s'entend !) ; aux alentours de quarante-cinq ans, de l'ordre de 23 000 F (toujours en salaire brut « rectifié »). Au-delà, vous aurez beau faire, pendant vingt ans le salaire ne bouge plus, pas même un espoir, coma dépassé.

J'observe son cursus universitaire. Elle a fait cinq années d'études supérieures. Elle a passé deux concours – école normale supérieure, agrégation – parmi les plus difficiles qu'on puisse trouver en France. Mieux que moi, au fond. (Je ne parle pas de ses années de recherche : ce n'est pas prévu par les règlements, ça compte pour du beurre. C'est juste un trou, un peu suspect, dans la carrière ; pas beaucoup mieux que d'avoir gardé les chèvres.)

J'observe ses conditions de travail. On ne lui fournit rien. Elle s'achète tout. Son bureau, c'est son appartement. Moi, j'ai le mien, de bureau. Un vrai, tout équipé. Meu-blé, éclairé, chauffé, épousseté, nettoyé tous les soirs (je ne vide même pas ma corbeille, on me fait mes carreaux). On me l'a donné. J'y range tous mes dossiers, je n'en mets pas plein le salon, j'ai mes armoires. Et j'ai des fauteuils, un téléphone, un micro-ordinateur, et même de la moquette ! On m'a fait choisir ma lampe. On m'a demandé si ça allait. Je n'ai besoin de m'acheter ni mon papier, ni mes crayons, ni mes classeurs, ni mes logiciels, ni mes disquettes ; je ne vais même pas les chercher, j'en demande. Et même mes livres professionnels. Quel est l'équivalent en salaire, et en plaisir de travailler ? Et je ne parle pas des trouvailles du comité d'entreprise, des séminaires de formation et des repas d'affaires... et de l'agrément d'avoir une secrétaire ! Ne le lui dites pas trop fort, mais je crois que ma femme ne sait pas ce que c'est que la vie ! (professionnelle).

J'observe sa charge de travail. Correction de copies : six heures pour un devoir, un devoir toutes les trois semaines (sans compter les exercices relevés), cinq classes. Total : dix heures par semaine. Préparation de cours : trois heures pour une heure d'enseignement, dix cours différents par semaine. Total : trente heures. Plus, bien entendu, les quinze heures d'enseignement direct. Bilan final : cinquante-cinq heures par semaine (même avec un taux de conversion de deux heures de préparation pour une heure de cours, on arriverait encore à quarante-cinq heures). Plus quelques extras (conseils de classe, rencontre avec les parents, élèves en perdition... et photocopies !). Et combien faut-il ajouter d'heures pour la lecture des livres et des revues scientifiques générales ?

Et combien faut-il (honnêtement) retrancher d'heures aux classiques et éculés : « Moi, je travaille cinquante heures par semaine ! » de tous les cadres de la création, dès qu'on les interroge ?

Car il s'agit de « vraies » heures complètement pleines, devant sa classe, devant sa feuille. Sans pause café. Sans coups de fil. Sans repas un peu prolongés. Sans discussions de couloir. Sans réunions diverses.

Sans déplacements ou rendez-vous d'affaires. Heures pleines, seul maître à bord, face à trois dizaines d'élèves qu'il faut alimenter, éclairer, intéresser, animer, tirer, porter vers plus de savoir et plus d'intelligence. D'heures où il faut tenir son public, de la voix et du geste (nous avons tous déjà eu à parler quatre heures d'affilée devant un auditoire ; faites-le quatre jours sur cinq, chaque semaine, pendant dix mois : oh ! comme vous en rêvez du gazon des grandes vacances !). Et les heures où l'on n'est pas sur scène, il faut chercher, tester des exercices, faire des lectures inutiles, aller trop loin dans le détail, déborder du sujet, démonter et brasser du savoir ; puis l'encercler, le dompter, le mettre en forme, l'illustrer (ah ! les films, ah ! les diapos), le clarifier, le densifier, le vitaminer, plus que digeste et nourrissant le rendre appétissant ; faire un cours, quoi !

J'observe enfin ses responsabilités. Ouvrir à la compréhension du monde des générations successives. Je me dis que, pour la nation, c'est presque aussi important que de vendre des petits pois.

Alors, j'observe les bons élèves, et je leur dis : bravo ! vous avez bien compris ! Vous n'écouterez jamais la pub du ministère de l'Éducation nationale. On manque déjà de profs de math ? Une fois encore, bravo ! Laissez tomber ! N'ENSEIGNEZ PAS, JEUNESSE ! Devenez cadre, je veux dire un vrai, pas un cadre au rabais ! Et laissez l'enseignement à vos camarades, qui ne sont pas fichus de faire autre chose, pas vrai ?

Et laissons les médiocres former des médiocres.

Veuillez...

GUY ABEILLE,
cadre, époux de professeur.
Paris, le 25 janvier 1989,
in *Commentaire*, n° 45, printemps 1989, Julliard.

CULTURE,
CROYANCES, IDÉES

Culture : une valeur en hausse.

L'état des religions.

L'enjeu de la francophonie.

Les idées qui bougent.

Culture : une valeur en hausse ?

Au palmarès culturel des années 80, la télévision arrive nettement en tête, devançant la musique et la lecture. Le cinéma (dans les salles) paraît en déclin, tandis que le théâtre et l'art semblent légèrement progresser. Durant cette dernière décennie, les Français sont-ils devenus plus ou moins cultivés ? Entre l'optimisme des uns et le pessimisme des autres, quel est l'état réel de la culture, quel est son avenir ?

« La culture va bien, observait récemment le romancier Erik Orsenna, prix Goncourt 1988 ; la France bouge, elle est plus curieuse. Je sens une gourmandise nouvelle, la fin des remparts, des frontières et des habitudes. » Ce diagnostic optimiste, mais « impressionniste », est-il confirmé par les faits ? La publication de l'enquête sur « *Les Pratiques culturelles des Français* »[1] apporte à cette question une réponse nuancée. Troisième de ce type − la première eut lieu en 1973 et la deuxième en 1981 − l'enquête réalisée en 1988-1989 par le ministère de la Culture permet en tout cas de mesurer l'évolution des comportements culturels et de dresser l'état des lieux de la culture en France. Au-delà de l'impressionnante masse de chiffres que fournit cette étude, un premier constat s'impose : les pratiques culturelles des Français ont profondément évolué depuis 1973.

La télévision « super-star »

Cette évolution est d'abord caractérisée par la part de plus en plus importante prise par la télévision. Aujourd'hui 95% des Français possèdent un poste de télévision (contre 86% en 1973) et 25% un magnétoscope. 73% la regardent tous les jours (au lieu de 65%) et la durée moyenne d'écoute est passée de 16 à 20 heures par semaine. Le pourcentage des téléspectateurs assidus, plus de 20 heures hebdomadaires, a considérablement augmenté : 36% en 1988 contre 20% en 1973.

La progression la plus sensible de la pratique quotidienne télévisuelle a été enregistrée chez les cadres supérieurs, la génération des 20-24 ans, les élèves et les étudiants, enfin les Parisiens, catégories de la population qui étaient jusqu'alors les moins consommatrices de télévision. Toutefois, c'est parmi ces catégories que la durée d'écoute demeure la plus faible. Les auteurs de l'enquête soulignent à cet égard que « la télévision est désormais si intégrée au quotidien que le fait d'allumer le poste ne paraît pas constituer dans la majorité des foyers une réelle décision, correspondant à un véritable choix ». De fait, 52% des personnes interrogées déclarent « mettre la télé » sans connaître le programme. Mais la véritable nouveauté de cette enquête, par rapport aux deux précédentes, réside d'une part dans ce qu'elle fait apparaître le recours au « zapping »[2] et l'utilisation du magnétoscope. Ces deux innovations technologiques permettent la liberté de choix, mais aussi l'affirmation d'une « distinction » sociale[3], notamment chez les catégories « cultivées ». D'autre part, elle révèle l'émergence d'une « génération-télé », constituée de ceux nés à la fin des années 60 ou au début des années 70. Au sein de cette génération, l'augmentation de la pratique télévisuelle est spectaculaire, tant en régularité qu'en durée d'écoute (+60% depuis 1973, pour une moyenne de 29%). Il en est de même pour le magnétoscope, qu'il s'agisse du taux d'équipement, de la fréquence et de la durée d'utilisation ou du nombre de vidéocassettes possédées.

Le « boom » de la musique

Après la télévision, c'est la musique qui arrive en seconde position au palmarès culturel des années 80. Responsable, ici encore, de cette « arrivée au sommet » : l'innovation technologique. En 1973, 8% des Français possédaient une chaîne « hi-fi », en 1988 ils étaient 56%. Dans le même temps, le pourcentage de ceux qui écoutent des disques ou des cassettes au moins un jour sur deux est passé de 15 à 32%. On écoute aussi de plus en plus la musique à la radio, notamment avec l'apparition, depuis 1981, des radios privées locales (« radios libres »). La radio est le média préféré des jeunes de 15 à 19 ans, parce qu'ils peuvent y écouter la musique qu'ils aiment.
Toutes catégories de population confondues, le taux d'écoute de la musique a doublé, mais il a été multiplié par cinq chez les agriculteurs et par six chez les retraités. Tous les genres musicaux progressent, mais leur hiérarchie demeure inchangée : en tête la chanson, puis la musique classique, le rock, le jazz et l'opéra. La chanson est plébiscitée dans toutes les catégories.

Comme l'écrit Pierre Lepape dans *Le Monde* : « la musique occupe désormais une place centrale dans notre champ culturel. C'est sans doute, dans ce domaine, le phénomène majeur, la révolution des sensibilités la plus inattendue de ces années 80. Tout se passe comme si l'accès à l'émotion, notamment dans les nouvelles générations, s'était déplacé de la lecture à la musique ».

La lecture en question

De fait, la lecture est dans une situation incertaine. Celle des journaux en premier lieu : en 1973, 55% des Français lisaient un quotidien tous les jours, ils n'étaient plus que 43% en 1988, tandis que 11% (contre 6%) en lisent moins d'une fois par semaine. Ce phénomène est particulièrement marquant dans la région parisienne, parmi les ouvriers, les employés et les jeunes de moins de 24 ans ; il touche davantage les quotidiens nationaux que les quotidiens régionaux (rappelons que la plus forte diffusion de la presse quotidienne est *Ouest-France*). Les

magazines ont plus de succès : ils sont lus par 68% des Français, notamment les femmes et les jeunes, les Parisiens et les catégories « cultivées ». Si les magazines sont considérés comme « modernes », il n'en est pas de même pour les livres. Certes, seulement 13% des Français n'ont aucun livre chez eux (contre 27% en 1973), et 25% (au lieu de 30%) n'en lisent

jamais, mais ces chiffres sont à peu près identiques à ceux de 1981. Stagnation donc qui s'est en outre accompagnée d'une diminution du nombre des livres lus. En 1983, 13% de la population lisaient plus de cinquante livres par an, ils n'étaient plus que 9% en 1988. Ce recul affecte tous les genres de livres, toutes les catégories socioprofessionnelles, tous les âges. Les jeunes, les cadres supérieurs, les professions libérales et les cadres moyens, c'est-à-dire ceux qui lisaient le plus, sont les principales catégories « déficitaires ».

▨ Le déclin du cinéma

En matière de cinéma, l'enquête révèle que la fréquentation des « salles obscures » est globalement en recul. Le pourcentage de Français qui déclarent être allés au cinéma au cours de l'année précédent l'enquête était de 52% en

1973, de 50% en 1981 et de 49% en 1988. Parmi eux, 58% en 1973, 60% en 1981 et 53% en 1988 ont affirmé être allés au cinéma cinq fois ou plus durant l'année. Une autre enquête réalisée en 1989 par le ministère de la Culture à la demande du Centre National de la Cinématographie, montre que ce recul s'accentue puisque l'on passe de 49% en 1988 à 42% en 1989 (parmi eux, 12% sont allés au cinéma au moins une fois par mois, ce sont les « habitués »). En quatre ans, de 1985 à 1989, la fréquentation a diminué de 16%.

Aller au cinéma n'en demeure pas moins la « pratique culturelle » la plus répandue. Il faut, toutefois, préciser qu'elle l'est essentiellement chez les jeunes, puisqu'un « habitué » sur deux a moins de vingt-cinq ans, tandis que les plus « assidus » ont entre 20 et 30 ans.

Parmi les 12% d'« habitués », près des trois-quarts vivent dans une grande agglomération, dont 40% à Paris ou dans la région parisienne. Sur le plan socio-professionnel, les plus nombreux sont les élèves et les étudiants, ainsi que les cadres, les membres des professions libérales et intellectuelles. Au total, le portrait type du cinéphile moyen est celui d'un citadin, jeune, célibataire, aisé et cultivé.

La fréquentation du cinéma est essentiellement une pratique de couple ou de groupe (seulement 13% des « habitués » y vont seuls). C'est donc une occasion de convivialité ou de sociabilité : on va beaucoup au cinéma en famille ou entre amis.

C'est le bouche-à-oreille qui, en premier lieu, incite les Français, notamment les plus âgés, à aller voir un film. Les plus jeunes sont essentiellement motivés par les bandes-annonces, les revues spécialisées, les affiches et les émissions de télévision. Les critiques de la presse écrite comptent davantage pour les cinéphiles plus âgés, mais ne jouent qu'un rôle secondaire.

Les genres cinématographiques les plus prisés sont le comique et l'aventure, puis les films policiers ; ceux qui plaisent le moins sont les films érotiques, de karaté et d'opéra... Parmi les grands succès de ces dernières années, on peut citer : *La vie est un long fleuve tranquille, L'ours, Le Grand Bleu, Rain man, Qui veut la peau de Roger Rabbit ?, Indiana Jones et la dernière croisade, Itinéraire d'un enfant gâté, Jean de Florette et Manon des Sources, Le cercle des poètes disparus...*

Des films français mais aussi américains : sur 336 films distribués en 1989, 120 étaient français et 126 américains. Cependant, les premiers n'ont représenté que 33,8% des entrées, tandis que les seconds en totalisaient plus de 55%. Si la baisse de fréquentation des salles concerne donc surtout les films français, elle n'en constitue pas moins une réalité incontestable. Signifie-t-elle que les Français aiment de moins en moins le cinéma ? Sans doute, si l'on s'en tient à ces chiffres. Certainement pas si l'on sait que, lorsque les Français regardent la télévision, les films sont avec les émissions de variétés et le sport ce qu'ils préfèrent. En 1989, ils ont pu ainsi voir, sur le petit écran, 901 films diffusés par les cinq chaînes et 388 par Canal +. Si l'on ajoute à ces films télévisés les quelque 12 millions de vidéocassettes vendues en 1989 (+40% par rapport à 1988, dont 225 000 exemplaires pour *Le Grand Bleu*), on constate qu'en France aujourd'hui, on va de moins en moins au cinéma, mais qu'on voit de plus en plus de films.

▨ Le théâtre en progrès ?

Les Français vont assez peu au théâtre, même si le taux de fréquentation des salles est passé de 10% en 1973, à 12% en 1981 et 14% en 1988. Il reste qu'environ 60% de nos compatriotes ne sont jamais allés au théâtre de leur vie.

Les amateurs de théâtre appartiennent aux catégories «professions intellectuelles et libérales, cadres supérieurs et cadres moyens.» Les plus nombreux ont entre 20 et 40 ans et sont majoritairement des femmes. Leur information sur le théâtre provient des affiches, des articles de la presse quotidienne et des revues, puis du bouche-à-oreille et de la télévision. Toutefois, outre qu'ils trouvent le prix des places trop élevé, les Français se plaignent d'être mal informés sur l'actualité théâtrale. Lorsqu'ils décident d'aller au théâtre, ils sont avant tout motivés par la présence sur scène de tel ou tel acteur, puis par la drôlerie et la qualité du texte. Parmi ceux qui ne vont jamais au théâtre, près des trois-quarts disent le regretter. Ce qui revient à dire qu'il existe potentiellement un public pour le théâtre mais que celui-ci doit accomplir de gros efforts (notamment dans le domaine de l'information, du prix et de la réservation des places) pour (re)conquérir celui-là. Jean Vilar, le créateur du Théâtre National Populaire (TNP) de Chaillot et du Festival d'Avignon, s'efforça à l'aube des années cinquante, de «réunir dans les travées de la communication dramatique, le petit boutiquier de Suresnes et le haut magistrat, l'ouvrier de Puteaux et l'agent de change, le facteur des pauvres et le professeur agrégé». Force est de constater que cet ambitieux et généreux projet ne s'est pas réalisé. Indifférence à l'égard du théâtre? En apparence oui, mais en réalité sans

doute pas, puisqu'environ 60% des Français déclaraient avoir regardé des retransmissions théâtrales à la télévision.

D'une portée infiniment moins grande que pour le cinéma, l'impact de la télévision sur le théâtre est pourtant loin d'être négligeable. Ainsi, la remise des « Molière », trophées récompensant les meilleurs auteurs, acteurs, metteurs en scène de théâtre, constitue désormais chaque année, à l'instar des « César » pour le cinéma, un des événements culturels les plus appréciés des téléspectateurs. Cette cérémonie est l'occasion, pour eux comme pour les spectateurs des salles de théâtre, de rendre en quelque sorte hommage à Molière et à Robert Hossein, à Sacha Guitry et à Shakespeare, à Racine et à Francis Huster, à Marivaux et à Jean-Louis Barrault et à Madeleine Renaud... auteurs et acteurs dramatiques d'hier et d'aujourd'hui parmi les plus connus des Français.

▨ **A**rt : une « explosion » toute relative

Environ un Français sur trois (31,8%) visite des musées (taux à peu près stable depuis 1973), dont la moitié plus de cinq fois ou plus par an. Un pourcentage légèrement inférieur (28,4%) visite des monuments historiques, mais les amateurs de « vieilles pierres » sont plutôt moins nombreux qu'en 1973 et 1981 (plus de 30%). En revanche, ces amateurs sont de plus en plus assidus : près du quart d'entre eux a effectué ce type de visite au minimum cinq fois par an.

On compte également près d'un quart d'amateurs d'art qui vont voir des expositions temporaires (23%) et environ 15% qui se rendent dans des galeries. Dans l'ensemble, les Français paraissent s'intéresser davantage à l'art au cours de ces dernières années, sans que l'on puisse pour autant parler, comme l'on fait certains médias, de véritable « explosion ».

▨ **Le** phénomène des festivals

Relativement récent, du moins avec l'ampleur qu'il revêt aujourd'hui, ce phénomène est essentiellement estival. C'est, en effet, tout au long de l'été, que se déroule, à travers la France, un impressionnant ensemble de manifestations culturelles réunissant festivals de théâtre, de musique, de danse, expositions artistiques, évocations historiques, etc.

Tout le monde connaît ces événements de renommée mondiale que sont le Festival d'Avignon pour le théâtre, celui d'Aix-en-Provence pour la musique. Mais, désormais, il y a aussi, parmi bien d'autres, les festivals de théâtre d'Anjou, dirigé par le comédien Jean-Claude Brialy, ceux de Pau, Sarlat, Ramatuelle...

Éclatement géographique et éclectisme du répertoire caractérisent ce théâtre estival, mais se retrouvent également dans les autres domaines et, notamment, la musique. Depuis plusieurs années déjà, les festivals musicaux de l'été ont littéralement essaimé dans la plupart des régions de France. Des villes aux villages, des bourgs ruraux aux métropoles régionales, dans les châteaux, les vieux hôtels particuliers, les églises, les abbayes, les chapelles, les cathédrales, les théâtres ou les arènes antiques, dans les parcs ou les anciennes granges, grands orchestres ou solistes offrent aux estivants des concerts de musique classique ou contemporaine, des opéras ou des spectacles lyriques, sans oublier des concerts de jazz ou de rock.

La danse qui semble connaître un regain de faveur, à la fois comme activité et comme spectacle, a désormais, elle aussi, ses festivals.

D'innombrables expositions artistiques sont proposées aux amateurs, des plus célèbres, comme celles présentées dans le cadre de la Fondation Maeght de Saint-Paul de Vence, aux plus modestes consacrées à des artistes locaux, souvent inconnus. Quant aux évocations historiques, elles comptent depuis quelques années parmi les manifestations les plus appréciées des Français. Depuis les premiers «sons et lumière» des années cinquante, illuminant et animant les grands châteaux de France et, surtout, depuis 1978, année de création de la «cinescénie» du Puy du Fou (qui retrace la vie d'une famille vendéenne à travers les âges), les reconstitutions d'événements de notre histoire fleurissent aux quatre coins de l'Hexagone.

■ Un bilan mitigé

De ces chiffres et de ces données, il ressort que ce qu'on pourrait appeler le phénomène «culture de l'été» ne signifie pas pour autant «été de la culture». L'arbre des festivals d'été cache en grande partie la forêt de la vie culturelle dans son ensemble. Le bilan de celle-ci apparaît donc mitigé, entre optimisme (quelque peu béat chez certains, comme *Le Nouvel Observateur* qui titrait récemment : «Culture, le grand festin» ou «Les Français saisis par la boulimie artistique»[4]) et pessimisme (parfois excessif, comme le philosophe Alain Finkielkraut qui voit dans le «tout culturel», la «défaite de la pensée» et, partant, la destruction de la culture[5]).

Pourtant, certaines données tendent à faire pencher la balance du côté de l'optimisme. Ainsi,

85% des Français affirment que l'art est indispensable, 66% que le ministère de la Culture est utile et 55% que les intellectuels ont un rôle à jouer.

Plus concrètement, 10% sont des musiciens actifs et 55% regrettent de ne pas l'être, 25% occupent leurs loisirs à écrire des romans ou des poèmes, à peindre ou à sculpter, à faire du théâtre ou de la danse, 14% dessinent (l'activité la plus répandue) et plus de 6% tiennent un journal intime !

Alors, «foin des bougons !», des détracteurs de «la culture pour tous», comme s'exclame Jacques Rigaud[6]. La culture ne ferait-elle plus peur et serait-elle une valeur en hausse ? Peut-être. Mais il n'en reste pas moins que les inégalités subsistent, liées à l'âge, au diplôme, à la profession, à l'habitat... «Les gens cultivés restent cultivés et continuent de donner le ton», note l'historien Pierre Nora, tandis que le sociologue Marc Guillaume diagnostique sombrement : «La culture se comporte comme une supernova. Elle s'étend en surface, ce qui la fait paraître plus brillante, mais le noyau est en train d'imploser»[7].

En dernière analyse, la vraie question n'est-elle pas de savoir «si la culture sera le privilège de quelques sectes protégées de la barbarie ou si la barbarie sera évitée par l'insertion d'un minimum de dimension culturelle dans des pratiques de masse dont le développement est irréversible ?»[8].

(1) *Les Pratiques culturelles des Français. Évolution 1973-1989*, par Olivier Donnat et Denis Cogneau, La Documentation française/La Découverte.
(2) Possibilité de changer de chaîne grâce à une télécommande.
(3) Cf. Pierre Bourdieu, *La Distinction, critique sociale du jugement*. Les éditions de Minuit, 1982.
(4) 15-21 mars 1990.
(5) *La Défaite de la pensée*, Gallimard, 1987.
(6) in *Le Nouvel Observateur*, op. cit.
(7) Cités par Maryvonne de Saint-Pulgent in *Le Point*, 2 avril 1990.
(8) Jacques Rigaud, *Libre culture*, Gallimard, 1990.

L'état des religions

Catholicisme, islam, protestantisme, judaïsme sont les quatre grandes religions représentées dans le pays.

Le catholicisme connaît une situation contrastée, sinon contradictoire : à côté d'incontestables symptômes de déclin, il présente de non moins évidents signes de renouveau. L'islam, désormais deuxième religion de France, est partagé entre la volonté d'intégration de bon nombre de ses fidèles et la montée de l'intégrisme chez certains d'entre eux. Le protestantisme, dorénavant minoritaire sur le plan religieux, n'en demeure pas moins très influent dans les domaines socio-politiques.

Le judaïsme, enfin, paraît parfois déchiré entre ses « laïcs » et ses « religieux », dont beaucoup sont de plus en plus attirés par la stricte orthodoxie.

Si l'on en croit les titres d'articles ou de dossiers relevés dans la presse ces deux dernières années, il existe actuellement en France un intérêt certain, sinon une vive curiosité, pour les questions religieuses. Qu'on en juge : « Comme Dieu en France » (*Valeurs actuelles*, décembre 1988) ; « Les Cathos » (*L'Express*, décembre 1988) ; « L'islamisme » (*Le Monde*, dossiers et documents, décembre 1988) ; « Musulmans, juifs, chrétiens » (*Le Nouvel Observateur*, octobre 1989) ; « L'islam en France » (*Paris-Match*, novembre 1989) ; « Les états d'âme des juifs de France » (*Le Monde*, 23 février 1990) ; « Dieu attaque » (*Le Nouvel Observateur*, janvier 1991) ; « Le revanche de Dieu » (*Valeurs actuelles*, février 1991)... Cette liste est loin d'être exhaustive, mais il faut y ajouter de nombreuses enquêtes (certaines seront évoquées plus loin), des émissions de télévision et bien sûr des livres (un *Grand atlas des religions*[1], les deux premiers volumes d'une *Histoire de la France religieuse*[2], une *Histoire du Christianisme* en deux tomes[3] et l'ouvrage *La revanche de Dieu* sous-titré *Chrétiens, juifs et musulmans à la reconquête du monde* de Gilles Kepel[4].

Bien entendu, ce retour des religions à la « Une » de l'actualité ne signifie pas que toutes les religions représentées en France (catholicisme, protestantisme, islamisme, judaïsme) connaissent les mêmes évolutions ou se manifestent de manière identique. Il n'est donc peut-être pas inutile, devant l'ampleur prise par ce phénomène de « réveil de la foi », de faire le point sur l'état des religions dans la France d'aujourd'hui.

■ Le catholicisme : déclin ou renouveau ?

Dans un livre paru en 1988, G. Michelat, J. Potel et J. Sutter posaient cette interrogation *La France est-elle toujours un pays catholique ?*[5]. Selon les statistiques, la réponse est affirmative : environ 80% des Français se déclarent catholiques, et la vie du pays est encore souvent marquée par le catholicisme. Les fêtes religieuses (Pâques, Ascension, Pentecôte, Assomption, Toussaint, Noël) scandent l'année et les cérémonies (baptême, communion, mariage), bien qu'en nette diminution (cf. tableau ci-après), se pratiquent encore souvent.

	1970	1987
Baptêmes	84%	64%
Mariages religieux	95%	55%

Cependant, sur les quelque 46 millions de Français qui se déclarent catholiques, seulement 14% sont des pratiquants réguliers et 15% des pratiquants occasionnels.

Ce déclin des cérémonies et de la pratique s'accompagne d'un effritement de la culture religieuse. Si, par exemple, 83% des Français connaissent la signification de Noël, celle de l'Assomption n'est connue que par 48% d'entre eux, et celle de la Pentecôte par seulement 18%. De même, on constate que la définition de mots comme « communion », « péché », « résurrection » ou « Trinité » est souvent vague ou méconnue, y compris des catholiques pratiquants [6]. Comme l'a souligné le cardinal archevêque de Paris, Monseigneur Lustiger, si « le christianisme reste l'un des ressorts fondamentaux de notre société civile » [7], force est d'admettre que « des ruptures se sont bien produites dans la transmission de la foi » [8].

Les dernières statistiques publiées permettent de comprendre ces ruptures – même si elles ne les expliquent pas totalement. Le nombre de prêtres qui était de 42 000 en 1960 est aujourd'hui d'environ 25 000. Il y a trente ans, on comptait un prêtre pour mille habitants ; en

1990, on en compte un pour deux mille deux cents. Les ordinations, qui étaient encore de 350 par an en 1970, ont diminué environ de moitié. Compte tenu des décès et des départs en retraite, ce sont quelque huit cent prêtres par an qui ne sont pas remplacés. Désormais, la majorité d'entre eux (60%) sont âgés de plus de soixante ans, 15% ont moins de cinquante ans et à peine 4,5% moins de quarante ans. Les curés de campagne, qui ont souvent la charge de plusieurs paroisses (5, 10 et parfois plus) savent que, dans bien des cas, ils ne seront pas remplacés. La situation est encore plus grave dans les grandes villes et leurs banlieues, notamment dans la région parisienne où parfois il n'y a plus qu'un prêtre pour 7 000 habitants.

Ces données ont conduit certains observateurs à parler de « désertification religieuse », donnant de la France l'image d'un pays en voie de déchristianisation.

Dans le même temps, toutefois, des phénomènes récemment apparus semblent contredire ce discours alarmiste, tandis que certains signes paraissent même indiquer un véritable renouveau religieux.

C'est ainsi que des groupes de prière, ou communautés charismatiques, réunissant des religieux et des laïcs, des hommes et des femmes, mariés ou célibataires, naissent et se multiplient aux quatre coins de la France (3 000 sont actuellement recensés). Les monastères reçoivent des visiteurs de plus en plus nombreux (celui de la Pierre-qui-Vire dans l'Yonne qui accueille 8 000 personnes) : croyants désireux d'approfondir leur foi, hommes ou femmes en « recherche spirituelle », simples hôtes de passage, jeunes en difficulté, chômeurs, marginaux... Les pèlerinages, comme celui de Chartres, sont suivis par des foules de plus en plus importantes (de 20 à 30 000 personnes) et d'importants rassemblements se tiennent dans le pays (25 000 charismatiques l'an passé près de Paris, le jour de la Pentecôte). Enfin, des laïcs, en nombre sans cesse croissant, s'efforcent de relayer un clergé déclinant, en prenant de plus en plus de responsabilités dans la gestion de l'Église. Après une formation qui peut durer deux ans, ils sont embauchés et rémunérés, pour une durée temporaire, dans les services de catéchèse de leur diocèse ou dans les aumôneries des hôpitaux, prisons et établissements secondaires.

La « professionnalisation d'un laïcat actif »[9] est une des caractéristiques majeures de l'évolution que connaît aujourd'hui le catholicisme en France. Celui-ci est à l'image de la société française, de plus en plus diversifié, sinon éclaté : catholiques de gauche et de droite, traditionalistes et progressistes, intégristes ou simples fidèles y coexistent, ont leurs chefs de file, leurs moyens matériels et financiers, leur presse, parfois leurs églises…

Diversité est souvent synonyme de contradiction. Le catholicisme français n'échappe pas à cette règle : déclin apparent d'un côté, renouveau de l'autre.

■ L'islam : intégration ou intégrisme ?

Avec environ 3 millions de musulmans, l'islam est désormais la deuxième religion en France. Algériens, Marocains, Tunisiens, Africains, Pakistanais, Turcs composent cette communauté islamique, la plus importante d'Europe. Jusque-là plutôt mal connue, elle s'est trouvée sous les feux de l'actualité à la suite de ce qu'on a appelé « l'affaire des foulards » (cf. « La question de l'immigration »). Cet « effet tchador »[10] pour reprendre l'expression de certains journaux, s'est ajouté à celui provoqué par les manifestations de musulmans « intégristes » protestant contre la publication du livre *Les Versets sataniques* de l'écrivain indo-britannique Salman Rushdie.

Plusieurs sondages ont été publiés à l'occasion de ces deux événements, notamment celui réalisé par l'IFOP en novembre 1989[11]. D'après ce sondage, l'image de l'islam apparaît très différente selon que les réponses émanent de Français ou de musulmans. Ainsi, le mot « fanatisme » est celui qui correspond le mieux à l'islam pour 71% des Français, alors que pour 62% des musulmans, c'est le mot « tolérance ». De même, si 41% des Français estiment qu'on doit pouvoir vivre en France en respectant toutes les prescriptions de l'islam, ce sont 71% des musulmans qui sont de cet avis. Les points de vue se rapprochent lorsqu'est évoquée la possibilité de concilier intégration à la société française et pratique de la religion musulmane *en privé* : 82% des Français et 93% des musulmans sont alors d'accord. Malgré ce large consensus

sur une pratique « privée » de l'islam, il faut préciser que les lieux de culte se sont multipliés sur le territoire français atteignant aujourd'hui le chiffre d'un millier.

Quant à la pratique de la religion musulmane, elle est particulièrement élevée en ce qui concerne le ramadan (81% l'observent et 60% jeûnent pendant toute sa durée). 65% des musulmans vivant en France ne boivent jamais d'alcool et 4% prient chaque jour.

Selon plusieurs observations récentes, il se produit chez certains musulmans le même phénomène que chez certains catholiques : à savoir, notamment, une volonté, identique d'affirmer des valeurs communautaires et sociales fondées sur une expérience religieuse personnelle. Gilles Kepel écarte, à ce propos, les dénominations d'intégrisme ou de fondamentalisme, « simplificatrices et biaisées », à ses yeux, pour celles de « réislamisation » (« rechristianisation », « rejudaïsation »).

« Montée de l'intégrisme » ou « réislamisation » ? La question se pose dans l'ensemble du monde musulman, mais elle n'est certainement pas sans échos dans la société française.

Le protestantisme : minoritaire, mais influent

Après la commémoration, en 1985, du tricentenaire de la Révocation de l'Édit de Nantes[12] et celle, en 1986, du quatre cent cinquantième anniversaire de l'*Institution de la religion chrétienne* de Calvin[13], le protestantisme français a beaucoup moins fait parler de lui, ces dernières années, que l'islam et même le catholicisme.

Il est vrai que la religion de Calvin et Luther est désormais très minoritaire en France. Le nombre des protestants est estimé entre 700 000 et 2 millions de personnes, chiffre très approximatif car dépendant des critères retenus : l'adhésion, la culture ou l'affinité.

Une chose demeure incontestée : la répartition géographique. On trouve environ 30% des protestants dans l'Est de la France (Moselle, Bas-Rhin, Haut-Rhin, Territoire de Belfort, Doubs), 20% dans la région parisienne, 15% au sud du Massif central (Ardèche, Drôme, Lozère, Tarn et Gard), les autres étant plutôt à l'ouest (Deux-Sèvres, Charentes, Poitou).

Les protestants français se partagent entre « réformés » (30%), « évangéliques » (méthodistes, baptistes, adventistes, etc.) (24%), « luthériens » (9%), 37% déclarant n'appartenir à aucune Église.

Géographiquement, les calvinistes se trouvent au Sud-Est et dans l'Ouest et les luthériens à l'Est. Institutionnellement, les uns comme les autres sont rassemblés au sein de la Fédération protestante de France.

Plus de la moitié de ceux qui se réclament du protestantisme le font en raison de « la liberté d'esprit qu'il donne », environ 30% pour ses principes moraux, les autres évoquant « la place faite à la Bible » ou « l'acceptation de la laïcité ». Il y a quelques années, 38% des protestants affirmaient avoir été baptisés selon le rite protestant et 25% s'être mariés au temple, 20% seulement avaient un conjoint protestant contre 48% qui avaient épousé un ou une catholique.

Plus encore que celle des catholiques, la pratique religieuse des protestants est faible. 10% seulement vont au temple deux fois par mois et plus, 60% n'y vont jamais. Si cette désaffection à l'égard du culte, comme la multiplication des mariages mixtes, et, selon certains, l'abandon de la transmission familiale, peuvent être considérés comme les signes d'une crise du protestantisme, d'autres signes peuvent inciter à émettre un diagnostic contraire. On observe ainsi, à l'inverse du catholicisme, un rajeunissement du clergé et une augmentation des étudiants en théologie. Mais, surtout, on constate que la place et l'influence des protestants dans la société française sont sans commune mesure avec leur importance numérique. Ainsi, sociologiquement, environ 15% d'entre eux sont des cadres supérieurs ou des membres des professions libérales, soit deux fois plus que dans l'ensemble de la société. Politiquement, ils sont fort bien représentés avec notamment Michel Rocard, Lionel Jospin, ministre de l'Éducation nationale et Pierre Joxe, ministre de la Défense...

Entre ceux qui, à l'instar du journaliste Robert Beauvais, auteur, il y a quelques années, d'un pamphlet intitulé *Nous serons tous des protestants* et l'hebdomadaire *L'Événement du jeudi*, publiant en 1987 un dossier sur le thème « La France conquise par les protestants » et ceux, comme l'historien Jean Bauberot, qui se demandent si le protestantisme doit mourir (pour mieux renaître)[14], la perception du rôle de la religion réformée en France est pour le moins différente. Dominatrice ou dominée ? De fait, peut-être la question ne se pose-t-elle pas en ces termes, et J. Bauberot a-t-il raison lorsqu'il affirme en substance : le protestantisme est dans l'anonymat, mais les protestants se portent bien.

Le judaïsme entre laïcité et orthodoxie

Selon Benny Cohen, président du consistoire de Paris, organisme qui gère la vie religieuse de la communauté juive, il y a actuellement 800 000 juifs en France[15]. La communauté se compose de deux groupes : les *Ashkénazes*, issus d'Europe centrale, notamment de Pologne et de Russie, et les *Sépharades*, venus d'Afrique du Nord, en particulier d'Algérie, au lendemain de l'indépendance de ce pays.

C'est sous l'impulsion de ces derniers que s'est manifesté, depuis les années 70, un indéniable réveil religieux.

On a ainsi assisté à une spectaculaire augmen-

tation du nombre des synagogues (une centaine à Paris aujourd'hui contre 30 il y a vingt ans), au développement des cours de Talmud et de Torah, à la multiplication des boucheries Kasher... Il en est de même pour les écoles : en 1976, on comptait 44 écoles juives sous contrat (« contrat d'association » avec l'État) ; elles sont aujourd'hui plus du double, accueillant 16 000 élèves contre 500 au début des années 50. Outre les matières d'enseignement général, elles dispensent de huit à douze heures hebdomadaires d'instruction religieuse. Des cercles d'études, des manifestations, comme celle du Yom Hatorah qui a rassemblé 30 000 personnes à Paris en décembre 1989, se multiplient, tant à Paris (où vivent 300 000 juifs) qu'en province.

Selon une enquête réalisée à la demande du Fonds social juif unifié (FSJU), il convient de distinguer trois niveaux de pratique religieuse : 15% sont des « observants » (ils respectent le sabbat, mangent de la nourriture Kasher, célèbrent les fêtes religieuses) ; 49% sont des « traditionalistes » (ils célèbrent les très grandes fêtes et observent un minimum de prescriptions alimentaires) ; enfin, 36% sont des « non-observants ».

De fait, la communauté juive est actuellement divisée entre « laïcs » et « religieux », ceux-ci étant considérés comme des « orthodoxes » ou des « intégristes ». Les « religieux » sont ainsi particulièrement rigoristes en matière de droit matrimonial et de conversions. Pour eux, les mariages mixtes (entre juifs et non-juifs) et les

« conversions de complaisance » pour mariage (admis par les « laïcs » ou « libéraux ») sont dangereux pour l'intégrité du judaïsme. Comme le dit Benny Cohen : « On n'a pas le droit de jouer avec une tradition qui est la première du monothéisme, (...) on n'a pas le droit de rompre un seul maillon d'une chaîne qui remonte à plusieurs millénaires, d'inventer son judaïsme et sa Torah »[16]. Désormais, les enfants issus de couples mixtes ne sont pas acceptés dans certaines écoles juives qui recrutent leurs élèves sur des critères religieux.

Selon l'enquête du FSJU, juifs « laïcs » et juifs « religieux » sont en nombre à peu près égal, mais les seconds sont très actifs au sein de la communauté. Ce « retour du religieux » ne revêt cependant pas une forme unique. Selon Martine Cohen, chercheur au CNRS, « il s'apparente autant à un souci d'appartenance et d'identité qu'à une demande de normes religieuses précises ».

Comme le fait remarquer le spécialiste des questions religieuses au *Monde* : « Le judaïsme ne se réduit évidemment pas à son expression religieuse. Il est héritier d'une histoire, porteur d'une tradition, d'une philosophie et d'un projet culturel, mais le judaïsme orthodoxe est devenu sa facette la plus visible, à un moment où le dynamisme culturel de la communauté semble échapper à ses institutions représentatives »[17].

(1) Éd. Universalis.
(2) Éd. du Seuil.
(3) Éd. Fayard.
(4) Éd. du Seuil.
(5) Éd. du Cerf.
(6) D'après un sondage IPSOS pour *Le Monde* et RTL (1988).
(7) in *Le Monde*, 5 octobre 1988.
(8) Henri Tincq, in *Le Monde*, op. cit.
(9) H. Tincq, op. cit.
(10) Voile porté par des femmes musulmanes.
(11) Cf. *Le Monde*.
(12) Disposition par laquelle Henri IV, en 1598, accorda aux protestants la liberté du culte et des garanties politiques et juridiques, mettant fin ainsi à 40 ans d'une cruelle guerre civile. En 1685, Louis XIV révoqua l'Édit de Nantes, ce qui entraîna la persécution des protestants (les « dragonnades ») et l'émigration, en Allemagne et en Suisse, de 200 000 à 300 000 d'entre eux.
(13) Œuvre théologique qui fonda le protestantisme français.
(14) J. Bauberot : *Le Protestantisme doit-il mourir ?* Le Seuil.
(15) in *Le Monde*, 23 février 1990.
(16) in *Le Monde*, op. cit.
(17) in *Le Monde*, op. cit.

L'enjeu de la Francophonie

C'est le géographe français Onésime Reclus (1837-1916) qui le premier a employé, et probablement inventé, le mot francophonie. À ses yeux, ce terme désignait en même temps les « populations » parlant français et « l'ensemble des territoires » où l'on utilisait la langue française. « Il ne s'agit pas ici, précisait-il, de la seule France "maternelle", la plus homogène et la plus centralisée de toutes les nations, mais de la France "générale", la France mondiale, la France majeure qui est américaine, africaine, asiatique, océanique »[1].

De Queneau à Senghor

Selon le Trésor de la langue française, l'expression réapparaît en 1959, sous la plume de Raymond Queneau, dans *Zazie dans le métro* où il écrit : « Gabriel pérorait devant une assemblée dont l'attention était d'autant plus soutenue que la francophonie y était plus dispersée ». Toutefois, le concept de francophonie a été véritablement introduit en 1956 par Léopold Sédar Senghor, alors député du Sénégal (Afrique occidentale française), dans un article de la revue *La Nef* intitulé : « Où va l'Union française ? »[2]. Senghor y plaidait la cause d'une République fédérale et envisageait notamment les perspectives d'une langue commune permettant à un ensemble de pays et de peuples de jouer un rôle dans le monde qui était en train de naître. L'idée de francophonie était lancée et, en novembre 1962 dans la revue *Esprit*, Senghor la définissait comme « cet humanisme intégral qui se tisse autour de la terre, cette symbiose des énergies dormantes de tous les continents, de toutes les races, qui se réveillent à leur chaleur complémentaire ». Pour sa part, le président tunisien Habib Bourguiba la présentait en 1965 comme « un Commonwealth à la française respectant les souverainetés de chacun ». Ces premières années 60 correspondaient à la période de la décolonisation et donc à l'émergence de nouvelles nations. Aux présidents du Sénégal et de la Tunisie devait bientôt s'associer le président du Niger, Hamani Diori, dans la même volonté de maintenir « les liens qu'une histoire commune avait établis avec l'ancienne métropole, et dont la langue française était à la fois le symbole et l'instrument »[3]. Cet accord débouchera en 1966 sur un projet de communauté francophone et, en 1970, sur la création à Niamey de l'Agence de coopération culturelle et technique des pays francophones (ACCT)[4].

Un « Commonwealth » à la française

Dix ans plus tard, à l'occasion d'un sommet franco-africain tenu à Nice en 1980, le président Senghor, reprenant l'idée d'un « Commonwealth à la française », appelait à la construction d'une « Communauté organique pour le développement des échanges culturels ». Il répondait ainsi au président algérien Chadli qui, quelque temps auparavant, avait publiquement dit « non à la francophonie en tant qu'expression de colonialisme économique et culturel ».

Conscient de l'ambivalence de notre langue, « à la fois langue de l'aliénation et langue de libération de nombreux peuples », L.S. Senghor affirma alors : « le français doit à présent jouer un rôle de premier plan dans le développement des cultures du Tiers-Monde, dans les rapports nouveaux entre cultures nationales et développement endogène, entre développement socio-culturel et développement économique ».

« Le merveilleux instrument trouvé dans les décombres du régime colonial », ce « soleil qui brille hors de l'Hexagone » (Senghor), devient la clef de voûte de la francophonie, c'est-à-dire d'une authentique communauté de « pays ayant en commun l'usage du français » et répartie sur les cinq continents.

Cet ensemble linguistique, uni par un héritage spirituel commun, s'inscrit ainsi dans la dialectique de l'unité et de la diversité des cultures.

La notion de francophonie peut ainsi rallier à elle de nombreux partisans, en France comme dans les pays entièrement ou partiellement francophones. C'est ainsi qu'en 1985, le ministre égyptien des Affaires étrangères, Boutros Ghali, justifia l'adhésion de son pays à l'ACCT en déclarant voir dans le français « la langue du non-alignement »[5].

L'année suivante, en février 1986, se déroule à Versailles et à Paris le premier sommet des « pays ayant en commun l'usage de la langue française ». 40 pays participent à cette conférence francophone que le secrétaire général des Nations Unies, Perez de Cuellar, qualifie d'« événement historique qui suscite l'intérêt de toute la communauté mondiale ».

Le second sommet, en septembre 1987 à Québec, donne lieu à une « déclaration de solidarité » des chefs d'État et de gouvernement des pays francophones. Ceux-ci réaffirment leur volonté de faire de l'ensemble des pays qu'ils représentent « une communauté solidaire » et de consolider « un espace où l'usage d'une langue commune favorisera la libre circulation des biens culturels, l'échange des connaissances scientifiques, le transfert et l'adaptation des nouvelles technologies ».

Enfin, le troisième sommet, qui s'est tenu à Dakar en mai dernier[6], a été principalement marqué par la déclaration du Président François Mitterrand annonçant «l'annulation de la dette publique des 35 pays les plus pauvres». Il a aussi permis à la Communauté francophone de prendre conscience qu'elle était devenue non seulement «une réalité politique, économique et culturelle fondamentale dans la vie de (leurs) États», mais aussi un facteur d'équilibre entre les nations.

D'institution à vocation essentiellement culturelle, la Francophonie semble donc se transformer progressivement en «institution internationale destinée à peser sur l'Histoire» (selon *Univers francophone*, la revue de l'ACCT), c'est-à-dire en puissance politique de premier plan. Si elle paraît avoir abandonné l'idée de «Communauté organique» chère à L.S. Senghor, la Francophonie apparaît désormais comme un relais majeur du dialogue Nord-Sud, un «dialogue égalitaire» fondé sur l'interdépendance des pays qui la composent.

Une solidarité transversale

Plutôt que de constituer un nouveau bloc, il s'agit donc d'établir une solidarité transversale, dans le respect de la souveraineté de chaque nation et de chaque peuple. On retrouve là l'idée de francophonie telle que l'avait conçue O. Reclus, au début de ce siècle, c'est-à-dire une «solidarité humaine à travers le partage culturel». Partage culturel que Thierry de Beaucé illustre avec éloquence lorsqu'il écrit : «Que le français sache rendre la mémoire hassidique d'un Elie Wiesel, qu'il exprime jusqu'en Israël la culture sépharade des réfugiés d'Afrique du Nord, lointains héritiers des Andalousies somptueuses d'avant le catholicisme espagnol, que le français – dépassant la problématique intellectuelle d'une double appartenance – sache exprimer les identités du Maghreb, liées pour nous à tant de moments partagés. Que le Moyen-Orient nous donne des littératures égyptiennes, un tremblement historique qui hésite au Liban entre tant de cultures mêlées comme des frères siamois jusqu'à l'horreur d'un sang qu'on ne départage pas. Qu'il y ait si fort des écrivains wallons, suis-

ses, canadiens ; que Marguerite Yourcenar, Simenon, Antonine Maillet répondent à notre histoire par d'autres histoires en porte-à-faux avec des accents qui sont aussi ceux d'autrefois. Que la littérature des îles, de René Depestre ou de Malcom de Chazal, nous offre son dictionnaire d'épices et de parfums, sa grammaire trimballée depuis des siècles et maintenant toute de guingois, en délices créoles. Que des écrivains latino-américains choisissent notre langue comme Hector Bianciotti pour proclamer un universalisme nostalgique, de vents lointains et de civilisations aux éternels exils. Que d'autres – comme Carlos Fuentes, Alejo Carpentier ou Julio Cortazar – veillent de près à des traductions dont ils maîtrisent la musicalité particulière et la délectation savante du verbe. Que l'Afrique nous retourne un langage de précipitations humoristiques, d'émerveillement devant ces mots détachés des sources écrites et rendus au parler pur – des éclats d'instruments de musique où la voix humaine reste toujours en position de négocier les significations. Qu'ici ou là un Julien Green choisisse notre langage par je ne sais quel parti pris d'élégance ou de détermination, qu'un Cioran réinvente avec notre grammaire une sagesse bâtie d'aridités, n'est-ce pas le signe d'une vocation universelle et d'un foisonnement qui ne nous appartiennent plus tout à fait ? »[7]

La francophonie est un enjeu, un pari, qui requiert une véritable volonté politique. La langue française n'est plus un instrument de conquête, elle ne doit pas être le drapeau d'une nostalgie. Comme le souligne Philippe de Saint-Robert, « c'est plus simplement, et peut-être plus efficacement, un outil de connaissance et de développement. Ou bien les francophones sauront maintenir cet outil en usage, le mettre à la portée de tous, le rendre nécessaire à ceux-là même dont il n'est pas le seul moyen de pensée et d'expression, ou bien la France verra s'évanouir la dernière chance de son vieux rêve d'universalité... »[8]

(1) in *Lâchons l'Asie, prenons l'Afrique. Où renaître ? Et comment durer ?* Librairie universelle, 1904.
(2) Nom donné par la Constitution de 1946 à l'ensemble constitué par la France et les pays d'Outre-Mer.
(3) Michel Leymarie, in *Après-demain*, « La Francophonie » n° 256-257, juillet-septembre 1983.
(4) Cf. l'article de Max Égly in *Échos*, n° 56.
(5) Entretien avec Philippe Gardénal in *Qui vive*, n° 1, novembre 1985.
(6) Cf. les articles de P. Alexandre « Le sommet de Dakar » et « La Francophonie, un instrument politique ? » in *Échos*, op. cit.
(7) in *Le Débat*, n° 45, mai-septembre 1987.
(8) in *Hérodote*, n° 52, juillet-septembre 1986.

Les idées qui bougent

Le paysage idéologique est en perpétuelle transformation. Après trente ans d'hégémonie, l'idéologie de gauche, à la fin des années 70, a paru céder la place aux idéologies de droite. Mais celles-ci n'ont pas su ou pu rester dominantes. Les années 80 se sont achevées sur un « grand chambardement ». Les repères traditionnels sont brouillés, les vieux clivages ont éclaté. Une seule certitude : les Français ont encore des idées !

Avec la parution, début 1991, du livre de Bernard-Henri Lévy, *Les Aventures de la liberté*[1], présenté par son auteur comme « une histoire subjective des intellectuels français », la question des idéologies a une nouvelle fois occupé la « une » de l'actualité culturelle, suscitant d'innombrables débats ou dossiers.

Le fait n'était pas inédit : le mouvement des idées est un thème récurrent dans la vie intellectuelle française. Pour ne considérer que les cinq dernières années, maints livres ou articles de la presse écrite ont alimenté ce dossier. En janvier 1985, le quotidien *Le Matin* annonce « la mort des idéologies » (article du sociologue Alain Touraine)[2], tandis qu'un mois plus tard *Le Figaro*, sous la signature de l'universitaire et journaliste Jean-Marie Domenach, titre sur « la grande lessive des idéologies »[3]. Même image, en juin 1986, dans *Le Nouvel Observateur* qui propose un dossier sur « la grande lessive des intellectuels », précédé d'un éditorial, sous le même titre, de l'historien et journaliste Jacques Julliard[4]. Deux mois plus tard, celui-ci, dans sa chronique hebdomadaire, se penche sur « la retraite des intellos » (il faut entendre : les intellectuels sortent de leur retraite, et non, prennent leur retraite...) à l'occasion de rencontres estivales sur « le nouveau paysage intellectuel »[5]. La semaine suivante, c'est au tour du directeur du *Nouvel Observateur*, Jean Daniel, de prononcer un subtil « éloge des intellectuels »[6]. En mars 1987, *Le Magazine littéraire* publie un numéro spécial sur le thème « Idéologies : le grand chambardement »[7].

Quelques mois plus tard, le philosophe Alain Finkielkraut publie un petit livre qui fait grand bruit *La Défaite de la pensée*[8] et Bernard-Henri Lévy un *Éloge des intellectuels*[9], tandis que la revue *Le Débat* pose la question « Changement intellectuel ou changement des intellectuels ? »[10].

En 1988, Jean-Marie Domenach s'efforce de donner *Des Idées pour la politique*[11], un livre injustement ignoré en raison des échéances électorales de cette année-là (élections présidentielle et législative).

En 1989, année, sur le plan éditorial, presque exclusivement consacrée au bicentenaire de la Révolution, la revue *Le Débat* édite un très précieux ouvrage sur *Les Idées en France (1945-1988)*[12].

Des cycles idéologiques

Sous la diversité, ou la similitude des titres, une même interrogation : où en sont aujourd'hui les idéologies ? Un constat d'abord : cette question est déjà une réponse à ceux qui, régulièrement, croient discerner la fin des idéologies. Les idéologies ne sont pas mortes, elles ont évolué, elles se sont modifiées.

Comme l'observe l'historien René Rémond : « À l'instar de l'économie, (...) le mouvement des idées associe des oscillations à court terme et de faible amplitude avec des évolutions plus essentielles qui obéissent à des rythmes et ont leurs cycles »[13].

▨ Une idéologie dominante

De nombreux auteurs estiment que le cycle qui débuta au lendemain de la Seconde Guerre mondiale, a définitivement pris fin. Il avait vu les « idées de gauche » exercer une véritable « domination sur les esprits »[14]. L'idéologie dominante n'était pas celle des classes dirigeantes, mais celle des intellectuels de gauche. Détenteurs du pouvoir culturel, ils présentèrent, durant une trentaine d'années, une configuration idéologique à diverses facettes, mais hégémonique. Il y eut d'abord le marxisme considéré, selon la formule de Sartre, comme « l'horizon indépassable de notre temps » et dont l'influence fut sans commune mesure avec le nombre de ceux qui s'en réclamaient explicitement. Après la guerre, note Edgar Morin, « le marxisme était la doctrine totale répondant à tous les problèmes scientifiques, philosophiques, éthiques, politiques, historiques, etc. »[15] Ébranlé par la révolte hongroise (1956) et les événements de Tchécoslovaquie (1968), contesté par les « néomarxismes » (marxisme critique ou freudomarxisme), durement atteint par la désaffection de ses fidèles à l'égard des grands modèles de référence (URSS, Chine, Vietnam, Cuba...), le marxisme a été frappé de plein fouet, à partir de 1975, par les « révélations » des dissidents soviétiques, notamment Soljenitsyne, et l'irruption sur la scène idéologique des « nouveaux philosophes ». Depuis, il n'a cessé de s'affaiblir jusqu'à ce que la chute des régimes communistes en Europe de l'Est et en URSS semble lui avoir porté le coup de grâce, au point d'apparaître, aux yeux de nombre d'intellectuels, comme une idéologie épuisée, sinon morte.
Le gauchisme aurait pu succéder, après 1968, au marxisme orthodoxe, mais il mourut de ses contradictions internes, au terme d'une longue agonie agitée parfois de soubresauts violents[16]. Ses principaux acteurs se sont, pour la plupart, parfaitement intégrés au « système » (politique, économique, culturel...). Hier, farouches adversaires du capitalisme, ils sont aujourd'hui recyclés dans les médias ou la publicité. Quelques-uns se sont retranchés dans une marginalité sectaire et morose ; d'autres enfin se sont repliés dans l'idéologie du « petit-bonheur » individuel.

Plus récent, l'écologisme a paru un moment pouvoir constituer l'idéologie-recours susceptible d'attirer les jeunes. Très vite, cependant, il s'est figé dans une opposition quasi-exclusive au nucléaire, négligeant ainsi les problèmes plus quotidiens des atteintes à l'environnement. « Cet amalgame de présupposés idéologiques, d'aspirations sentimentales, de réactions affectives, de jugements moraux et d'observations positives » a été « démenti par l'expérience, contesté, battu en brèche par des systèmes contraires », il s'est désagrégé et a perdu de « son emprise sur les esprits »[17].

▨ Le retour des idéologies de droite

Cette perte d'influence, cette désagrégation (A. Touraine parle d'« écroulement ») de l'idéologie (des idéologies) de gauche a été symbolisée par les disparitions successives de ses principaux « maîtres-penseurs » : Sartre, Barthes, Lacan, Foucault et, plus récemment, Althusser. Elle s'est accompagnée, selon un classique mouvement de balancier, d'un réveil, d'une montée en puissance de l'idéologie (des idéologies) de droite. Quand meurt Raymond Aron en 1983, lorsque les médias proclament qu'il eut raison contre Jean-Paul Sartre, ce sont les « trente glorieuses » de l'idéologie de gauche qui arrivent à leur terme.

Après les « nouveaux philosophes », dont la critique de l'idéologie de gauche s'enracina dans le gauchisme post-soixante-huitard avant de se muer en discours anti-totalitaire, au nom de la défense des droits de l'homme, il y eut les « nouveaux économistes ». Adeptes des théoriciens libéraux de l'Europe du XIXe siècle et des économistes néo-conservateurs américains, ils connurent une gloire éphémère à partir de 1978.

L'année suivante, la vedette leur fut ravie par la « nouvelle droite » qui, l'espace d'un été, fit les beaux jours de la page « Idées » du journal *Le Monde*. Les thèses provocantes de ce courant de pensée (anti-égalitarisme, anti-christianisme, anti-américanisme...) eurent vite fait de le rejeter dans l'ombre médiatique.

Mai 1981 éclata comme un coup de tonnerre dans le ciel serein de la droite politicienne. La gauche s'emparait du pouvoir politique au moment même où lui échappait le pouvoir culturel qu'elle détenait sans partage depuis la fin de la guerre. Hormis quelques personnalités entrées dans les cabinets ministériels ou nommées dans les services culturels des ambassades de France, les intellectuels de gauche se firent remarquer par leur silence. Au cours de l'été 1983, un ministre – lui-même écrivain – leur en fit reproche et les exhorta à s'exprimer[18]. L'appel ne fut qu'en partie entendu, d'éminents penseurs (Michel Foucault, Pierre Bourdieu, Simone de Beauvoir...) ayant refusé

d'y répondre. Pendant ce temps, le libéralisme achevait sa mue. La timide chrysalide néo-économiste de 1978 était désormais un triomphant papillon « reaganien ». La plupart des intellectuels de droite se rallièrent à la bannière étoilée de la « Révolution conservatrice américaine »[19].

Il n'y avait pourtant rien de particulièrement neuf dans ce « nouveau libéralisme » qui ne faisait qu'actualiser les thèmes classiques d'une doctrine du XIXᵉ siècle : primat de l'individu sur la collectivité ; défense et illustration de la propriété privée et de l'initiative individuelle ; libre-jeu du marché ; refus de l'État-Providence et rejet d'une société d'assistance.

La gauche elle-même qui se sentait « en voie de disparition »[20], trouva un nouveau souffle dans ce grand vent libéral venu d'Outre-Atlantique. Une « troisième gauche » n'hésita pas à proclamer la fin du socialisme et à vanter les vertus du libéralisme. Le journal *Le Monde* publia une importante enquête sur « les métamorphoses du socialisme » et l'économiste Alain Minc plaida pour un « capitalisme de gauche »...

▨ Chassés-croisés idéologiques

Ces dernières années, des dogmes se sont effondrés, de nouvelles idéologies sont apparues, d'anciennes divisions se sont atténuées ou effacées.

On a vu un ancien compagnon de Che Guevara, qui fut conseiller de François Mitterrand, proclamer « la fin de l'internationalisme prolétarien », prôner une « diplomatie de puissance »[21], se faire le chantre de l'État-nation[22] et exprimer sa nostalgie du général de Gaulle[23]. On a entendu un membre de l'aile gauche du Parti socialiste, devenu ministre de l'Éducation nationale, se prononcer pour un « élitisme républicain » axé sur « le travail, le mérite, le talent »[24], puis, ministre de la Défense, donner sa démission alors que les troupes françaises participaient à la guerre du Golfe. Un gaulliste a écrit qu'il n'hésiterait pas à préférer la gauche à la droite[25], un autre qu'il préférerait « perdre les élections plutôt que perdre son âme », en s'alliant au Front national[26].

Enfin, « l'affaire des foulards » en 1989 (cf. p. 98, « La question de l'immigration ») et, plus près de nous, la guerre du Golfe, ont été l'occasion de surprenants chassés-croisés idéologiques. Si le camp des partisans de l'entrée de la France dans ce conflit a paru rassembler une majorité d'intellectuels de gauche et de droite, celui des adversaires de la participation française fut idéologiquement aussi hétérogène que possible. Du Parti communiste au Front national, de certains gaullistes (notamment le fils et le petit-fils du Général) aux écologistes, des nostalgiques du tiers-mondisme aux fidèles du féminisme, des militants trotskistes aux idéologues de la nouvelle droite, la coalition anti-guerre a fait littéralement voler en éclats les clivages idéologiques traditionnels.

Est-ce à dire que les affrontements idéologiques sont définitivement terminés, dépassés ? Certainement pas. Mais, ils se sont déplacés, de vieilles idéologies sont mortes, d'autres ont vu ou voient le jour. Elles ont conquis de nouveaux territoires, investissent de nouvelles places.

Une chose paraît certaine : « Les vérités à majuscule ont perdu du poids, (...) les absolus sont de moins en moins croyables »[27], « l'heure n'est plus aux grands systèmes globalisants »[28]. Mais les idées bougent, changent, se transforment, bref, sont bien vivantes !

(1) Grasset, 1991.
(2) *Le Matin*, 28 janvier 1985.
(3) *Le Figaro*, 13 février 1985.
(4) *Le Nouvel Observateur*, 13-19 juin 1986.
(5) *Le Nouvel Observateur*, 8-14 août 1986.
(6) *Le Nouvel Observateur*, 15-21 août 1986.
(7) n° 239-240, mars 1987.
(8) Gallimard, 1987.
(9) Grasset, 1987.
(10) n° 45, mai-septembre 1987.
(11) Seuil, 1988.
(12) Gallimard, « Folio Histoire », 1989.
(13) *Le Débat*, n° 33, janvier 1985.
(14) René Rémond, dans *Le Débat*, op. cit.
(15) *Le Nouvel Observateur*, 13-19 juin 1986.
(16) Les attentats d'origine française (« Action directe ») perpétrés fin 1986 en France, en sont probablement une des manifestations.
(17) R. Rémond, op. cit.
(18) Il s'agit de Max Gallo, historien, romancier, qui, dans un article retentissant publié dans *Le Monde* (26 juillet 1983) posa cette question : « La Gauche abandonnerait-elle la bataille des idées ? »
(19) Cf. Guy Sorman : *La Révolution conservatrice américaine* (Fayard, 1983).
(20) Cf. Laurent Joffrin : *La gauche en voie de disparition* (Seuil, 1984).
(21) Régis Debray, *La Puissance et les rêves*, Gallimard.
(22) *Que vive la République*, Éd. O. Jacob, 1989.
(23) *À demain De Gaulle*, Gallimard, 1990.
(24) Jean-Pierre Chevènement.
(25) Frédéric Grendel, *Quand je n'ai pas de bleu, je mets du rouge*, Fayard 1985.
(26) Michel Noir, maire de Lyon.
(27) Alfred Grosser, in *Le Monde*, 29 mars 1991.
(28) Pierre Billard, in *Le Point*, 18 mars 1991.

En guise de conclusion... quelques réflexions sur l'identité de la France

Depuis une dizaine d'années, la question de la nation et de l'identité française a fait l'objet de très nombreux livres, articles, colloques... En 1981, paraissent *L'Invention de la France* d'Hervé Le Bras et Emmanuel Todd[1] et *Le Mythe de l'hexagone* d'Olier Mordrel[2] tandis qu'est publiée la seconde partie de notre étude intitulée *Certaines idées de la France*[3].
En 1982, l'historien Pierre Chaunu s'attache, dans un maître ouvrage, à *La France, histoire de la sensibilité des Français à la France*[4]. À la question, alors de plus en plus souvent posée, « qu'est-ce que la France ? », l'historienne Colette Beaune répond en 1985, dans son livre *La Naissance de la nation France*[5] : « C'est une conscience d'être une communauté humaine particulière par son origine et son territoire, un peuple auquel est lié de tout temps, croit-on, un territoire propre ».
La même année, des clubs de réflexion proches des partis politiques expriment, à travers colloques et livres, leurs certitudes ou leurs inquiétudes.

L'identité

À droite, le club de l'Horloge fait paraître *L'Identité de la France*[6], actes d'un colloque organisé sur ce thème. Leitmotiv de ce livre : le retour à la Nation, avec pour corollaire la réaffirmation des sentiments d'appartenance et d'enracinement. Ce néo-nationalisme s'accompagne d'une dénonciation de l'universalisme, de l'« idéologie culpabilisante » des droits de l'homme et de la société pluri-culturelle qui ne peuvent conduire qu'à l'éclatement de notre pays en une société multinationale, destructrice de l'identité française et à travers elle de la France ».
À gauche, le club Espace 89 publie *L'Identité française*[7], également fruit d'un colloque. S'il ne nie pas l'existence d'une crise de l'identité française, ce cercle socialiste n'accepte pas les réponses de la droite qu'il estime porteuse d'une idéologie « alourdie de motifs nationalistes et xénophobes, voire racistes ». Pour Espace 89, « l'identité française, c'est une culture plurielle, ce sont des valeurs résumées par le tryptique Liberté, Égalité, Fraternité ».
En 1986 paraît le second tome de l'ouvrage collectif intitulé *Les Lieux de mémoire*, consacré à *La Nation*[8]. L'historien Pierre Nora, qui dirige cette monumentale somme, écrit : « (On constate) une revitalisation de plus en plus nette du sentiment d'appartenance à la nation, non plus vécu sur le mode affirmatif du nationalisme traditionnel – même s'il en alimente des poussées – mais sur le mode d'une sensibilité renouvelée à la singularité nationale... ».
C'est également cette année-là que le grand historien Fernand Braudel publie le premier volume de *L'Identité de la France*[9] (les deux autres volumes paraîtront après sa mort) son œuvre ultime mais inachevée. À un journaliste qui lui demande alors : « La France pour vous, qu'est-ce que c'est ? », F. Braudel répond : « C'est la seule question à laquelle je suis incapable de répondre ». Ce dont il est sûr, par contre, c'est que « la France se nomme diversité »[10]. Cette diversité (des paysages, des climats, des hommes, des modes de vie, des idéologies...) est la réalité d'hier et d'aujourd'hui, « le triomphe éclatant du pluriel, de l'hétérogène, du jamais tout à fait vu ailleurs »[11]. Cette France « plurielle » a toujours

été en opposition avec la France « une » qui s'est efforcée de la dominer, de la contraindre, d'éliminer ses particularismes. En vain, car aucun ordre, politique social ou culturel, n'a réussi « à imposer une uniformité qui soit autre chose qu'une apparence »[12]. Il n'existe pas une France « une », mais « des » France.

Toujours la même année, l'identité nationale est à l'ordre du jour à l'occasion des rencontres de Pétrarque qui réunissent des historiens, des philosophes, des journalistes sur le thème : « La France : une nouvelle conscience de soi ? ». Selon l'historien Michel Winock, il existe une crise de la conscience française qui est écartelée entre un « mouvement de dilatation vers l'Europe » et un « mouvement de rétraction vers la région ».

De leur côté, les philosophes Alain Finkielkraut et André Comte-Sponville s'opposent sur leur conception de l'identité française : pour le premier, elle n'est rien d'autre que « l'adhésion rationnelle et contractuelle » à la France, pays dans lequel on vit, tandis que pour le second elle est reconnaissance d'une véritable conscience nationale et recherche d'une nouvelle culture française ».

En 1987, la célébration du millénaire de l'avènement d'Hugues Capet, date déterminante dans le lent cheminement au cours duquel la France s'est constituée en tant que nation, est une nouvelle occasion de s'interroger sur l'identité nationale.

Dans le cadre d'un numéro spécial sur le thème « Mille ans d'une nation, la France et les Français, 987-1987 », la revue L'Histoire[13] publie un article intitulé « Le casse-tête de l'identité française ». L'auteur de ce texte, le journaliste Jean-Maurice de Montremy écrit notamment : « L'identité française se constitue d'abord face à l'extérieur, tout en incluant des tensions parfois très vives ».

La nation

La Révolution française, dont on a commémoré le bicentenaire en 1989, illustre parfaitement cette double caractéristique : tensions intérieures très fortes et constitution d'une identité nationale face au danger extérieur.

C'est avec elle, on le sait qu'apparaît véritablement le concept de nation. Celle-ci rassemble la population du royaume qui est désormais conçue comme un tout indifférencié : il n'y a plus d'Alsaciens, de Bretons ou de Provençaux, mais uniquement des Français, parlant exclusivement la même langue.

C'est ainsi que la fête de la Fédération du 14 juillet 1790 proclame l'unité et l'indivisibilité de la nation française.

La commémoration de 1989 permet l'expression d'un large consensus sur la prééminence de l'universalisme et des droits de l'homme et, partant, sur l'affaiblissement de l'idée de nation. Celle-ci ne semble plus défendue et illustrée que par le Front national de Jean-Marie Le Pen.

Mais ce « déclin » et cette « marginalisation » vont être de courte durée puisque, dès l'année suivante, les termes d'identité et de nation reviennent à la « une » de l'actualité.

À la recherche de son identité

« Quel est le mot le plus employé en 1990 ? Je gagerais volontiers que c'est le mot identité » écrit, début 1991, le directeur du Nouvel Observateur, Jean Daniel[14]. Identité, identité française, identité nationale... autant de variations sur un même thème que l'on (re)trouve, tout au long de cette année, dans la bouche d'hommes politiques ou d'intellectuels, sous la plume de journalistes ou d'essayistes. Mais un mot est peut-être encore plus utilisé, celui de nation, ou son adjectif national(e).

Dans le premier numéro de 1990 de l'hebdomadaire Le Point, son directeur de la rédaction, Claude Imbert, évoque, à propos de la France et des Français, « la crise d'identité d'une nation de mutants »[15].

Courant mars, le sociologue Alain Touraine publie dans Le Monde, sous la rubrique « Identité », un article intitulé « La question nationale et la politique française »[16]. Le mois suivant, un nouvel éditorial de Claude Imbert est également consacré à « La question nationale »[17]. En mai, l'hebdomadaire Valeurs actuelles organise un « Débat sur la France » entre l'historien Raoul Girardet, auteur notamment d'une histoire du nationalisme français[18], et le philosophe Régis Debray, dont le dernier livre a pour titre À demain De Gaulle[19]. Au cours de ce débat, l'ancien conseiller de François Mitterrand déplore : « Le déboussolement d'une société qui n'est plus une nation... » En juillet ont lieu à Montpellier de nouvelles « Rencontres de Pétrarque ». Au programme : « L'idée de nation est-elle une idée neuve ? »

Au cours de l'automne, le secrétariat au Plan fait paraître sous la direction de l'historien Emmanuel Le Roy Ladurie un ouvrage intitulé *Entrer dans le XXI*e *siècle. Essai sur l'avenir de l'identité française* [20], dans lequel il est notamment question du « désarroi de l'identité nationale ».

En octobre, le mouvement « République moderne » animé par l'ancien ministre de l'Éducation nationale et de la Défense, Jean-Pierre Chevènement, organise un colloque sur « L'État de la France ». L'universitaire et écrivain Max Gallo, responsable de la culture au Parti socialiste (PS), présente une communication sur « La question nationale ».

Au même moment, un autre membre du PS, le député Michel Charzat, publie, sous le titre « La première gauche est morte. Vive la gauche », un texte de réflexion qui comprend notamment un chapitre sur « La crise de l'identité de la France ». C'est également durant cette période que paraît *La République. 1880 à nos jours*, de Maurice Agulhon, dernier tome d'une monumentale *Histoire de France* [21]. L'auteur parle du « fait national omniprésent » et affirme que « le sentiment national est entré dans une crise grave ».

Début 1991 enfin, après l'éditorial de Jean Daniel consacré au mot « identité », la revue *Le Débat* publie une série d'articles sur le thème « Retour de la nation ? » [22] La liste est longue, elle n'est certainement pas exhaustive ; elle témoigne, en tout cas, de la prégnance de la préoccupation nationale et identitaire.

▨ Une « crise nationale » ?

Pour Alain Touraine, « la question nationale remplace (désormais) la question sociale au centre de la vie politique » [23]. De fait, dans tous les partis, au Front national bien entendu, mais aussi au RPR de Jacques Chirac, à l'UDF de Valéry Giscard d'Estaing, au sein de certains courants du PS, au Parti communiste, on

s'interroge, on s'inquiète sur l'avenir de la nation et de son identité. Avenir qui serait menacé à la fois par une immigration incontrôlée en provenance des pays pauvres du Sud et par une intégration, au moins partielle, dans un « super État » européen.

À droite, on met surtout l'accent sur la première : après Jean-Marie Le Pen, qui en a fait depuis plusieurs années son principal cheval de bataille, J. Chirac et V. Giscard d'Estaing mettent en garde leurs compatriotes contre les périls que fait peser l'immigration sur l'identité française. Celle-ci, selon l'ancien président de la République, doit être « vigoureuse, reconnue, liée à son histoire intellectuelle, spirituelle et culturelle ».

À gauche, on préfère insister sur les dangers de dissolution de la nation dans un ensemble européen supra-national et mercantile. Mais le débat n'est pas seulement politique, il est, plus largement, idéologique, culturel... « Plus on ignore la question nationale, plus elle grandit » observe le journaliste de droite Claude Imbert, tandis que l'intellectuel de gauche, Max Gallo, lui fait écho en déclarant : « Qu'on le veuille ou non, qu'on déforme ou non le sens du débat, la question de la nation, la question de la France, de son destin et de son rôle, de la signification de la citoyenneté française aujourd'hui sont posées ». Dans cette interrogation sur la France, les événements historiques récents jouent bien sûr un rôle de premier plan. L'effondrement des grandes utopies (le marxisme, le gauchisme, le tiers-mondisme), les bouleversements survenus en Europe de l'Est et en URSS, la crise du Golfe et ses conséquences, sont probablement autant de préludes à l'avènement d'un nouvel ordre mondial, et donc à une redéfinition de la question nationale. Mais celle-ci dépend également du caractère « transnational » des flux économiques, financiers et culturels, comme elle est liée à la construction de l'Europe de demain (mise en place d'une réglementation communautaire, prééminence du droit européen sur le droit français, etc.). Après l'éclatement de l'empire soviétique, la réunification de l'Allemagne et la démocratisation des pays d'Europe centrale, la préoccupation nationale ne pouvait être ignorée en France, les inquiétudes hexagonales spécifiques ne pouvaient que susciter le réflexe identitaire. Cela signifie-t-il, comme l'affirme encore Max

Gallo, que la France est « une nation sans repères, ou qui, en tout cas, doit redéfinir tous ceux qu'elle avait fixés » ? Repères en politique extérieure (place et rôle de la France en Europe et dans le monde) comme en politique intérieure (rôle de l'État, des institutions, des partis, problèmes de l'immigration, de l'éducation, de la protection sociale...). Cette absence ou cette perte de repères constituerait ainsi le signe le plus marquant d'une véritable « crise nationale », crise touchant toutes les grandes instances de représentation (École, Armée, Justice, Église...).

Les responsables de cette crise sont, selon Régis Debray, tous ceux qui, au nom du marxisme, du mondialisme ou de la modernité, ont méconnu ou refusé le « fait national ». Négation qui, à ses yeux, « a causé mille fois plus de ravages dans l'histoire que sa prise en compte »[24]. Claude Imbert, pour sa part, met plus particulièrement en cause la classe politique qui a notamment laissé « à Le Pen l'apanage du discours sur l'immigration » et qui risque de voir bientôt « ce qu'il en coûte de ne pas poser les bonnes questions sur l'Europe ».

Dépassant le « pré carré » français, R. Debray lance cet avertissement : « Assumez les nations, messieurs les Européens, et apprenez à vivre avec : sinon gare à vous. Le retour du refoulé vous sautera à la gorge ». C. Imbert, lui, interpelle « nos princes fatigués » pour leur faire préciser « l'idée qu'ils se font aujourd'hui de la nation française ».

Les uns comme les autres sauront-ils entendre et voudront-ils répondre ?

De la réponse à cette question dépend sans doute en grande partie l'avenir de la nation et de l'identité française. Cette « identité de la France », dont Fernand Braudel se demandait ce qu'elle était « sinon une sorte de superlatif, sinon une problématique centrale, sinon une prise en mains de la France par elle-même ; sinon le résultat vivant de ce que l'interminable passé a déposé patiemment par couches successives... ». Avant d'ajouter et d'avertir : « En somme un résidu, un amalgame, des additions, des mélanges. Un processus, un combat contre soi-même, destiné à se perpétuer. S'il s'interrompait, tout s'écroulerait ! »[25].

(1) Livre de poche, coll. « Pluriel ».
(2) Éd. Jean Picollec.
(3) CIEP de Sèvres et Diesterweg, Francfort a/M. RFA.
(4) Éd. Robert Laffont.
(5) Gallimard.
(6) Albin Michel.
(7) Éd. Tierce.
(8) Gallimard, « Bibliothèque illustrée des histoires ».
(9) Arthaud – Flammarion.
(10) in *L'Identité de la France*, op. cit.
(11) *Ibid*.
(12) *Ibid*.
(13) n° 96, janvier 1987.
(14) in *Le Nouvel Observateur*, 3-9 janvier 1991.
(15) in *Le Point*, 8 janvier 1990.
(16) in *Le Monde*, 13 mars 1990.
(17) in *Le Point*, 16 avril 1990.
(18) *Le Nationalisme français (1871-1914)*, A. Colin, 1966. Rééd. Éd. du Seuil, coll. « Points Histoire », 1983.
(19) Gallimard, *Le Débat*, 1990.
(20) Éd. La Découverte/La Documentation française.
(21) Hachette, 1990.
(22) n° 63, janvier-février 1991.
(23) in *Le Monde*, op. cit.
(24) *À demain De Gaulle*, op. cit.
(25) in *L'Identité de la France*, op. cit.

*Repères
bibliographiques*

Généralités sur la France

- *La nouvelle France*, d'Emmanuel Todd, Le Seuil, 1988.

- *La seconde Révolution française : 1965-1984*, d'Henri Mendras, Gallimard « Bibliothèque des sciences humaines », 1988.

- *Francoscopie 1991*, de Gérard Mermet, Larousse, 1991.

- *Fragilité de la France*, de Richard Berstein, François Bourin, 1991.

- *L'État de l'opinion 1991 par la SOFRES*, d'Olivier Duhamel et Jérôme Jaffré, Seuil, 1991.

- *Dieu est-il français ?*, de Raymond Soubie, de Fallois, 1991.

- *La Peur du vide. Essai sur les passions démocratiques*, d'Olivier Mongin, Seuil, 1991.

Population

- *La Famille incertaine*, de Louis Roussel, Odile Jacob, 1989.

- *Fortune et infortune de la femme mariée*, de François de Singly, PUF, 1990.

- *La Démocratie familiale*, de Michel Fize, Presses de la Renaissance, 1990.

- *Génération pilule*, de E. Baulieu, Odile Jacob, 1990.

- *Jeux de famille*, collectif coordonné par Martine Segalen, Presses du CNRS, 1991.

- *La Famille – L'État des savoirs*, de François de Singly et al., La Découverte, 1991.

Réalités quotidiennes

- *Gastronomie française*, de Jean-Robert Pitte, Fayard, 1991.

- *L'Argent fou*, d'Alain Minc, Grasset, 1990.

Contexte politique

- *La République du centre – La Fin de l'exception française*, de François Furet, Jacques Julliard et Pierre Rosanvallon, Calmann-Levy, 1988.

- *Le Front National à découvert*, de Pascal Perrineau, Presses de la Fondation Nationale des Sciences Politiques, 1989.

- *La décennie Mitterrand*, de Pierre Favier et Michel-Martin Roland, Tome 1, Le Seuil, 1990. Tome 2, 1991.

- *Essais sur les partis politiques*, de Pierre Avril, Payot, 1990.

- *Le Président*, de Franz-Olivier Giesbert, Le Seuil, 1990.

- *La Gauche est morte. Vive la gauche !*, de Max Gallo, Odile Jacob, 1990.

- *À demain de Gaulle*, de Régis Debray, Gallimard, 1990.

- *De Gaulle – Mitterrand. La marque et la trace*, d'Alain Duhamel, Flammarion, 1991.

- *Les Collectivités locales* de B. Rémond et J. Blanc, Presses de la Fondation Nationale des Sciences Politiques.

Situation économique

- *La France en fiches*, d'Éric Fottorino, Lieu commun, 1989.

- *La Faillite de l''économie administrée : Le paradoxe français*, de Fred Aftalion, PUF, 1990.

- *La France ou la souveraineté menacée*, de Jean-François Bensahel, Odile Jacob, 1991.

- *La Crise agricole*, de Jean-Yves Dupré et Stéphane Yrles, La Documentation française, 1991,

- *La France en panne*, d'Alain Cotta, Fayard, 1991.

▨ Questions sociales

- *La Question syndicale*, de Pierre Rosanvallon, Calmann-Lévy, 1988.

- *Gens du privé, gens du public, la grande différence*, de François de Singly et Claude Thélot, Dunod, 1988.

- *Que reste-t-il de Billancourt ?*, de Daniel Labbé et Frédéric Perrin, Hachette, 1990.

- *Le Fonctionnaire détrôné ?*, de J.L. Bodiguel et L. Rouban, Presses de la Fondation Nationale des Sciences Politiques, 1991.

- *La Disqualification sociale. Essais sur la nouvelle pauvreté*, de S. Paugam, PUF, 1991.

- *L'Emploi, un choix de société*, de Guy Roustang, Syros, 1991.

- *Nouvelle croissance et emploi*, de Jean Kaspar, Syros, 1991.

- *Du Chômage à l'exclusion ? L'état des politiques, l'apport des expériences*, de Simon Wuhl, Syros, 1991.

▨ Faits de société

- *Les jeunes*, d'Olivier Galland, La Découverte, Coll. « Repères », 1989.

- *Sociologie de la jeunesse. Entrer dans la vie*, d'Olivier Galland, Armand Colin, 1990.

- *Interminable adolescence : 12-30 ans*, de Tony Anatrella, Le Cerf-Cujas, 1990.

- *Contours et caractères. Les jeunes de 12 à 24 ans*, INSEE, 1990.

- *Les Lycéens*, de François Dubet, Seuil 1991.

- *Progrès ou déclin de l'homme*, de Philippe de Saint Marc, Stock.

- *Le Creuset français : Histoire de l'immigration, XIXᵉ-XXᵉ siècles*, de Gérard Noiriel, Seuil, 1988.

- *La mosaïque France : histoire des étrangers et de l'immigration*, d'Yves Lequin, Larousse, 1988.

- *Regard sur l'immigration et la présence étrangère en France, 1989-1990*, ministère des Affaires sociales et de la Solidarité, La Documentation Française, 1990.

- *Née en France. Histoire d'une jeune Beur*, d'Aicha Benaïssa et Sylvie Ponchelet, Payot, 1990.

- *Ils feront de bons Français : enquête sur l'assimilation des maghrébins*, de Christian Jelen, Laffont, 1991.

- *La France et ses étrangers. L'aventure d'une politique de l'immigration, 1938-1991*, de Patrick Weil, Calmann-Levy, 1991.

▨ Actualité des médias

- *La connaissance inutile*, de Jean-François Revel, Grasset, 1988.

- *Où sont les caméras ? Traité de la gloire médiatique*, de Daniel Schneidermann, Belfond, 1989.

- *Éloge du grand public. Une théorie critique de la télévision*, de Dominique Wolton, Flammarion, 1990.

- *Les journalistes sont-ils crédibles ?* de Laurent Joffrin, Reporters sans frontières, 1991.

- *C'est la faute aux médias !*, d'Yves Mamou, Payot, 1991.

- *Information, manipulation*, par Alain Woodrow, du Félin, 1991.

- *La Presse en France de 1945 à nos jours*, de Jean Marie Charon, Le Seuil coll. « Points », 1991.

- *Lycées, l'état d'urgence*, de Jean-Pierre Berland, J.C. Lattès, 1991.

- *La Cause des élèves*, de Marguerite Gentzbittel, Le Seuil, 1991.

- *Pourquoi ont-ils tué Jules Ferry ?*, de Philippe Nemo, Grasset, 1991.

- *La bonne École*, de Robert Ballion, Hatier, 1991.

▨ Système éducatif

- *Éducation et société. Les défis de l'an 2000*, de Jacques Lesourne, La Découverte/Le Monde de l'Éducation, 1988.

- *Le Niveau monte*, de Christian Baudelot et Roger Establet, Le Seuil, 1989.

- *Ce qu'il faut enseigner. Pour un nouvel enseignement général dans le secondaire*, de Jean Marie Domenach, Le Seuil, 1989.

- *La Fin de l'école républicaine*, de Philippe Raymond et Paul Thibaud, Calmann-Lévy, 1990.

- *Le Barbare et l'écolier, la fin des utopies scolaires*, de Laurence Cornu, Jean-Claude Pompougnac et Joël Roman, Calmann-Lévy, 1990.

- *L'Enseignement s'est-il démocratisé ?*, d'Antoine Prost, PUF, 1990.

- *La Décennie des mal-appris*, de François Bayrou, Flammarion, 1990.

- *Enseignants du secondaire*, d'Alain Léger, PUF, 1990.

- *Les Parents, les profs et l'école*, de Bernard Defrance, Syros, 1990.

▨ Culture, idées et croyances

- *Les Pratiques culturelles des Français, 1973-1989*, ministère de la Culture, La Découverte/La Documentation française, 1989.

- *L'Aventure culturelle française, 1945-1989*, de Pascal Ory, Flammarion, 1989.

- *L'Ère de l'individu*, de Alain Renaut, Gallimard, 1989.

- *Des Idées pour la politique*, de Jean-Marie Domenach, Le Seuil, 1989.

- *Les Intellectuels en France, de l'affaire Dreyfus à nos jours*, de Pascal Ory et Jean-François Sirinelli, Armand Colin, 1989.

- *Intellectuels et passions françaises*, de J.F. Sirinelli, Fayard, 1990.

- *Libre culture*, de Jacques Rigaud, Le Débat, Gallimard, 1990.

- *Les Aventures de la liberté*, de Bernard-Henri Lévy, Grasset, 1991.

- *L'État culturel, une religion moderne*, de Marc Fumaroli, De Fallois.

- *Histoire de la France religieuse*, sous la direction de Jacques Le Goff et René Rémond, Le Seuil, 1988.

• *La France est-elle toujours un pays catholique ?*, de G. Michelet, J. Potel et J. Sutter, Cerf, 1988.

• *Le horsain*, de Bernard Alexandre, Plon, coll. « Terres humaines », 1988.

• *La France face à l'Islam*, de Gilles Kepel, Le Seuil, 1989.

• *Les Banlieues de l'Islam*, de Gilles Kepel, Le Seuil, 1989.

• *Les Communautés nouvelles*, de Frédéric Lenoir, Fayard, 1991.

• *Les Charismatiques*, de Anne Desailly, La Découverte, 1991.

▓ L'identité nationale

• *Entrer dans le XXe siècle. Essai sur l'avenir de l'idendité française*, sous la direction d'Emmanuel LeRoy Ladurie, La Découverte/La Documentation française, 1990.

• *Essai sur l'universalité de la France*, de Manuel de Diéguez, Albin Michel, 1990.

• *La France de l'intégration. Sociologie de la nation en 1990*, de Dominique Schnapper, Gallimard, « Bibliothèque des sciences humaines », 1991.

Crédit photographique

p. 12 : L. Perenom © Collectif ; p. 15 : J. Copes-Van Hasselt © Collectif ; p. 17 : © Petit Format ; p. 19 : R. Frieman © Rapho ; p. 23 : Gerber © Collectif ; p. 25 : C. Granveaud © Collectif ; p. 28-29 : Sibert, Leloup, L. Perenom © Collectif ; p. 31 : S. Fournier © Rapho ; p. 33 : Van Hasselt © Collectif ; p. 34 : L. Perenom © Collectif ; p. 37 : A. Nogues © Sygma ; p. 38 : J. Pavlovsky © Sygma, Ch. Vioujard ; W. Stevens © Gamma ; p. 39 : J. Pavlosky © Sygma ; p. 43 : M. Vialeron © Rapho ; p. 45 : C. Santos © Rapho ; p. 51 : carte AFDEC ; p. 58 : Merillon © Collectif ; p. 63 : S. Sibert © Collectif, Roger-Viollet, E.D.F.-Brigaud ; p. 65 : Le Bot © Gamma ; p. 66 : © Collombert ; p. 67 : L. Perenom © Collectif ; p. 68 : R. Tixador © TOP, droits réservés ; p. 69 : P. Aventurier © Gamma ; p. 72 : Merillon © Collectif ; p. 73 : V. Leloup © Collectif ; p. 74 : Merillon-Torregano © Collectif, AEG-Telefunken ; p. 75 : M. Manceau © Rapho (Talbot-Poissy) ; p. 78 : S. Sibert © Collectif ; p. 79 : L. Perenom © Collectif ; p. 82 : B. Bisson © Sygma ; p. 98 : P. Aventurier © Gamma ; p. 99 : G. Bassignac © Gamma ; p. 101 : Polak © Collectif ; p. 103 : M. Manceau © Rapho ; p. 106 : C. Granveaud © Collectif ; p. 107 : Granveaud-Leloup-Thomas © Collectif, Van Hasselt © Collectif ; p. 108 : Niépce © Rapho ; p. 110 : A. Keler © Gamma ; p. 113 : Follorou © Rapho ; p. 115 : P. Durand © Sygma, Vioujard © Gamma ; p. 119 : G. Vandystadt ; p. 124 : Van Hasselt © Collectif ; p. 127 : A. Duclos © Gamma ; p. 129 : Granveaud © Collectif ; p. 130 : P. Vauthey © Gamma ; p. 135 : TF1, A2, FR3, Canal +, La Cinq, M6 ; p. 139 : Marcus Robinson ; p. 141 : Van Hasselt © Collectif ; p. 146 : Boiffin-Vivier © Collectif ; p. 147 : Bisson © Collectif ; p. 148 : L. Perenom © Collectif ; p. 149 : Leloup © Collectif ; p. 151 : Van Hasselt © Collectif ; p. 153 : Thomas © Collectif ; p. 155 : P. Michaud © Rapho ; p. 159 : Béziat © Collectif ; p. 160 : Vimenet © Collectif ; p. 161 : L. Perenom © Collectif ; p. 162 : P. Michaud © Rapho ; p. 163 : L. Perenom © Collectif ; p. 164 : Toudouze © Collectif ; p. 167 : P. Michaud © Rapho (sortie de messe) ; p. 168 : Y. Jeanmougin © Rapho (Grande Mosquée de Marseille) ; p. 170 : Y. Jeanmougin © Rapho (Communion au Grand Temple de Marseille) ; p. 173 : Sommet de Versailles 1986, Premier Sommet de la Francophonie © AFP ; p. 174 : Roger-Viollet © Collection Viollet (Onésime Reclus 1837-1916) ; p. 175 : Pelletier © Gamma (Marguerite Yourcenar) ; p. 177 : photos Édimédia (Jean-Paul Sartre, Raymond Aron) ; p. 178 : J. Pavlosky © Rapho (Simone de Beauvoir) ; p. 179 : P. Michaud © Rapho.

Imprimé en France par Mame Imprimeurs à Tours
Dépôt légal n° 6498-01/92 – Collection n° 20 – Édition n° 01
15/4908/8